수능전략
영어 영역

Chunjae
Makes
Chunjae

▼

[수능전략] 영어 영역 어휘

편집개발   김미혜, 최미래, 고명희, 정혜숙, 권새봄
디자인총괄   김희정
표지디자인   윤순미, 심지영
내지디자인   박희춘, 안정승
제작   황성진, 조규영

발행일   2022년 2월 15일 초판 2022년 2월 15일 1쇄
발행인   (주)천재교육
주소   서울시 금천구 가산로9길 54
신고번호   제2001-000018호
고객센터   1577-0902
교재 내용문의   (02)3282-8834

수능전략

영·어·영·역

어휘

BOOK 1

이 책의 **구성과 활용**

BOOK 1 | BOOK 2 | BOOK 3
1주, 2주 | 1주, 2주 | 정답과 해설

본책인 BOOK 1과 BOOK 2의 구성은 아래와 같습니다.

주 도입

본격적인 학습에 앞서, 재미있는 만화를
살펴보며 이번 주에 학습할 내용을 확인해
봅니다.

1일

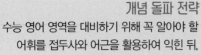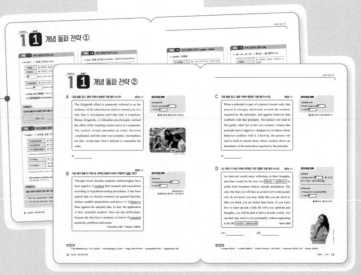

개념 돌파 전략

수능 영어 영역을 대비하기 위해 꼭 알아야 할
어휘를 접두사와 어근을 활용하여 익힌 뒤,
문제를 풀며 확인해 봅니다.

2일, 3일

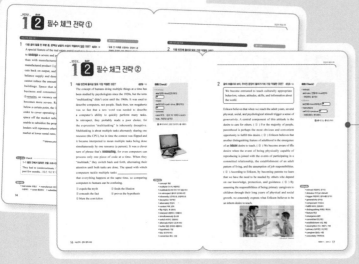

필수 체크 전략

앞서 배운 어휘가 포함된 기출 문제를 풀며 어휘에
대한 이해도를 높입니다.

부록 수능에 꼭 나오는 필수 유형 ZIP

본 책에서 다룬 대표 유형과 어휘를 집중적으로
복습할 수 있도록 권두 부록을 구성했습니다.
부록을 뜯으면 미니북으로 활용할 수 있습니다.

주 마무리 코너

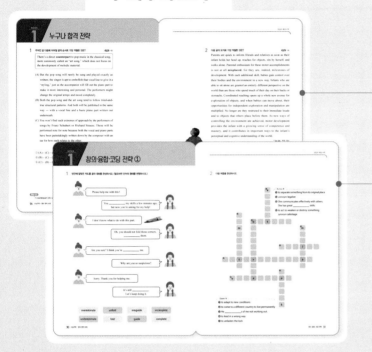

누구나 합격 전략
난이도가 낮은 기출 문제를 풀며
학습 자신감을 높일 수 있습니다.

창의·융합·코딩 전략
재미있는 문제를 통해 학습한 어휘를 다시
확인합니다.

권 마무리 코너

마무리 전략
학습한 내용을 표로 구성하여 앞에서
무엇을 공부했는지 한눈에 파악할 수 있습니다.

신유형·신경향 전략
신유형·신경향 문제를 집중적으로 풀며
문제 적응력을 높일 수 있습니다.

1·2등급 확보 전략
난이도가 높은 기출 문제를 풀며
고난도 문제에 대비할 수 있습니다.

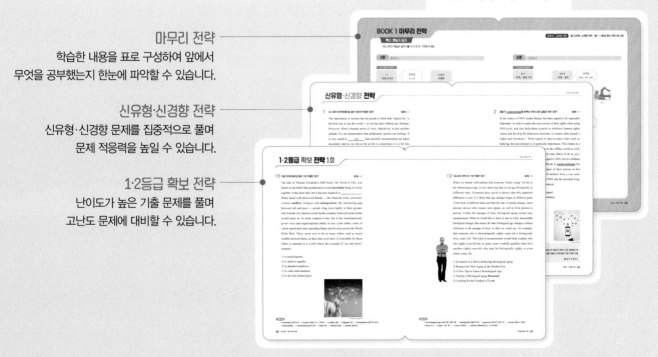

이 책의 차례

BOOK 1

파이팅!!

개념 돌파 전략 ①

개념 01 위치/방향의 접두사 in-

❖ in-/im-: ~ 안에, 안으로 (into)

intake	명 섭취(량), 흡입(구)
inborn	형 선천적인, 타고난 (= born, innate)

in + ❶ [   ] (태어난): 안에서 가지고 태어난 → 선천적인

immigrate	동 (다른 나라로) 이민 오다, 이주해 오다

im(in, into) + ❷ [   ] (이동하다): 이동해서 들어오다 → 이민 오다

· a daily salt **intake** 하루의 소금 섭취량
· to **immigrate** to Australia 호주로 이민을 오다

답 ❶ born ❷ migrate

CHECK 1

빈칸에 공통으로 알맞은 접두사를 쓰시오.

_____take 섭취량 _____born 선천적인

개념 02 위치/방향의 접두사 inter-

❖ inter-: ~ 사이에, 상호 간의 (between)

interpersonal	형 대인관계에 관련된
intersection	명 교차로, 교차 지점
interdependent	형 상호의존적인

inter(between) + dependent(의존하는): 상호 간에 의존하는 → 상호의존적인

interfere	동 간섭하다
intervene	동 개입하다, 끼어들다 intervention 명 개입

inter(between) + vene(= go, 가다): 사이에 가다 → 끼어들다

· All modern societies are ❶ [   ].
모든 현대 사회는 상호의존적이다.

답 ❶ interdependent

CHECK 2

괄호 안에서 알맞은 접두사를 고르시오.

She has great (in- / inter-)personal skills.
그녀는 대인관계에 관련된 훌륭한 기술들을 가지고 있다.

개념 03 위치/방향의 접두사 out-

❖ out-: 밖에, 밖으로 (outside), ~보다 더 (more than)

outstanding	형 눈에 띄는, 두드러진, 뛰어난
outline	동 개요를 말하다, 윤곽을 나타내다 명 개요, 윤곽
outbreak	명 발생, 발발
outlaw	동 불법화하다, 금지하다
outweigh	동 (~보다) 더 무겁다, 중대하다

out(more than) + ❶ [   ] (무게가 나가다): 무게가 더 나가다 → 더 무겁다

· areas of **outstanding** natural beauty
뛰어난 자연의 아름다움이 있는 지역들
· to **outline** plans 계획의 개요를 말하다
· to lead to ❷ [   ]s of infectious diseases
전염병의 발생을 초래하다
· The ads were **outlawed** in the country.
그 광고들은 그 나라에서 금지되었다.
· to **outweigh** the risk (혜택 등이) 위험보다 더 크다

접두사 out-은 '밖에(outside)', '~보다 더(more than)'의 의미를 모두 갖고 있습니다. '기준이나 경계의 밖에 있음'을 나타내는 접두사로 이해할 수 있습니다.

답 ❶ weigh ❷ outbreak

CHECK 3

빈칸에 공통으로 알맞은 접두사를 쓰시오.

The _____line of her project was _____standing. 그녀의 프로젝트의 개요는 뛰어났다.

개념 **04** 위치/방향의 접두사 under-, trans-

❖ under-: 아래에

underlie	통 (~의) 기초가 되다, 기저를 이루다

underlie-underlay-underlain

underestimate	통 과소평가하다, (비용을) 너무 적게 잡다

under + ❶ ⬚ (추정하다): (실제보다) 아래로 추정하다 → 과소평가하다

undergo	통 경험하다, 겪다

undergo-underwent-undergone

· the technology that **underlies** much of the firm's **success** 그 회사가 이룬 성공의 많은 부분의 기저를 이루는 기술

· to **underestimate** the cost of constructing
건축 비용을 너무 적게 잡다

· to **undergo** periods of hard training
힘든 훈련 기간을 겪다

❖ trans-: 가로질러, 관통하여 (across)

transplant	통 이식하다, (식물을) 옮겨 심다

trans(across) + ❷ ⬚ (심다): (다른 자리로) 이동해서 심다 → 이식하다

transit	통 이동시키다, 통과시키다 명 이송, 통과

· to **transplant** one of his kidneys
그의 신장 중 하나를 이식하다

· Your parcel is in **transit** .
당신의 소포는 배송 중에 있습니다.

© Konstantin Faraktinov / shutterstock

🔑 ❶ estimate ❷ plant

CHECK 4

괄호 안에서 알맞은 접두사를 고르시오.

The police officer allowed him to (trans- / under-)it through the lobby.
경찰관은 그가 로비를 통과하도록 허락했다.

개념 **05** 위치/방향의 접두사 ad-

❖ ad-, ac-, al-, af-: ~ 쪽으로, ~을 향하여 (to)

adjust	통 조정하다, 맞추다, 적응하다, 순응하다
accompany	통 동반하다, 동행하다, 반주하다

ac(to) + company(동행, 일행): 일행 쪽으로 가다 → 동행하다, 동반하다

accumulate	통 축적하다, 모으다
allocate	통 배분하다, 할당하다

al(to) + locate(두다): (특정한) 쪽으로 두다 → 배분하다

affirm	통 단언하다, 주장하다

af(to) + ❶ ⬚ (확고한): ~에 확고한 → 단언하다

· Teenagers feel competent and ❷ ⬚ ed.
십 대들은 (자신이) 유능하고 적응했다고 느낀다.

· **accompanied** by their parents 부모에 의해 동반된

· to **accumulate** knowledge 지식을 축적하다

· to **allocate** our resources 우리의 자원을 배분하다

· to **affirm** that the painting is genuine
그림이 진품이라고 단언하다

접두사 ad-는 여러 가지 형태로 변형됩니다. ac-, al-, af- 모두 같은 의미의 접두사예요.

🔑 ❶ firm ❷ adjust

CHECK 5

빈칸에 공통으로 들어갈 접두사는?

· _____company 동반하다
· _____cumulate 축적하다

① ad-   ② ac-   ③ af-

개념 06 부정/반대의 접두사 in-

❖ in-, il-, im-, ir-: 부정, 반대의 (not)

incomplete	⑱ 불완전한, 미완성의
ineffective	⑱ 효과[효력] 없는
inevitable	⑱ 불가피한, 피할 수 없는

in(not) + ❶ [ ] (피할 수 있는): 피할 수 없는, 불가피한

illegal	⑱ 불법의 ⑲ 불법체류자
illiterate	⑱ 글을 읽고 쓸 줄 모르는, 문맹의
impartial	⑱ 공정한

im(not) + ❷ [ ] (편파적인): 편파적이지 않은 → 공정한

impersonal	⑱ 비인격적인, 개인적인 감정이 섞이지 않은
irresistible	⑱ 억누를 수 없는, 거부할 수 없는

ir(not) + resistible(저항할 수 있는): 거부할 수 없는, 매력적인

irrelevant	⑱ 관계가 없는, 상관없는 (to)

ir(not) + relevant(관련된, 적절한): 관계가 없는

· to suffer an inevitable decline in quality
  품질의 불가피한 저하를 겪다

· to request an impartial review
  공정한 비평을 요청하다

· an irresistible trend 거부할 수 없는 추세

· an outcome irrelevant to the economic system
  경제 체제와 상관없는 결과

'~ 안에, 안으로'라는 의미의 접두사 in-과 형태는 같지만 의미는 완전히 다르니 주의하세요.

답 ❶ evitable ❷ partial

CHECK 6

빈칸에 공통으로 들어갈 접두사는?

· _____legal 불법의
· _____literate 글을 읽고 쓸 줄 모르는

① in-   ② ir-   ③ il-

개념 07 부정/반대의 접두사 dis-

❖ dis-: 부정, 반대의 (not, opposite)

disapprove	⑧ 못마땅해 하다

dis(not) + ❶ [ ] (찬성하다): 찬성하지 않다 → 못마땅해 하다

disprove	⑧ 틀렸음을 입증하다, ~을 반증하다

dis(opposite) + ❷ [ ] (증명하다): 반대를 증명하다 → ~을 반증하다

disclose	⑧ 밝히다, 폭로하다 (= reveal)

dis(opposite) + close(닫다): 열다 → 폭로하다

dishonor	⑧ ~의 명예를 손상시키다 ⑲ 불명예
disregard	⑧ 무시하다, 묵살하다 (= ignore) ⑲ 무시

dis(not) + regard(~을 보다, 평가하다): 보지 않다 → 무시하다

· to prove or disprove them against the data
  자료에 비교하여 그것들을 증명하거나 반증하다

· to disregard his advice 그의 충고를 무시하다

답 ❶ approve ❷ prove

CHECK 7

빈칸에 알맞은 말은?

disclose : reveal = _____ : ignore

① close   ② regard   ③ disregard

개념 08 부정/반대의 접두사 de-

❖ de-: 떨어져 (away), 아래로 (down)

detach	⑧ 떼어내다, 분리하다

de(away) + (at)tach(붙이다): 붙인 것을 떨어지게 하다 → 떼어내다

deform	⑧ 변형시키다
degenerate	⑧ 악화되다 (= deteriorate) ⑱ 타락한

de(away) + ❶ [ ] (만들어내다): 원래 모습과 멀어지도록 만들어내다 → 악화되다

· The mould was deformed. 그 거푸집은 변형되었다.

답 ❶ generate

개념 09 부정/반대의 접두사 un-

❖ un-: 부정, 반대의 (not, opposite)

unreasonable	형 불합리한, 부당한
unequal	형 불공평한 (= unfair)
unlock	동 (자물쇠를) 열다, 드러내다

un(opposite)+❶[　　　](자물쇠를 잠그다): 열다

unlikely	형 ~할 것 같지 않은

un(not)+likely(~할 것 같은): ~할 것 같지 않은, 예상 밖의

· to try **unlocking** his cell phone
그의 휴대 전화 잠금을 풀려고 시도하다

· to seem **unlikely** to reach an agreement
합의에 이를 것 같지 않아 보이다

답 ❶ lock

CHECK 9

빈칸에 들어갈 접두사는?

> lock : ～～～lock = legal : illegal

① de-　　② dis-　　③ un-

개념 10 부정/반대의 접두사 mis-

❖ mis-: 잘못된 (wrong)

misfortune	명 불행
misguide	동 잘못 인도하다
mislead	동 호도하다, 오해하게 하다

mis(wrong)+lead(~하게 유도하다): 잘못 생각하게 유도하다 → 호도하다

misplace	동 제자리에 두지 않다, 둔 곳을 잊어 버리다

mis(wrong)+❶[　　　](놓다, 두다): 잘못된 곳에 두다 → 제자리에 두지 않다 (그래서 잊어버리다)

· to **mislead** us about their true purpose
그들의 진짜 목적에 대해 우리가 오해하게 하다

답 ❶ place

CHECK 10

빈칸에 알맞은 말을 쓰시오.

> equal : unequal = ～～～～ : misguide

개념 11 부정/반대의 접두사 anti-, counter-

❖ anti-, ant-: ~에 대항하여, 반대의 (against, opposite)

antisocial	형 반사회적인, 비사교적인
antibody	명 항체
antibiotic	형 항생의
antonym	명 반의어 (↔ synonym 유의어)

ant(opposite)+onym(name): 반대되는 이름 → 반의어

· The writer is not **antisocial** but shy.
그 작가는 비사교적인 것이 아니라 소심한 것이다.

· *Attack and defend* are ❶[　　　]s.
'공격하다'와 '방어하다'는 반의어이다.

❖ counter-, contra-, contro-: ~에 대항하여
(against, opposite)

counteract	동 거스르다, 중화하다
counterattack	동 반격하다 명 반격
counterpart	명 상대

counter(opposite)+❷[　　　](부분): 반대되는 한쪽 → 상대

contrary	형 반대의 명 반대
controversy	명 논쟁, 논란

contro(opposite)+vers(change)+y(명사 접미사): 반대되는 말을 주고받는 것 → 논쟁

· The pill **counteracted** my allergic symptoms.
그 약은 나의 알레르기 증상을 중화했다.

· a **controversy** over the regulation
그 규제에 대한 논쟁

답 ❶ antonym ❷ part

CHECK 11

빈칸에 공통으로 들어갈 접두사는?

> • Getting ～～～biotic ointment requires a prescription. 항생제연고를 사려면 처방전이 필요하다.
> • They are both ～～～social.
> 그들은 둘 다 비사교적이다.

① mis-　　② anti-　　③ count-

개념 돌파 전략 ②

A 다음 글을 읽고, 괄호 안에서 알맞은 것을 골라 쓰시오. 학평 응용

The Zeigarnik effect is commonly referred to as the tendency of the subconscious mind to remind you of a task that is incomplete until that task is complete. Bluma Zeigarnik, a Lithuanian psychologist, noticed the effect while watching waiters serve in a restaurant. The waiters would remember an order, however complicated, until the order was (complete / incomplete), but they would later find it difficult to remember the order.

➡ ~~~~~~~~~~~~

문제 해결 전략

incomplete

in(not)+complete(❶)

➡ 의미: ❷

🖭 ❶ 완료된 ❷ 불완전한, 미완성의

© El Nariz / shutterstock

B 다음 글의 밑줄 친 부분 중, 문맥상 낱말의 쓰임이 적절하지 않은 것은? 모평 응용

Through recent decades academic archaeologists have been urged to ①conduct their research and excavations according to hypothesis-testing procedures. It has been argued that we should construct our general theories, deduce testable propositions and prove or ②disprove them against the sampled data. In fact, the application of this 'scientific method' often ran into difficulties, because the data have a tendency to lead to ③expected questions, problems and issues.

*excavation: 발굴 **deduce: 추론하다

문제 해결 전략

disprove

dis(opposite)+prove(❶)

➡ 의미: ❷

🖭 ❶ 증명하다
❷ 틀렸음을 입증하다, ~을 반증하다

Words

● be referred to as ~라고 언급되다 ● archaeologist 고고학자 ● urge 강력히 촉구하다 ● proposition 명제 ● application 적용

C 다음 글을 읽고, 괄호 안에서 알맞은 것을 골라 쓰시오. 〔수능〕 응용

When a principle is part of a person's moral code, that person is strongly motivated toward the conduct required by the principle, and against behavior that conflicts with that principle. The person will tend to feel guilty when his or her own conduct violates that principle and to (approve / disapprove) of others whose behavior conflicts with it. Likewise, the person will tend to hold in esteem those whose conduct shows an abundance of the motivation required by the principle.

➡ ~~~~~~~~~~~~~~

문제 해결 전략

disapprove

dis(not)+approve(❶)

➡ 의미: ❷ _____

답 ❶ 찬성하다 ❷ 못마땅해 하다

D (A), (B)의 각 네모 안에서 문맥상 가장 적절한 것을 골라 쓰시오. 〔모평〕 응용

An introvert would enjoy reflecting on their thoughts, and thus would be far less (A) likely / unlikely to suffer from boredom without outside stimulation. The only risk that you will face as an introvert is that people who do not know you may think that you are aloof or that you think you are better than them. If you learn how to open up just a little bit with your opinions and thoughts, you will be able to thrive in both worlds. You can then stay true to your personality without appearing to be (B) social / antisocial .

*aloof: 냉담한

(A) ~~~~~~~~~~~ (B) ~~~~~~~~~~~

문제 해결 전략

unlikely

un(opposite)+❶ _____ (~할 것 같은) ➡ 의미: ~할 것 같지 않은

antisocial

anti(against)+social(사교적인)

➡ 의미: ❷ _____

답 ❶ likely ❷ 비사교적인

Words
● violate 위반하다 ● conflict 충돌하다 ● hold in esteem ~을 존경하다 ● introvert 내성적인 사람 ● thrive 성공하다

대표 어휘 포함 지문

1 다음 글의 밑줄 친 부분 중, 문맥상 낱말의 쓰임이 적절하지 <u>않은</u> 것은? **모평** 기출

A special feature of the real estate rental market is its tendency to <u>undergo</u> a severe and prolonged contraction phase, more so than with manufactured products. When the supply of a manufactured product ① <u>exceeds</u> the demand, the manufacturer cuts back on output, and the merchant reduces inventory to balance supply and demand. However, ② <u>property</u> owners cannot reduce the amount of space available for rent in their buildings. Space that was constructed to accommodate business and consumer needs at the peak of the cycle ③ <u>remains</u>, so vacancy rates climb and the downward trend becomes more severe. Rental rates generally do not drop below a certain point, the ④ <u>maximum</u> that must be charged in order to cover operating expenses. Some owners will take space off the market rather than lose money on it. A few, unable to subsidize the property, will sell at distress prices, and lenders will repossess others. These may then be placed on the market at lower rental rates, further ⑤ <u>depressing</u> the market.

*contraction phase: 경기 수축기[후퇴기]
**distress price: 투매 가격 (판매자가 손해를 감수하는 매우 싼 가격)

풀이 전략

- 밑줄 친 어휘를 포함하는 문장이 글 전체의 주제와 같은 맥락인지 확인한다. 단어 앞뒤의 논리적인 연결에도 유의한다.

- undergo
  under(아래에서)+go(가다): ~의 아래를 지나가다 → **❶** [　　]

- exceed
  ex(out, 밖으로) + ceed(= go, 가다): 밖으로 가다 → 초과하다

- depress
  de(down, 아래로)+press(**❷** [　　])
  : 아래로 누르다 → 위축시키다

  답 ❶ 겪다 ❷ 누르다

Double Check

1-1 괄호 안에서 알맞은 것을 고르시오.

They had to (underestimate / undergo) many changes over the past few months. 그들은 지난 몇 개월에 걸쳐 많은 변화를 겪어야 했다.

함께 알아둘 어휘

undergo의 유의어
go through ~을 겪다, suffer 겪다
underestimate의 반의어
overestimate 과대평가하다

Words
- real estate 부동산 • manufacture 생산하다, 제작하다 • inventory 재고 • supply and demand 수요와 공급 • accommodate 수용하다 • cover 충당하다 • subsidize 보조하다, 비용을 일부 내다 • repossess (임대료를 치르지 않은 부동산을) 회수[압류]하다

2 다음 빈칸에 들어갈 말로 가장 적절한 것은?   수능 기출

Finkenauer and Rimé investigated the memory of the unexpected death of Belgium's King Baudouin in 1993 in a large sample of Belgian citizens. The data revealed that the news of the king's death had been widely socially shared. By talking about the event, people gradually constructed a social narrative and a collective memory of the emotional event. At the same time, they consolidated their own memory of the personal circumstances in which the event took place, an effect known as "flashbulb memory." The more an event is socially shared, the more it will be fixed in people's minds. Social sharing may in this way help to **counteract** some natural tendency people may have. Naturally, people should be driven to "forget" undesirable events. Thus, someone who just heard a piece of bad news often tends initially to deny what happened. The _____ social sharing of the bad news contributes to realism.

* consolidate: 공고히 하다

① biased
② **illegal**
③ repetitive
④ temporary
⑤ rational

풀이 전략

• 빈칸이 있는 문장이 지문의 마지막에 올 경우에는 주제문일 확률이 크므로, 글의 전반적인 주제를 파악하며 글을 읽는다.

• **consolidate**
con(모두, 함께)+solidate(= make solid, 단단하게 하다): 통합하다, 강화하다

• counteract
counter(반대로)+act(작용하다): ~에 반대로 작용하다 → 중화하다

• **undesirable**
un(부정, 반대의)+desirable (❶   ): 바람직하지 않은

• **contribute**
con(함께)+tribut(e)(주다): 기여하다

• illegal
il(반대의, 아닌)+legal(합법적인): ❷

   ❶ 바람직한 ❷ 불법의

 Words

• construct 구축하다, 건설하다   • narrative 이야기, 기술   • collective 집단의   • flashbulb memory 섬광 기억, 선명하고 자세한 기억
• biased 선입견을 가진   • repetitive 반복적인   • temporary 일시적인   • rational 이성적인

1 다음 빈칸에 들어갈 말로 가장 적절한 것은? 수능 기출

The concept of humans doing multiple things at a time has been studied by psychologists since the 1920s, but the term "multitasking" didn't exist until the 1960s. It was used to describe computers, not people. Back then, ten megahertz was so fast that a new word was needed to describe a computer's ability to quickly perform many tasks. In retrospect, they probably made a poor choice, for the expression "multitasking" is inherently deceptive. Multitasking is about multiple tasks alternately sharing one resource (the CPU), but in time the context was flipped and it became interpreted to mean multiple tasks being done simultaneously by one resource (a person). It was a clever turn of phrase that's misleading, for even computers can process only one piece of code at a time. When they "multitask," they switch back and forth, alternating their attention until both tasks are done. The speed with which computers tackle multiple tasks _____ that everything happens at the same time, so comparing computers to humans can be confusing.

① expels the myth ② feeds the illusion
③ conceals the fact ④ proves the hypothesis
⑤ blurs the conviction

어휘 Check!

- mislead
  mis(잘못)+lead(인도하다):
  [❶]
- expel
  ex(밖으로)+pel(= drive, 몰아가다):
  [❷]
- conceal
  con(모두, '강조'의 의미)+ceal(= hide, 가리다): 숨기다

답 ❶ 호도하다, 잘못 인도하다 ❷ 내몰다

© Umberto Shtanzman / shutterstock

Words
- concept 개념
- multiple 다수의, 복합적인
- multitask 동시에 여러 가지 일을 하다
- in retrospect 돌이켜 생각해 보면
- inherently 선천적으로, 본질적으로
- deceptive 기만적인
- alternately 번갈아
- context 맥락, 문맥
- flip 뒤집다, 휙 젖히다
- interpret 설명하다, 이해하다
- simultaneously 동시에
- switch 바꾸다, 전환하다
- alternate 번갈아 나오게 하다
- tackle (힘든 문제와) 씨름하다
- hypothesis 가설
- blur 흐리게 하다
- conviction 확신, 신념

2 글의 흐름으로 보아, 주어진 문장이 들어가기에 가장 적절한 곳은? 모평 기출

> We become entrusted to teach culturally appropriate behaviors, values, attitudes, skills, and information about the world.

Erikson believes that when we reach the adult years, several physical, social, and psychological stimuli trigger a sense of *generativity*. A central component of this attitude is the desire to care for others. (①) For the majority of people, parenthood is perhaps the most obvious and convenient opportunity to fulfill this desire. (②) Erikson believes that another distinguishing feature of adulthood is the emergence of an inborn desire to teach. (③) We become aware of this desire when the event of being physically capable of reproducing is joined with the events of participating in a committed relationship, the establishment of an adult pattern of living, and the assumption of job responsibilities. (④) According to Erikson, by becoming parents we learn that we have the need to be needed by others who depend on our knowledge, protection, and guidance. (⑤) By assuming the responsibilities of being primary caregivers to children through their long years of physical and social growth, we concretely express what Erikson believes to be an inborn desire to teach.

© Vgstockstudio / shutterstock

어휘 Check!

· entrust
  en(make, ~하게 만들다)+trust(믿다)
  : 위임하다, 맡기다
· inborn
  in(안에)+born(태어난): ❶
· reproduce
  re(다시)+produce(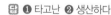❷)
  : 재생산하다, 번식하다

🔑 ❶ 타고난 ❷ 생산하다

Words
- stimulus 자극 (*pl.* stimuli)
- trigger 촉발하다, 방아쇠를 당기다
- generativity 생식성
- component 구성요소
- fulfill 채우다, 충족하다
- distinguishing 독특한, 특유의
- feature 특징
- emergence 출현
- committed 헌신적인
- establishment 수립, 확립
- assumption 인수, 떠맡기, 가정
- primary 일차적인, 우선적인
- caregiver 돌보는 사람
- concretely 구체적으로

3 (A), (B), (C)의 각 네모 안에서 문맥에 맞는 낱말로 가장 적절한 것은?

Why does the "pure" acting of the movies not seem unnatural to the audience, who, after all, are accustomed in real life to people whose expression is more or less indistinct? Most people's perception in these matters is not very sharp. They are not in the habit of observing closely the play of features of their fellow men — either in real life or at the movies. They are (A) disappointed / satisfied with grasping the meaning of what they see. Thus, they often take in the overemphasized expression of film actors more easily than any that is too naturalistic. And as far as lovers of art are concerned, they do not look at the movies for imitations of nature but for art. They know that (B) artistic / real representation is always explaining, refining, and making clear the object depicted. Things that in real life are imperfectly realized, merely hinted at, and entangled with other things appear in a work of art complete, entire, and (C) free / inseparable from irrelevant matters. This is also true of acting in film.

*entangle: 얽히게 하다

	(A)		(B)		(C)
①	disappointed	......	artistic	......	free
②	disappointed	......	real	......	free
③	satisfied	......	artistic	......	inseparable
④	satisfied	......	real	......	inseparable
⑤	satisfied	......	artistic	......	free

어휘 Check!

- **unnatural**
  un(아닌)+natural(자연스러운)
  : ❶ [   ]
- **indistinct**
  in(반대의, 아닌)+distinct(뚜렷한, 별개의): 모호한, ❷ [   ]
- **disappoint**
  dis(반대의)+appoint(약속하다)
  : 실망시키다
- **imperfectly**
  im(반대의, 아닌)+perfect(완전한)
  +ly(부사 접미사): 불완전하게
- **inseparable**
  in(반대의, 아닌)+separable(분리할 수 있는): 불가분의
- **irrelevant**
  ir(반대의, 아닌)+relevant(관련 있는)
  : 무관한, 관련 없는

❶ 부자연스러운 ❷ 뚜렷하지 않은

© Syda Productions / shutterstock

Words
- be accustomed to ~에 익숙하다
- more or less 다소
- perception 인식
- feature 이목구비, 얼굴 생김
- grasp 이해하다, 파악하다
- overemphasized 지나치게 강조된, 과장된
- as far as ~ be concerned
  ~에 관한 한
- imitation 모방
- refine 정제하다, 다듬다
- depict 묘사하다
- entire 전체의, 온

4 다음 글의 내용을 한 문장으로 요약하고자 한다. 빈칸 (A), (B)에 들어갈 말로 가장 적절한 것은? (모평) 기출

After the United Nations environmental conference in Rio de Janeiro in 1992 made the term "sustainability" widely known around the world, the word became a popular buzzword by those who wanted to be seen as pro-environmental but who did not really intend to change their behavior. It became a public relations term, an attempt to be seen as abreast with the latest thinking of what we must do to save our planet from widespread harm. But then, in a decade or so, some governments, industries, educational institutions, and organizations started to use the term in a serious manner. In the United States a number of large corporations appointed a vice president for sustainability. Not only were these officials interested in how their companies could profit by producing "green" products, but they were often given the task of making the company more efficient by reducing wastes and pollution and by reducing its carbon emissions.

*buzzword: 유행어 **abreast: 나란히

↓

While the term "sustainability," in the initial phase, was popular among those who _____(A)_____ to be eco-conscious, it later came to be used by those who would _____(B)_____ their pro-environmental thoughts.

	(A)	(B)		(A)	(B)
①	pretended	······ actualize	②	pretended	······ disregard
③	refused	······ realize	④	refused	······ idealize
⑤	attempted	······ mask			

© Dmitry Rukhlenko / shutterstock

어휘 Check!

· pro-environmental
  pro(지지하는)+environmental
  (❶_____): 친환경적인

· appoint
  ap(to, ~으로) + point(지점, 위치)
  : ~에 놓다 → 임명하다, 정하다

· pretend
  pre(앞에)+tend(= stretch, 펼치다, 뻗다): 앞에 펼쳐놓다 → ~인 척하다, 가장하다

· disregard
  dis(not)+regard(❷_____)
  : 보지 않다 → 무시하다

답 ❶ 환경의 ❷ ~을 보다

Words
● conference 회의
● sustainability 지속 가능성
● public relations 홍보
● institution 기관
● emission 배기가스

필수 체크 전략 ①

1 (A), (B), (C)의 각 네모 안에서 문맥에 맞는 낱말로 가장 적절한 것은? 수능 기출

While the eye sees at the surface, the ear tends to penetrate below the surface. Joachim-Ernst Berendt points out that the ear is the only sense that (A) | fuses / replaces | an ability to measure with an ability to judge. We can discern different colors, but we can give a precise *number* to different sounds. Our eyes do not let us perceive with this kind of (B) | diversity / precision |. An unmusical person can recognize an octave and, perhaps once instructed, a quality of tone, that is, a C or an F-sharp. Berendt points out that there are few 'acoustical illusions' — something sounding like something that in fact it is not — while there are many optical illusions. The ears do not lie. The sense of hearing gives us a remarkable connection with the invisible, underlying order of things. Through our ears we gain access to vibration, which (C) | underlies / undermines | everything around us. The sense of tone and music in another's voice gives us an enormous amount of information about that person, about her stance toward life, about her intentions.

*acoustical: 청각의

	(A)		(B)		(C)
①	fuses	......	precision	......	undermines
②	replaces	......	diversity	......	underlies
③	fuses	......	diversity	......	undermines
④	replaces	......	precision	......	underlies
⑤	fuses	......	precision	......	underlies

• 글의 첫 부분을 읽고, 글의 중심 소재와 주제를 파악해야 한다. 그리고 선택한 낱말로 만들어진 문장이 글의 주제와 맥락을 같이 하는지 확인해야 한다.

• **replace**
re(다시)+**place**(놓다)
: 대신하다, 대체하다

• **discern**
dis(away, off, 떨어져서)+**cern**
(= distinguish, 구분하다)
: 알아차리다, 포착하다

• **invisible**
in(not, 아닌)+**visible**(보이는)
: 보이지 않는

• underlie
under(아래에)+❶ (놓여 있다)
: 기초가 되다, 기저를 이루다

• **undermine**
under(아래를)+❷ (캐다, 파다): 아래를 캐다 → (기반을) 약화시키다
답 ❶ lie ❷ mine

• penetrate 침투하다, 스며들다 • fuse 융합시키다 • measure 측정하다 • precise 정확한 • diversity 다양성 • unmusical 음악에 소질이 없는, 음악성이 없는 • tone 음정, 음색 • optical 시각의 • illusion 착각, 환각 • stance 태도, 자세 • intention 의도, 의향

2 글의 흐름으로 보아, 주어진 문장이 들어가기에 가장 적절한 곳은? 학평 기출

> However, when a bill was introduced in Congress to **outlaw** such rules, the credit card lobby turned its attention to language.

Framing matters in many domains. (①) When credit cards started to become popular forms of payment in the 1970s, some retail merchants wanted to charge different prices to their cash and credit card customers. (②) To prevent this, credit card companies adopted rules that forbade their retailers from charging different prices to cash and credit customers. (③) Its preference was that if a company charged different prices to cash and credit customers, the credit price should be considered the "normal" (default) price and the cash price a discount — rather than the alternative of making the cash price the usual price and charging a surcharge to credit card customers. (④) The credit card companies had a good intuitive understanding of what psychologists would come to call "framing." (⑤) The idea is that choices depend, in part, on the way in which problems are stated.

Double Check

2-1 밑줄 친 단어와 바꿔 쓸 수 없는 것은?

The state <u>outlawed</u> the use of nets to protect fish populations in the river. 그 주는 강의 물고기 개체 수를 보호하기 위해 그물 사용을 불법화했다.

① banned   ② forbade   ③ legalized

Words

● bill 법안 ● introduce (법안 등을) 제출하다 ● lobby 로비, 압력 단체 ● framing 짜 맞추기, 프레이밍 ● domain 영역, 분야 ● retail 소매의
● adopt 채택하다 ● alternative 대안 ● intuitive 직관적인 ● state 언급하다

---

1 다음 글의 내용을 한 문장으로 요약하고자 한다. 빈칸 (A), (B)에 들어갈 말로 가장 적절한 것은? **모평** 기출

Research from the Harwood Institute for Public Innovation in the USA shows that people feel that 'materialism' somehow comes between them and the satisfaction of their social needs. A report entitled *Yearning for Balance*, based on a nationwide survey of Americans, concluded that they were 'deeply ambivalent about wealth and material gain'. A large majority of people wanted society to 'move away from greed and excess toward a way of life more centred on values, community, and family'. But they also felt that these priorities were not shared by most of their fellow Americans, who, they believed, had become 'increasingly atomized, selfish, and irresponsible'. As a result they often felt isolated. However, the report says, that when brought together in focus groups to discuss these issues, people were 'surprised and excited to find that others share[d] their views'. Rather than uniting us with others in a common cause, the unease we feel about the loss of social values and the way we are drawn into the pursuit of material gain is often experienced as if it were a purely private ambivalence which cuts us off from others. *ambivalent: 양면 가치의

↓

> Many Americans, believing that materialism keeps them from ____(A)____ social values, feel detached from most others, but this is actually a fairly ____(B)____ concern.

	(A)	(B)		(A)	(B)
①	pursuing	……	unnecessary	② pursuing …… common
③	holding	……	personal	④ denying …… ethical
⑤	denying	……	primary		

어휘 Check!

- excess
  ex(밖으로)+cess(= go, 가다)
  : 과잉, 초과량
- irresponsible
  ir(반대의, 아닌)+responsible(책임지고 있는): ❶ [____]
- detach
  de(떨어진)+tach(= attach, 붙이다)
  : ❷ [____], 분리되다

🔖 ❶ 무책임한 ❷ 떼다

Words

- materialism 물질주의
- entitled (~라는) 제목의
- nationwide 전국적인
- priority 우선순위
- atomize 개별화하다, 세분화하다
- isolated 소외된, 고립된
- focus group 초점집단
- unite 결속시키다
- cause 대의
- purely 순전히, 전적으로

2 다음 글의 밑줄 친 부분 중, 문맥상 낱말의 쓰임이 적절하지 <u>않은</u> 것은? 수능 기출

How the bandwagon effect occurs is demonstrated by the history of measurements of the speed of light. Because this speed is the basis of the theory of relativity, it's one of the most frequently and carefully measured ① quantities in science. As far as we know, the speed hasn't changed over time. However, from 1870 to 1900, all the experiments found speeds that were too high. Then, from 1900 to 1950, the ② opposite happened — all the experiments found speeds that were too low! This kind of error, where results are always on one side of the real value, is called "bias." It probably happened because over time, experimenters subconsciously **adjusted** their results to ③ match what they expected to find. If a result fit what they expected, they kept it. If a result didn't fit, they threw it out. They weren't being intentionally dishonest, just ④ influenced by the conventional wisdom. The pattern only changed when someone ⑤ lacked the courage to report what was actually measured instead of what was expected. *bandwagon effect: 편승 효과

어휘 Check!

- **subconscious**
  sub(아래의)+conscious(의식이 있는): **❶** [　　　]
  subconsciously (분) 잠재의식적으로

- **adjust**
  ad(~으로)+just(= next, near, 가까이): 가까이 가져오다 → 조정하다, 바로잡다

- **dishonest**
  dis(아닌)+honest(정직한): **❷** [　　　]

답 ❶ 잠재의식의 **❷** 부정직한

© Getty Images Bank

Words

- demonstrate 입증하다, 보여 주다
- measurement 측정
- relativity 상대성
- quantity 양, 분량
- bias 편향
- match 일치하다
- intentionally 의도적으로
- conventional wisdom 일반적인 통념

3 다음 글의 요지로 가장 적절한 것은? [수능] 기출

In retrospect, it might seem surprising that something as mundane as the desire to count sheep was the driving force for an advance as fundamental as written language. But the desire for written records has always **accompanied** economic activity, since transactions are meaningless unless you can clearly keep track of who owns what. As such, early human writing is dominated by wheeling and dealing: a collection of bets, bills, and contracts. Long before we had the writings of the prophets, we had the writings of the profits. In fact, many civilizations never got to the stage of recording and leaving behind the kinds of great literary works that we often associate with the history of culture. What survives these ancient societies is, for the most part, a pile of receipts. If it weren't for the commercial enterprises that produced those records, we would know far, far less about the cultures that they came from.

*mundane: 세속의   **prophet: 예언자

① 고대 사회에서 경제 활동은 문자 기록의 원동력이었다.
② 고전 문학을 통해 당대의 경제 활동을 파악할 수 있다.
③ 경제 발전의 정도가 문명의 발달 수준을 결정한다.
④ 종교의 역사는 상업의 역사보다 먼저 시작되었다.
⑤ 모든 문명이 위대한 작가를 배출한 것은 아니다.

어휘 Check!

• accompany
  ac(❶   )+company(동행)
  : 동반하다, 수반하다
• transaction
  trans(가로질러)+action(❷   )
  : 거래
• contract
  con(함께)+tract(끌다): 계약

답 ❶ ~쪽으로 ❷ 행동

© Fedor Selivanov / shutterstock

Words
● in retrospect 돌이켜 보면
● driving force 원동력
● advance 진보
● desire 욕구
● keep track of ~을 추적하다
● dominate 가장 중요한 특징이 되다
● wheeling and dealing 목적을 위해 수단을 가리지 않음, 술책을 부림
● profit 이익
● associate with ~와 연관 짓다
● survive ~보다 오래 살아남다
● commercial 상업적인
● enterprise 기업(체)

4 다음 글의 내용을 한 문장으로 요약하고자 한다. 빈칸 (A), (B)에 들어갈 말로 가장 적절한 것은? 모평 기출

Lawyers and scientists use argument to mean a summary of evidence and principles leading to a conclusion; however, a scientific argument is different from a legal argument. A prosecuting attorney constructs an argument to persuade the judge or a jury that the accused is guilty; a defense attorney in the same trial constructs an argument to persuade the same judge or jury toward the opposite conclusion. Neither prosecutor nor defender is obliged to consider anything that weakens their respective cases. On the contrary, scientists construct arguments because they want to test their own ideas and give an accurate explanation of some aspect of nature. Scientists can include any evidence or hypothesis that supports their claim, but they must observe one fundamental rule of professional science. They must include all of the known evidence and all of the hypotheses previously proposed. Unlike lawyers, scientists must explicitly account for the possibility that they might be wrong.

⬇

Unlike lawyers, who utilize information ___(A)___ to support their arguments, scientists must include all information even if some of it is unlikely to ___(B)___ their arguments.

(A)	(B)	(A)	(B)
① objectively	weaken	② objectively	support
③ accurately	clarify	④ selectively	strengthen
⑤ selectively	disprove		

어휘 Check!

· contrary
  contra(❶⬚)+ry(형용사 접미사): 반대의
· hypothesis
  hypo(아래의)+thesis(명제): 명제 아래의 것 → 가설
· unlikely
  un(아닌)+likely(~할 것 같은): ~할 것 같지 않은
· disprove
  dis(반대의)+prove(증명하다)
  : ❷⬚

🔑 ❶ 반대의 ❷ 반증하다

Words
● prosecuting attorney 기소 검사
● the accused 피고
● defense attorney 피고 측 변호사
● prosecutor 검찰관, 검사
● defender 피고 측 변호사
● be obliged to ~해야 할 의무가 있다
● respective 각자의, 각각의
● fundamental 근본적인, 본질적인
● explicitly 명시적으로, 명래하게
● objectively 객관적으로
● clarify 명확하게 하다

누구나 합격 전략

1 주어진 글 다음에 이어질 글의 순서로 가장 적절한 것은? 모평 기출

> There's a direct **counterpart** to pop music in the classical song, more commonly called an "art song," which does not focus on the development of melodic material.

(A) But the pop song will rarely be sung and played exactly as written; the singer is apt to embellish that vocal line to give it a "styling," just as the accompanist will fill out the piano part to make it more interesting and personal. The performers might change the original tempo and mood completely.

(B) Both the pop song and the art song tend to follow tried-and-true structural patterns. And both will be published in the same way — with a vocal line and a basic piano part written out underneath.

(C) You won't find such extremes of approach by the performers of songs by Franz Schubert or Richard Strauss. These will be performed note for note because both the vocal and piano parts have been painstakingly written down by the composer with an ear for how each relates to the other.

*embellish: 꾸미다 **tried-and-true: 유효성이 증명된

① (A) – (C) – (B) 　　② (B) – (A) – (C)
③ (B) – (C) – (A) 　　④ (C) – (A) – (B)
⑤ (C) – (B) – (A)

© argus / shutterstock

Words
● counterpart 상대, 상응하는 대상　● apt to ~하는 경향이 있는　● accompanist 반주자　● extreme 극단　● painstakingly 고심하여

2 다음 글의 요지로 가장 적절한 것은? 모평 기출

Parents are quick to inform friends and relatives as soon as their infant holds her head up, reaches for objects, sits by herself, and walks alone. Parental enthusiasm for these motor accomplishments is not at all **misplaced**, for they are, indeed, milestones of development. With each additional skill, babies gain control over their bodies and the environment in a new way. Infants who are able to sit alone are granted an entirely different perspective on the world than are those who spend much of their day on their backs or stomachs. Coordinated reaching opens up a whole new avenue for exploration of objects, and when babies can move about, their opportunities for independent exploration and manipulation are multiplied. No longer are they restricted to their immediate locale and to objects that others place before them. As new ways of controlling the environment are achieved, motor development provides the infant with a growing sense of competence and mastery, and it contributes in important ways to the infant's perceptual and cognitive understanding of the world.

* locale: 현장, 장소

① 유아의 운동 능력 발달은 유아의 다른 발달에 기여한다.
② 부모와의 정서적 교감은 유아의 지적 호기심을 자극한다.
③ 부모의 관심은 유아의 균형 있는 신체 발달에 필수적이다.
④ 주변 환경의 변화는 유아기 운동 능력 발달을 촉진한다.
⑤ 유아는 시행착오를 통해 공간 지각 능력을 발달시킨다.

Words
● enthusiasm 열광, 열성　● accomplishment 성취　● misplaced 잘못된　● milestone 중요한 단계　● perspective 관점
● coordinated 근육이 공동 작용할 수 있는　● manipulation 조작　● perceptual 지각의　● cognitive 인지의

3 다음 글의 내용을 한 문장으로 요약하고자 한다. 빈칸 (A), (B)에 들어갈 말로 가장 적절한 것은? 학평 기출

Some natural resource-rich developing countries tend to create an excessive dependence on their natural resources, which generates a lower productive diversification and a lower rate of growth. Resource abundance in itself need not do any harm: many countries have abundant natural resources and have managed to outgrow their dependence on them by diversifying their economic activity. That is the case of Canada, Australia, or the US, to name the most important ones. But some developing countries are trapped in their dependence on their large natural resources. They suffer from a series of problems since a heavy dependence on natural capital tends to exclude other types of capital and thereby **interfere** with economic growth.

↓

> Relying on rich natural resources without _____(A)_____ economic activities can be a _____(B)_____ to economic growth.

© IconBunny / shutterstock

	(A)		(B)
①	varying	⋯⋯	barrier
②	varying	⋯⋯	shortcut
③	limiting	⋯⋯	challenge
④	limiting	⋯⋯	barrier
⑤	connecting	⋯⋯	shortcut

Words

● excessive 과도한 ● dependence 의존 ● generate 초래하다 ● productive 생산적인 ● diversification 다양화 ● abundance 풍요
● abundant 풍부한 ● outgrow (성장하여) ~에서 벗어나다 ● capital 자본, 자원 ● exclude 배제하다 ● interfere with ~을 저해하다

4 다음 글의 제목으로 가장 적절한 것은? 학평 기출

We create a picture of the world using the examples that most easily come to mind. This is foolish, of course, because in reality, things don't happen more frequently just because we can imagine them more easily. Thanks to this prejudice, we travel through life with an incorrect risk map in our heads. Thus, we overestimate the risk of being the victims of a plane crash, a car accident, or a murder. And we **underestimate** the risk of dying from less spectacular means, such as diabetes or stomach cancer. The chances of bomb attacks are much rarer than we think, and the chances of suffering depression are much higher. We attach too much likelihood to spectacular, flashy, or loud outcomes. Anything silent or invisible we downgrade in our minds. Our brains imagine impressive outcomes more readily than ordinary ones.

① We Weigh Dramatic Things More!
② Brains Think Logically, Not Emotionally
③ Our Brains' Preference for Positive Images
④ How Can People Overcome Their Prejudices?
⑤ The Way to Reduce Errors in Risk Analysis

© Getty Images Korea

Words
● frequently 빈번하게 ● prejudice 편견 ● incorrect 부정확한 ● overestimate 과대평가하다 ● plane crash 비행기 추락
● underestimate 과소평가하다 ● diabetes 당뇨 ● depression 우울증 ● attach ~ to ~을 …에 부여하다 ● invisible 보이지 않는
● downgrade 평가절하하다

1 빈칸에 알맞은 카드를 골라 대화를 완성하시오. (필요하면 단어의 형태를 변형하시오.)

Please help me with this!

You _____ my skills a few minutes ago, but now you're asking for my help!

I don't know what to do with this part.

Oh, you should not fold those corners. _____ them.

Are you sure? I think you're _____ me.

Why are you so suspicious?

Sorry. Thank you for helping me.

It's still _____. Let's keep doing it.

| overestimate | unfold | misguide | incomplete |
| underestimate | fold | guide | complete |

2 다음 퍼즐을 완성하시오.

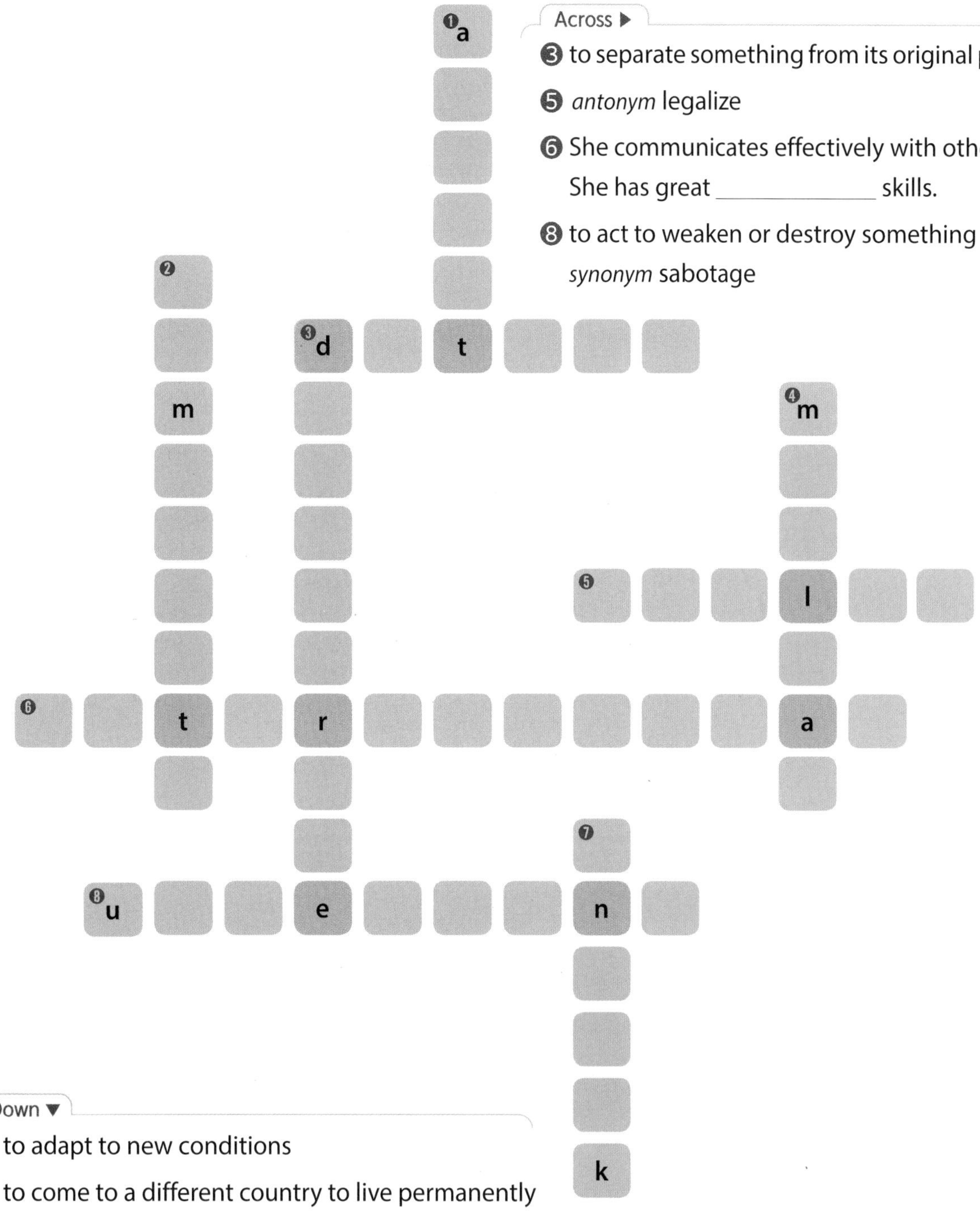

Across ▶

❸ to separate something from its original place

❺ *antonym* legalize

❻ She communicates effectively with others. She has great _____ skills.

❽ to act to weaken or destroy something *synonym* sabotage

Down ▼

❶ to adapt to new conditions

❷ to come to a different country to live permanently

❸ He _____s of me not working out.

❹ to lead in a wrong way

❼ to unfasten the lock

창의·융합·코딩 전략 ②

3 새로운 단어를 만드시오.

(1) 주어진 접두사를 붙여 만들어진 새로운 단어를 빈칸에 쓰시오. 단, 접두사를 붙여 만들 수 없는 단어에 해당하는 칸에는 ×를 쓰시오.

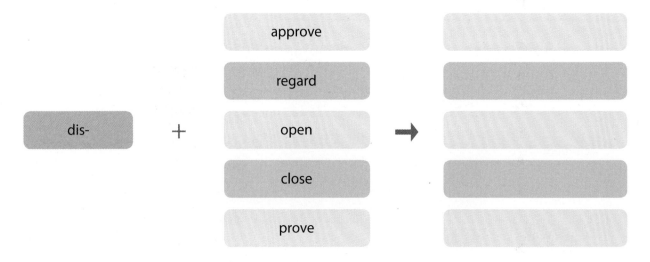

approve

regard

dis- + open →

close

prove

© artenot / shutterstock

(2) 짝지어진 단어를 보고, 기호에 해당하는 철자를 쓰시오.

effective	⟷	◇■effective		evitable	⟷	◇■evitable
literate	⟷	◇★literate		legal	⟷	◇★legal
partial	⟷	◇♠partial		personal	⟷	◇♠personal

◇ = _____ ■ = _____ ★ = _____ ♠ = _____

4 우리말과 같은 뜻이 되도록 알맞은 순서로 퍼즐을 맞춰 문장을 완성하시오. (필요없는 한 조각은 제외하시오.)

(1) 그 가족은 미국에 이민 왔다.

→ _____

immigrated   the family   to the United States   interfered

(2) 아무도 그들을 못마땅해 하지 않았다.

→ _____

disapproved   of   them   nobody   approved

(3) 당신의 수입을 서로 다른 계좌에 분배해 넣어라.

→ _____

into   your income   allocate   accounts   separate   locate

(4) 그 아이들은 영어를 읽고 쓸 수 없었다.

→ _____

those children   illiterate   in English   were   literate

2 접두사 2

공부할 내용   1. 시간, 공간을 나타내는 접두사
                  2. 과잉, '다시'를 나타내는 접두사
                  3. '함께', 기능, '많음'을 나타내는 접두사

개념 돌파 전략 ①

개념 01 시간/공간의 접두사 pre-

❖ pre-: ~ 전에, ~ 앞에, 미리 (before)

prevail	(동) 만연하다, 지배하다

pre(❶ [　　　]) + vail(= have power, 힘이 있다): 앞서 힘이 있다 → 지배하다

predominate	(동) 지배적이다, 우위를 차지하다
prehistoric	(형) 선사 시대의
prefer	(동) 선호하다

pre(before) + fer(= carry, 옮기다): 미리 옮기다 → 선호하다

· to predominate in the academic scene
학계에서 우위를 차지하다

· to ❷ [　　　] peaches to apples
사과보다 복숭아를 선호하다

답 ❶ before ❷ prefer

CHECK 1

빈칸에 들어갈 접두사를 쓰시오.

You can see _____ historic relics in the museum. 당신은 그 박물관에서 선사 시대의 유물들을 볼 수 있다.

개념 02 시간/공간의 접두사 fore-

❖ fore-: ~ 전에, 먼저 (before)

foretell	(동) 예언하다
foresee	(동) 예견하다

fore(before) + see(보다): 앞서 보다 → 예견하다

foremost	(형) 가장 중요한, 맨 먼저의

· I could ❶ [　　　] the consequences of this.
나는 이것의 결과를 예견할 수 있었다.

답 ❶ foresee

CHECK 2

괄호 안에서 알맞은 접두사를 고르시오.

It is the (pre- / fore-)most goal.
그것이 가장 중요한 목표다.

개념 03 시간/공간의 접두사 ante-

❖ ante-, ant-, anc-: ~ 전에, ~ 앞에 (before)

antecedent	(형) 앞서는 (명) 전례

ante(before) + ced(가다) + ent(형용사 접미사): 앞서 간 → 앞서는

ancestor	(명) 조상

an(te)(❶ [　　　]) + cest(가다) + or(~하는 사람): 앞서 간 사람 → 조상

antique	(형) 고대의, 골동의 (명) 골동품
ancient	(형) 고대의, 옛날의

anc(i)(before) + ent(형용사 접미사): 고대의

· This is the very antecedent problem.
이것이 바로 그 앞선 문제다.

· I am proud of my ❷ [　　　] s.
나는 나의 조상들이 자랑스럽다.

· He has a lot of pieces of antique furniture.
그는 골동품 가구들을 많이 갖고 있다.

· She is reading a book about ancient civilizations.
그녀는 고대 문명들에 관한 책을 읽는 중이다.

'~ 전에, ~앞에'를 의미하는 접두사 ante-를 '반대의'라는 의미의 접두사 anti-로 착각하지 않게 주의해야 합니다.

답 ❶ before ❷ ancestor

CHECK 3

빈칸에 들어갈 접두사는?

I can't believe that the ancestors lived like this in _____ ent times.
나는 조상들이 고대 시기에 이렇게 살았다는 것을 믿을 수 없다.

① anci- ② ante- ③ ant-

개념 04 시간/공간의 접두사 post-

❖ post-: ~ 후에, ~ 뒤에 (after)

postwar	형 전후의

post(after)+war(전쟁): 전쟁 후의 → 전후의

postgraduate	형 대학 졸업 후의, 대학원의
postmodern	형 최신의, 탈근대의, 포스트모던의
posterior	형 뒤의, 다음의
postpone	동 미루다, 연기하다

post(❶)+pone(놓다): 뒤에 놓다 → 미루다

posttraumatic	형 외상 후의, 트라우마 후의

· They share the characteristics of postwar art.
  그것들은 전후 예술의 특징들을 공유한다.

· She enjoys her ❷   life.
  그녀는 그녀의 대학원 생활을 즐긴다.

· I am into postmodern literature.
  나는 포스트모더니즘(탈근대) 문학에 관심이 많다.

· It is posterior to the first clause.
  그것은 첫 번째 조항 뒤에 온다.

· to postpone a decision
  결정을 미루다

· Tom has been suffering from posttraumatic stress.
  Tom은 외상 후 스트레스로 고통을 겪어오고 있다.

 접두사 post-와 pre-는 어떤 것의 전후를 나타 내기 위해 아주 흔하게 쓰이는 접두사이니 꼭 기 억하는 것이 좋습니다.

답 ❶ after ❷ postgraduate

CHECK 4

영영 풀이로 보아 빈칸에 알맞은 접두사는?

> • ＿＿＿war: occurring or existing after a war 전쟁 후에 일어나거나 존재하는

① pre- ② post- ③ in-

개념 05 과잉의 접두사 over- / super-

❖ over-: 넘어 (over), ~ 위에 (above), 과하게 (exceedingly)

overheat	동 과열하다[되다]
overstate	동 과장하다

over(exceedingly)+ ❶ (말하다): 과하게 말하다 → 과장하다

overpopulation	명 인구 과잉
overestimate	동 과대평가하다
overload	동 짐을 과하게 싣다, 과부하 걸리게 하다 명 과부하

over(exceedingly)+load(싣다): 짐을 과하게 싣다 → 과부하 걸리게 하다

· to end an overheated conversation
  과열된 대화를 끝내다

· The role is too overstated .
  그 역할은 너무 과장되었다.

· Overpopulation is a threat to the environment.
  인구 과잉은 환경에 대한 위협이다.

· His skills are overestimated .
  그의 실력은 과대평가됐다.

· information overload 정보 과부하

❖ super-, sur-: ~ 위에 (above), 초월해서 (beyond)

superior	형 우월한

super(above)+ior(비교급 어미): (~보다) 위의 → 우월한

surpass	동 초월하다, 능가하다

sur(beyond)+pass(지나가다): 초월하여 지나가다 → 능가하다

· to ❷   everyone's expectations
  모두의 기대를 능가하다

답 ❶ state ❷ surpass

CHECK 5

괄호 안에서 알맞은 접두사를 고르시오.

> The archer (sur- / super-)passed the former record. 그 궁수는 이전 기록을 능가했다.

개념 06 '다시'를 나타내는 접두사 re-

❖ re-: 다시 (again)

reform	⑧ 개정하다, 개혁하다

re(again)+form(형성하다): 다시 형성하다 → 개혁하다

reproduction	⑲ 재생산, 번식, 복제품

re(again)+production(생산): 재생산

renewable	⑱ 재생 가능한, 갱생 가능한 renew ⑧ 갱신하다
recreate	⑧ 다시 만들다, 재현하다
replace	⑧ 되돌리다, 대체하다

re(again)+place(위치시키다): 다시 위치시키다 → 되돌리다, 대체하다

reunite	⑧ 재결합하다[하게 하다]

re(again)+❶[   ](결합하다): 재결합하다

· The policy was **reformed** . 그 정책은 개정되었다.
· **Reproductions** of her work are popular.
  그녀 작품의 복제품은 인기 있다.
· clean and ❷[   ] energy 깨끗하고 재생 가능한 에너지
· We **recreated** a medieval European party.
  우리는 중세 유럽의 파티를 재현했다.
· to **replace** a computer with a smart phone
  컴퓨터를 스마트폰으로 대체하다
· The cat was finally **reunited** with its family.
  그 고양이는 마침내 가족과 재결합했다.

우리가 일상 생활에서 자주 쓰는 영어 단어인 refill(다시 채우다), reset(다시 맞추다)도 접두사 re-를 포함하고 있답니다.

답 ❶ unite ❷ renewable

CHECK 6

빈칸에 들어갈 접두사를 쓰시오.

Reproducing the album is to _____create its sentiment.
그 앨범을 재생산하는 것은 그것의 정서를 재현하기 위해서다.

개념 07 '함께'를 나타내는 접두사 com-

❖ com-, con-, co-: 함께 (together, with)

competition	⑲ 경쟁 compete ⑧ 경쟁하다
compensate	⑧ 보상하다

com(together)+pens(= weigh, 무게를 달다)+ate(동사 접미사): 함께 무게를 재어 양쪽을 맞추다 → 보상하다

compare	⑧ 비교하다 comparison ⑲ 비교

com(together)+pare(동등한): 함께 동등하게 두다 → 비교하다

contemporary	⑱ 동시대의
conflict	⑧ 상충하다 ⑲ 갈등

con(with)+flict(= strike, 부딪히다): 서로 부딪히다 → 상충하다

conform	⑧ 따르다, 순응하다

con(together)+form(형성하다): 같은 형태를 만들다 → 순응하다

coexist	⑧ 공존하다

co(together)+❶[   ](존재하다): 함께 존재하다 → 공존하다

cooperate	⑧ 협력하다

co(together, with)+operate(작업하다, 가동하다): 함께 일하다 → 협력하다

· We are in **competition** with one another.
  우리는 서로 경쟁하고 있다.
· They had to ❷[   ] her for the loss.
  그들은 그녀에게 손실에 대해 보상해야 했다.
· a **contemporary** artist 동시대의 예술가
· to **conform** to a new style
  새로운 방식에 순응하다
· They used to peacefully **coexist** in the past.
  그들은 과거에는 평화롭게 공존했다.

답 ❶ exist ❷ compensate

CHECK 7

빈칸에 공통으로 들어갈 접두사는?

· _____pare 비교하다
· _____petition 경쟁

① com-   ② co-   ③ con-

개념 08 가능의 접두사 en-

❖ en-, em-: ~하게 만들다 (make, put in)

enlighten	(동) 계몽하다, 가르치다
ensure	(동) 확실하게 하다, 보증하다
endanger	(동) 위험에 빠뜨리다

en(put in)+❶ _____ (위험): 위험에 빠뜨리다

entitle	(동) 자격을 주다, 제목을 붙이다 entitlement (명) 자격, 권리
encourage	(동) 격려하다, 권장하다
entrust	(동) 맡기다, 위임하다

en(put in)+❷ _____ (신뢰): 신뢰하다, (믿고) 맡기다, 위임하다

| enable | (동) ~을 할 수 있게 하다 |

en(make)+able(할 수 있는): ~을 할 수 있게 하다

| empower | (동) 권한을 주다 |

em(make)+power(힘, 권력): 힘 있게 만들다 → 권한을 주다

· We must **ensure** that tourism develops in harmony with the environment.
  관광이 환경과 조화롭게 발전하도록 해야 한다.

· to **entitle** the member to the benefits
  회원에게 혜택에 대한 자격을 주다

· I always **encourage** my friends to work out.
  나는 항상 친구들에게 운동하라고 권장한다.

· It **enabled** people to read books more conveniently.
  그것은 사람들이 더 편하게 책을 읽을 수 있게 했다.

· The king is **empowered** to do this.
  그 왕은 이것을 할 권한이 있다.

답 ❶ danger ❷ trust

CHECK 8

빈칸에 공통으로 들어갈 접두사는?

· _____force 시행하다
· _____danger 위험에 빠뜨리다

① in-   ② en-   ③ em-

개념 09 '많음'을 나타내는 접두사 multi-

❖ multi-: 많은 (many)

| multitask | (동) 한 번에 여러 가지 일을 하다 |

multi(many)+❶ _____ (일): 많은 일을 하다 → 한 번에 여러 가지 일을 하다

| multifaceted | (형) 다면적인 |

multi(many)+facet(면, 양상)+ed: 많은 면들이 있는 → 다면적인

| multitude | (명) 다수, 군중 |
| multicultural | (형) 다문화의 |

multi(many)+culture(문화)+al(형용사 접미사): ❷ _____

| multimedia | (형) 다중매체의 (명) 다중매체 |
| multidimensional | (형) 다차원의 |

multi(many)+dimension(차원)+al(형용사 접미사): 다차원의

| multiply | (동) 곱하다, 증가시키다 |

multi(many)+ply(접다): 많이 접다 → 곱하다, 늘리다

· **Multitasking** is an important skill.
  한 번에 여러 가지 일을 하는 것은 중요한 기술이다.

· to solve a **multifaceted** problem
  다면적인 문제를 해결하다

· We are living in a **multicultural** society.
  우리는 다문화 사회에서 살고 있다.

· to use **multimedia** in a classroom
  교실에서 다중매체를 이용하다

· I couldn't understand what he said about **multidimensional** world.
  나는 그가 다차원 세계에 관해 말한 것을 이해할 수 없었다.

· **Multiply** 220 by 12. 220에 12를 곱하라.

답 ❶ task ❷ 다문화의

CHECK 9

빈칸에 가장 알맞은 말은?

I can't work different tasks simultaneously.
= I can't _____.
나는 여러 가지 일들을 동시에 하지 못한다.

① manage   ② multiply   ③ multitask

A 다음 글을 읽고, 괄호 안에서 알맞은 것을 골라 쓰시오. 학평 응용

A major determinant of life expectancy at birth is the child mortality rate which, in our ancient past, was extremely high, and this skews the life expectancy for (historic / prehistoric) humans, which is 35 years. We can see that this does not mean that the average person living at this time died at the age of 35. Rather, it means that for every child that died in infancy, another person might have lived to be 70.

*skew: 왜곡하다

➡ ~~~~~~~~~~~~~~

문제 해결 전략

prehistoric
pre(before)+❶[_____](역사의, 유사(有史)의) ➡ 의미: 선사 시대의

답 ❶ historic

B 네모 안에서 문맥상 적절한 것을 고르시오. 학평 응용

Studies have consistently shown caffeine to be effective when used together with a pain reliever to treat headaches. The positive correlation between caffeine intake and staying alert throughout the day has also been well established. As little as 60mg(the amount typically in one cup of tea) can lead to a faster reaction time. However, using caffeine to improve alertness and mental performance doesn't replace / reproduce getting a good night's sleep.

문제 해결 전략

replace
re(again)+place(위치시키다)
➡ 의미: ❶[_____], 되돌리다

----

reproduce
re(again)+produce(생산하다)
➡ 의미: ❷[_____], 다시 만들어 내다

답 ❶ 대체하다 ❷ 재생하다

© Fotofermer / shutterstock

Words
● determinant 결정 요인 ● life expectancy 기대 수명 ● mortality rate 사망률 ● infancy 유년기 ● consistently 일관적으로
● positive 긍정적인, 양성의 ● correlation 상관관계 ● intake 섭취 ● alert 기민한, 경계하는 ● performance 수행 능력

C 다음 글을 읽고, 괄호 안에서 알맞은 것을 골라 쓰시오. [모평] 응용

When deciding whether to invest in a company, brokers may take into account the people at the helm; the current and potential size of its market; net profits; and its past, present, and future stock value, among other pieces of information. Weighing all of these factors can take up so much of your working memory that it becomes overwhelmed. When information (overloads / downloads) working memory this way, it can make brokers scrap all the strategizing and analyses and go for emotional, or gut, decisions.   *at the helm: 실권을 가진

➡ ~~~~~~~~~~~~~~~~~~~~~

문제 해결 전략

overload
over(exceedingly)+load(싣다)
→ 의미: 짐을 **①** 싣다, 과부하 걸리게 하다

download
down(아래로)+**②** (싣다)
→ 의미: (데이터 등을) 내려받다

답 **①** 과하게[지나치게 많이] **②** load

D 다음 글의 밑줄 친 부분 중, 문맥상 어색한 것은? [수능] 응용

Over 300 years ago La Rochefoucauld said: "Perfect courage is to do unwitnessed what we should be capable of doing before all men." It is not easy to ① fake moral courage. But persons who are daring in taking a wholehearted stand for truth often ② achieve results that ③ surpass their expectations. On the other hand, halfhearted individuals are seldom distinguished for courage even when it involves their own welfare. To be courageous under all circumstances requires strong determination.

문제 해결 전략

surpass
sur(above)+**①** (통과하다)
→ 의미: **②**

답 **①** pass **②** 초월하다

Words
- take into account 고려하다 • net profit 순이익 • take up 차지하다 • scrap 버리다 • strategize 전략을 짜다
- gut 직감에 따른; 직감, 배짱 • unwitnessed 목격되지 않은 • moral 도덕적인 • wholehearted 전적인 • stand 의견, 태도
- halfhearted 냉담한, 열성적이지 않은 • distinguish 차이를 보이다

2 2 필수 체크 전략 ①

대표 어휘 포함 지문

1 다음 글의 밑줄 친 부분 중, 문맥상 낱말의 쓰임이 적절하지 <u>않은</u> 것은? 모평 응용

People sometimes make downward social ①<u>comparisons</u> — comparing themselves to inferior or worse-off others — to feel better about themselves. This is self-enhancement at work. But what happens when the only available ②<u>comforting</u> target we have is superior or better off than we are? Can self-enhancement motives still be served in such situations? Yes, they can, as captured by the self-evaluation maintenance model. According to this theory, we shift between two processes — reflection and comparison — in a way that lets us ③<u>maintain</u> favorable self-views. In areas that are *not* especially relevant to our self-definition, we engage in ④<u>reflection</u>, whereby we flatter ourselves by association with others' accomplishments. Suppose you care very little about your own athletic skills, but when your friend scores the winning goal during a critical soccer match, you beam with pride, ⑤<u>experience</u> a boost to your self-esteem, and take delight in her victory celebrations as if, by association, it were your victory too.

*flatter: 치켜세우다, 아첨하다

풀이 전략

- 밑줄 친 어휘를 포함하는 문장이 글 전체의 주제와 같은 맥락인지 확인한다. 단어 앞뒤의 논리적인 연결에도 유의한다.

- compare
  com(함께)+pare(동등한): 함께 동등 하게 두다 → ❶ □

- superior
  ❷ □ (~의 위에)+ior(비교급 어미): (~보다) 위의 → 우월한

- reflection
  re(다시)+flection(휨, 굴절): 다시 구 부림 → 반사, 반영

  답 ❶ 비교하다 ❷ super

Double Check

1-1 괄호 안에서 알맞은 것을 고르시오.

Everyone who knows him says that he is very arrogant, acting like he is (inferior / superior) to others.
그를 아는 모든 사람들은 그가 매우 오만하고 다른 사람들보다 우월하다는 듯이 행동한다고 말한다.

함께 알아둘 어휘

superior의 유의어
prevailing 우세한 surpassing 뛰어난
supreme 최상의
superior의 반의어
inferior 열등한 junior 하급의

Words

- downward 아래로 향하는 ● worse-off 상황이 더 나쁜 ● self-enhancement 자기 고양 ● capture 담아내다, 포착하다
- relevant to ~에 관련된 ● engage in ~에 관여하다 ● association 연상 ● beam 활짝 웃다 ● boost 힘, 부양책

대표 어휘 포함 지문

2 다음 글의 제목으로 가장 적절한 것은?　수능 응용

Since the beginning of time, dreams have been regarded as prophetic communications which, when properly decoded, would **enable** us to **foretell** the future. There is, however, absolutely no scientific evidence for this theory. To prove the existence of premonitory dreams, scientific evidence must be obtained. We would need to do studies in which individuals are sampled in terms of their dream life and judges are asked to make correspondences between these dream events and events that occurred in real life. A problem that arises here is that individuals who believe in premonitory dreams may give one or two striking examples of 'hits,' but they never tell you how many of their premonitory dreams 'missed.' To do a scientific study of dream prophecy, we would need to establish some base of how commonly coincidental correspondences occur between dream and waking reality. Until we have that evidence, it is better to believe that the assumption is false.

*premonitory: 예고의, 전조의

① Why Do People Dream?
② Ways to Interpret Dreams
③ Origin of Dream Prophecy
④ Scientific History of Dreams
⑤ Can Dreams Foretell the Future?

풀이 전략

• 글의 주제를 파악한 뒤, 주제를 함축적이고 포괄적으로 표현한 선택지를 찾는다.

• enable
en(~하게 만들다)+able(할 수 있는)
:

• foretell
fore(미리)+tell(말하다): ❷

• premonitory
pre(~ 전에)+monitory(권고하는)
: 예고하는

• correspond
co(= com, 함께)+respond(응답하다): 서로 응답하다 → 일치하다, 부합하다
correspondence 몡 대응, 해당
답 ❶ ~을 할 수 있게 하다 ❷ 예언하다

© Yuganov Konstantin / shutterstock

Words
• prophetic 예언적인　• decode 해독하다, 해석하다　• obtain 얻다　• arise 발생하다, 생기다　• hit 맞음, 명중
• coincidental 우연의 일치인　• assumption 가정

1 다음 글의 내용을 한 문장으로 요약하고자 한다. 빈칸 (A), (B)에 들어갈 말로 가장 적절한 것은? (수능) 기출

Because elephant groups break up and **reunite** very frequently — for instance, in response to variation in food availability — reunions are more important in elephant society than among primates. And the species has evolved elaborate greeting behaviors, the form of which reflects the strength of the social bond between the individuals (much like how you might merely shake hands with a long-standing acquaintance but hug a close friend you have not seen in a while, and maybe even tear up). Elephants may greet each other simply by reaching their trunks into each other's mouths, possibly equivalent to a human peck on the cheek. However, after long absences, members of family and bond groups greet one another with incredibly theatrical displays. The fact that the intensity reflects the duration of the separation as well as the level of intimacy suggests that elephants have a sense of time as well. To human eyes, these greetings strike a familiar chord. I'm reminded of the joyous reunions so visible in the arrivals area of an international airport terminal.

*acquaintance: 지인 **peck: 가벼운 입맞춤

↓

> The evolved greeting behaviors of elephants can serve as an indicator of how much they are socially ____(A)____ and how long they have been ____(B)____ .

(A)	(B)	(A)	(B)
① competitive	··· disconnected	② tied	··· endangered
③ responsible	··· isolated	④ competitive	··· united
⑤ tied	··· parted		

어휘 Check!

• reunite
　re(다시)+unite(❶　　　)
　: 다시 결합하다 → 재결합하다
• remind
　re(다시)+mind(마음)
　: 마음에 다시 가져 오다 → 상기시키다
• endanger
　en(~에 넣다)+danger(❷　　　)
　: 위험에 빠뜨리다

🔑 ❶ 결합하다 ❷ 위험

© Kletr / shutterstock

Words
- break up 헤어지다
- primate 영장류
- elaborate 정교한
- equivalent to ~와 같은, 동등한
- intensity 강도
- intimacy 친밀도
- strike a familiar chord 공감을 불러 일으키다
- visible 보이는

2 주어진 글 다음에 이어질 글의 순서로 가장 적절한 것은? 수능 기출

> Traditionally, Kuhn claims, the primary goal of historians of science was 'to clarify and deepen an understanding of *contemporary* scientific methods or concepts by displaying their evolution'.

(A) Some discoveries seem to entail numerous phases and discoverers, none of which can be identified as definitive. Furthermore, the evaluation of past discoveries and discoverers according to present-day standards does not allow us to see how significant they may have been in their own day.

(B) This entailed relating the progressive accumulation of breakthroughs and discoveries. Only that which survived in some form in the present was considered relevant. In the mid-1950s, however, a number of faults in this view of history became apparent. Closer analysis of scientific discoveries, for instance, led historians to ask whether the dates of discoveries and their discoverers can be identified precisely.

(C) Nor does the traditional view recognise the role that non-intellectual factors, especially institutional and socio-economic ones, play in scientific developments. Most importantly, however, the traditional historian of science seems blind to the fact that the concepts, questions and standards that they use to frame the past are themselves subject to historical change.

① (A) – (C) – (B)
② (B) – (A) – (C)
③ (B) – (C) – (A)
④ (C) – (A) – (B)
⑤ (C) – (B) – (A)

어휘 Check!

· contemporary
con(함께)+tempor(때)+ary(형용사 접미사): ❶ _____
· discovery
dis(~않다)+cover(가리다)+y(명사 접미사): 발견
· progressive
pro(앞으로)+gress(= step, walk, 가다) +ive(형용사 접미사): 점진적인

정답 ❶ 동시대의

© Jiri Flogel / shutterstock

Words
● primary 주된
● clarify 분명히 하다
● evolution 발전
● entail 수반하다
● accumulation 축적
● breakthrough 획기적인 발전
● relevant 유의미한
● institutional 제도적인
● be subject to ~의 영향 하에 있다

3 다음 글의 밑줄 친 부분 중, 문맥상 낱말의 쓰임이 적절하지 <u>않은</u> 것은?

수능 기출

At a time when concerns about overpopulation and famine were reaching their highest peak, Garrett Hardin did not blame these problems on human ① <u>ignorance</u> — a failure to take note of dwindling per capita food supplies, for example. Instead, his explanation focused on the discrepancy between the ② <u>interests</u> of individual households and those of society as a whole. To understand excessive reproduction as a tragedy of the commons, bear in mind that a typical household stands to gain from bringing another child into the world — in terms of the net contributions he or she makes to ③ <u>household</u> earnings, for example. But while parents can be counted on to assess how the well-being of their household is affected by additional offspring, they ④ <u>overvalue</u> their impacts of population growth, such as diminished per capita food supplies for other people. In other words, the costs of reproduction are largely ⑤ <u>shared</u>, rather than being shouldered entirely by individual households. As a result, reproduction is excessive.　*dwindling: 줄어드는

어휘 Check!

• overpopulation
over(과하게)+population(인구)
: ❶ [　　　]
• reproduction
re(다시)+production(생산):
재생산, 번식
• overvalue
over(❷ [　　　])+value(가치를 두다): 과하게 가치를 두다 → 과대평가하다

답 ❶ 인구 과잉 ❷ 과하게

Words
● famine 기근
● peak 꼭대기, 정점
● blame on ~의 탓으로 돌리다
● per capita 1인당
● discrepancy 차이
● a tragedy of the commons
  공유지의 비극
● bear in mind 기억하다
● stand to ~할 것 같다
● net contribution 순기여도
● count on 기대하다
● assess 평가하다
● offspring 자식
● diminish 감소하다
● shoulder 떠맡다, 짊어지다

© KenshiDesign / shutterstock

4 다음 빈칸에 들어갈 말로 가장 적절한 것은?   수능 기출

The role of science can sometimes be overstated, with its advocates slipping into scientism. Scientism is the view that the scientific description of reality is the only truth there is. With the advance of science, there has been a tendency to slip into scientism, and assume that any factual claim can be authenticated if and only if the term 'scientific' can correctly be ascribed to it. The consequence is that non-scientific approaches to reality — and that can include all the arts, religion, and personal, emotional and value-laden ways of encountering the world — may become labelled as merely subjective, and therefore of little _____ in terms of describing the way the world is. The philosophy of science seeks to avoid crude scientism and get a balanced view on what the scientific method can and cannot achieve.

*ascribe: 속하는 것으로 생각하다   **crude: 투박한

① question   ② account
③ controversy   ④ variation
⑤ bias

© Getty Images Korea

어휘 Check!

· overstate
  over(과하게)+state(말하다)
  : ❶ ⬚

· consequence
  con(함께, 같이)+sequence(따라오는 것, 연속적인 사건들): 결과

· include
  in(안에)+clude(= shut, 가두다, 닫다)
  : ❷ ⬚

· controversy
  contro(반대로)+versy(돌아선)
  : 논쟁, 논란

답 ❶ 과장하다 ❷ 포함하다

Words
● advocate 지지자, 옹호자
● slip into ~에 빠져들다
● scientism 과학만능주의
● factual 사실에 기반을 둔
● authenticate 진짜임을 입증하다
● value-laden 가치 판단적인
● encounter 마주치다
● label 분류하다
● subjective 주관적인

대표 어휘 포함 지문

1 다음 빈칸에 들어갈 말로 가장 적절한 것은?　　　　모평 기출

The debates between social and cultural anthropologists concern not the differences between the concepts but the analytical priority: which should come first, the social chicken or the cultural egg? British anthropology emphasizes the social. It assumes that social institutions determine culture and that universal domains of society (such as kinship, economy, politics, and religion) are represented by specific institutions (such as the family, subsistence farming, the British Parliament, and the Church of England) which can be compared cross-culturally. American anthropology emphasizes the cultural. It assumes that culture shapes social institutions by providing the shared beliefs, the core values, the communicative tools, and so on that make social life possible. It does not assume that there are universal social domains, preferring instead to discover domains empirically as aspects of each society's own classificatory schemes — in other words, its culture. And it rejects the notion that any social institution can be understood

_____.

*anthropology: 인류학 **subsistence farming: 자급 농업 ***empirically: 경험적으로

① in relation to its cultural origin

② in isolation from its own context

③ regardless of personal preferences

④ without considering its economic roots

⑤ on the basis of British-American relations

풀이 전략

- 글의 첫 부분을 읽고 글의 중심 소재와 주제를 파악한 뒤, 글의 흐름을 따라가 며 빈칸에 들어갈 말을 추론한다. 빈칸 앞에 부정의 의미를 나타내는 표현이 있을 때 특히 유의한다.

- **emphasize**
  em(= in)+phas(is)(= show, ❶)+ize(동사 접미사): 안으로 부터 보여주다 → 강조하다

- **prefer**
  pre(❷)+fer(= carry, 옮기 다): 미리 옮기다 → 선호하다

- **reject**
  re(= 다시, 도로)+ject(= throw, 던지 다): 되던지다 → 거부하다

답 ❶ 보여주다 ❷ 미리

© Claudio Divizia / shutterstock

Words

- **concern** ~에 관한 것이다 ● **analytical** 분석적인 ● **priority** 우선순위 ● **assume** 가정하다 ● **institution** 제도, 기관
- **universal** 보편적인 ● **domain** 영역 ● **kinship** 친족 관계 ● **aspect** 측면 ● **classificatory scheme** 분류안 ● **notion** 개념
- **isolation** 분리, 고립 ● **regardless of** ~와 상관없이

대표 어휘 포함 지문

2 다음 빈칸에 들어갈 말로 가장 적절한 것은? 학평 기출

Humans are champion long-distance runners. As soon as a person and a chimp start running they both get hot. Chimps quickly overheat; humans do not, because they are much better at shedding body heat. According to one leading theory, ancestral humans lost their hair over successive generations because less hair meant cooler, more effective long-distance running. That ability let our ancestors outmaneuver and outrun prey. Try wearing a couple of extra jackets — or better yet, fur coats — on a hot humid day and run a mile. Now, take those jackets off and try it again. You'll see what a difference _____ makes.

*shed: 떨어뜨리다 **outmaneuver: ~에게 이기다

① hot weather
② a lack of fur
③ muscle strength
④ excessive exercise
⑤ a diversity of species

풀이 전략

- 빈칸이 포함된 문장과 선택지를 먼저 읽고 의미를 파악한다. 글의 초반부를 읽으며 주제와 중심 내용을 파악한 뒤, 빈칸이 있는 문장에 알맞은 말이 무엇일지 염두에 두며 나머지를 읽어 나간다.

- overheat
  over(❶_____)+heat(열; 뜨거워지다): 과하게 뜨거워지다 → 과열되다

- ancestor
  an(te)(before)+cest(가다)+or(~하는 사람): 앞서 간 사람 → ❷_____

- outmaneuver
  out(~보다 더)+maneuver(수를 쓰다): ~에게 이기다

- outrun
  out(~보다 더)+run(달리다): 앞지르다

  답 ❶ exceedingly ❷ 조상

Double Check

2-1 괄호 안에서 알맞은 것을 고르시오.

I was shivering throughout the meeting. The meeting room was too (overheated / chilly) for me. 나는 회의 내내 떨고 있었다. 그 회의실은 나에게 너무 추웠다.

함께 알아둘 어휘

overheat의 반의어
cool 시원한; 식히다 chill 냉기; 춥게 만들다 refrigerate 냉장하다 freeze 얼리다

Words

● chimp 침팬지 ● ancestral 선조의 ● successive 잇따른 ● generation 세대 ● outrun ~를 앞지르다 ● prey 먹잇감

필수 체크 전략 ②

모평 기출

1 밑줄 친 a cage model이 다음 글에서 의미하는 바로 가장 적절한 것은?

For a long time, tourism was seen as a huge monster invading the areas of indigenous peoples, introducing them to the evils of the modern world. However, research has shown that this is not the correct way to perceive it. In most places, tourists are welcome and indigenous people see tourism as a path to modernity and economic development. But such development is always a two-edged sword. Tourism can mean progress, but most often also means the loss of traditions and cultural uniqueness. And, of course, there are examples of 'cultural pollution', 'vulgarization' and 'phony-folk-cultures'. The background for such characteristics is often more or less romantic and the normative ideas of a former or prevailing authenticity. Ideally (to some) there should exist ancient cultures for modern consumers to gaze at, or even step into for a while, while traveling or on holiday. This is a cage model that is difficult to defend in a global world where we all, indigenous or not, are part of the same social fabric.

*indigenous: 토착의 **vulgarization: 상스럽게 함

① preserving a past culture in its original form for consumption
② restoring local cultural heritages that have long been neglected
③ limiting public access to prehistoric sites for conservation
④ confining tourism research to authentic cultural traditions
⑤ maintaining a budget for cultural policies and regulations

어휘 Check!

- **prevail**
  pre(❶   )+vail(힘이 있다): 앞서 힘이 있다 → 만연하다, 지배하다
- **ancient**
  anc(i)(= before, 전에)+ent(형용사 접미사): ❷
- **preserve**
  pre(미리)+serve(= keep safe, 안전하게 지키다): 미리 안전하게 지키다 → 보존하다

답 ❶ 앞서 ❷ 고대의

© aaabbbccc / shutterstock

Words
- invade 침범하다
- perceive 인식하다
- modernity 현대적인 것
- two-edged sword 양날의 칼
- phony 가짜의
- characteristic 특징
- normative 규범적인
- authenticity 진실성
- defend 방어하다
- fabric 구조, 직물
- restore 복구하다
- neglect 방치하다, 소홀하다
- regulation 규제

2 다음 글에서 필자가 주장하는 바로 가장 적절한 것은? 〔학평〕 기출

What we need in education is not measurement, accountability, or standards. While these can be useful tools for improvement, they should hardly occupy center stage. Our focus should instead be on making sure we are giving our youth an education that is going to arm them to save humanity. We are faced with unprecedented perils, and these perils are **multiplying** and pushing at our collective gates. We should be bolstering curriculum that helps young people mature into ethical adults who feel a responsibility to the global community. Without this sense of responsibility we have seen that many talented individuals give in to their greed and pride, and this destroys economies, ecosystems, and entire species. While we certainly should not abandon efforts to develop standards in different content areas, and also strengthen the STEM subjects, we need to take seriously our need for an education centered on global responsibility. If we don't, we risk extinction.

*bolster: 강화하다

① 융합 교육 강화를 위한 정책을 조속히 수립해야 한다.

② 학생 자치활동을 통해 민주 시민 의식을 함양해야 한다.

③ 교육은 미래 산업에 대비한 인재 육성에 앞장서야 한다.

④ 급변하는 미래에 대비하기 위해 교육과정을 다양화해야 한다.

⑤ 교육은 지구 공동체에 책임감을 가진 도덕적 인간을 길러내야 한다.

어휘 Check!

· improvement
im(= em, ❶⬚)+prove(= profit, 이득)+ment(명사 접미사): 이득을 얻게 함 → 향상

· multiply
multi(❷⬚)+ply(접다): 여러 번 접다 → 늘리다, 늘다, 곱하다

답 ❶ ~하게 만들다 ❷ 많은

ⓒ Syda Productions / shutterstock

Words

● accountability 책무성
● occupy 차지하다
● arm ~를 준비시키다
● unprecedented 전례 없는
● peril 위험
● mature into ~로 성숙해가다
● ethical 도덕적인
● STEM 과학(science), 기술(technology), 공학(engineering), 수학(mathematics)의 약칭
● risk ~를 각오하다
● extinction 멸종, 절멸

3 다음 빈칸에 들어갈 말로 가장 적절한 것은? 모평 기출

When people try to control situations that are essentially uncontrollable, they are inclined to experience high levels of stress. Thus, suggesting that they need to take active control is bad advice in those situations. What they need to do is to accept that some things are beyond their control. Similarly, teaching people to accept a situation that could readily be changed could be bad advice; sometimes the only way to get what you want is to take active control. Research has shown that when people who feel helpless fail to take control, they experience negative emotional states such as anxiety and depression. Like stress, these negative emotions can damage the immune response. We can see from this that health is not linearly related to control. For optimum health, people should be encouraged to take control to a point _____.

① but to yield to the situations within their control

② but to disregard immune response when stressed

③ but to recognize when further control is impossible

④ and to fight against uncontrollable situations persistently

⑤ and to try harder to conquer uncontrollable stressful situations

어휘 Check!

· encourage
  en(❶)+courage(용기)
  : 격려하다, 권장하다
· disregard
  dis(반대의)+regard(~으로 평가하다): 무시하다, 묵살하다
· uncontrollable
  un(아닌)+controllable (통제 가능한)
  : ❷

답 ❶ ~하게 만들다 ❷ 통제할 수 없는

© Felix Mizioznikov / shutterstock

Words
● essentially 본질적으로
● readily 쉽게
● helpless 무력한
● anxiety 불안
● depression 우울증
● immune response 면역 반응
● linearly 직선으로, 곧장
● optimum 최적의
● yield 굴복하다
● persistently 지속적으로
● conquer 정복하다

4 다음 글에서 필자가 주장하는 바로 가장 적절한 것은? 학평 기출

These days, electric scooters have quickly become a campus staple. Their rapid rise to popularity is thanks to the convenience they bring, but it isn't without problems. Scooter companies provide safety regulations, but the regulations aren't always followed by the riders. Students can be reckless while they ride, some even having two people on one scooter at a time. Universities already have certain regulations, such as walk-only zones, to restrict motorized modes of transportation. However, they need to do more to target motorized scooters specifically. To **ensure** the safety of students who use electric scooters, as well as those around them, officials should look into reinforcing stricter regulations, such as having traffic guards flagging down students and giving them warning when they violate the regulations.

① 미성년자의 전동 스쿠터 사용을 금지해야 한다.
② 전동 스쿠터 충전 시설을 더 많이 설치해야 한다.
③ 학생을 위한 대중교통 할인 제도를 정비해야 한다.
④ 캠퍼스 간 이동을 위한 셔틀버스 서비스를 도입해야 한다.
⑤ 대학 내 전동 스쿠터 이용에 대한 규정 강화를 검토해야 한다.

어휘 Check!

· convenience
con(❶   )+veni(오다, 가다) + ence(명사 접미사): 함께 오는/가는 것 → 편리함

· ensure
en(~하게 만들다)+sure(확실한, 안전한): ❷

· reinforce
re(다시)+inforce(= enforce, 시행하다): 강화하다

답 ❶ 함께 ❷ 확실하게 하다

Words
● staple 주요 상품
● rapid 급격한
● popularity 인기
● regulation 규제
● reckless 무모한
● motorize 동력화하다
● transportation 교통수단
● official 관계자, 임원
● flag down 정지 신호를 주다

1 다음 글의 제목으로 가장 적절한 것은?　　　　　학평 기출

Why do you go to the library? For books, yes — and you like books because they tell stories. You hope to get lost in a story or be transported into someone else's life. At one type of library, you can do just that — even though there's not a single book. At a Human Library, people with unique life stories volunteer to be the "books." For a certain amount of time, you can ask them questions and listen to their stories, which are as fascinating and inspiring as any you can find in a book. Many of the stories have to do with some kind of stereotype. You can speak with a refugee, a soldier suffering from PTSD, and a homeless person. The Human Library **encourages** people to challenge their own existing notions — to truly get to know, and learn from, someone they might otherwise make quick judgements about.

*PTSD(Post Traumatic Stress Disorder): 외상 후 스트레스 장애

① Useful Books for Learning Languages
② The Place Where People Are the Books
③ Library: Starting Point for Your Academic Research
④ How to Choose People in the Human Library
⑤ What a Touching Story of a Booklover!

© Kudla / shutterstock

Words

● transport 이동시키다 　● volunteer 자원해서 하다 　● have to do with ~와 관련이 있다 　● refugee 난민 　● notion 개념, 관념

2 다음 글의 빈칸 (A), (B)에 들어갈 말로 가장 적절한 것은? 〔학평〕 기출

Although the property of brain plasticity is most obvious during development, the brain remains changeable throughout the life span. It is evident that we can learn and remember information long after maturation. Furthermore, although it is not as obvious, the adult brain retains its capacity to be influenced by "general" experience. _____(A)_____, being exposed to fine wine or Pavarotti changes one's later appreciation of wine and music, even if encountered in late adulthood. The adult brain is plastic in other ways, too. For instance, one of the characteristics of normal aging is that neurons die and are not **replaced**. This process begins in adolescence, yet most of us will not suffer any significant cognitive loss for decades because the brain **compensates** for the slow neuron loss by changing its structure. _____(B)_____, although complete restoration of function is not possible, the brain has the capacity to change in response to injury in order to at least partly compensate for the damage.

	(A)		(B)
①	For example	……	Similarly
②	For example	……	Nevertheless
③	Moreover	……	Similarly
④	In contrast	……	Nevertheless
⑤	In contrast	……	Therefore

'가소성(plasticity)'이란 물질이 가진 탄성 이상의 힘에 의해 물질의 형태가 변한 뒤, 그 힘이 사라져도 본래의 모양으로 돌아가지 않는 성질을 말합니다.

Words

● plasticity 가소성 ● span 지속 기간 ● maturation 성인이 됨 ● neuron 신경 단위 ● retain 보유하다
● plastic 형태를 바꾸기 쉬운, 가소성이 좋은 ● significant 중대한 ● cognitive 인지적인 ● compensate for ~를 보상하다
● restoration 회복

3 다음 글의 주제로 가장 적절한 것은? 수능 기출

Twin sirens hide in the sea of history, tempting those seeking to understand and appreciate the past onto the reefs of misunderstanding and misinterpretation. These twin dangers are temporocentrism and ethnocentrism. Temporocentrism is the belief that your times are the best of all possible times. All other times are thus inferior. Ethnocentrism is the belief that your culture is the best of all possible cultures. All other cultures are thus inferior. Temporocentrism and ethnocentrism unite to cause individuals and cultures to judge all other individuals and cultures by the **"superior"** standards of their current culture. This leads to a total lack of perspective when dealing with past and/or foreign cultures and a resultant misunderstanding and misappreciation of them. Temporocentrism and ethnocentrism tempt moderns into unjustified criticisms of the peoples of the past.

① distinct differences in the ways of recording history

② universal features discovered in different cultures

③ historians' efforts to advocate their own culture

④ pros and cons of two cross-cultural perspectives

⑤ beliefs that cause biased interpretations of the past

© Rawpixel.com / shutterstock

Words

● tempt 유혹하다　● appreciate 제대로 인식하다　● reef 암초　● misinterpretation 오역　● temporocentrism 자기 시대 중심주의
● ethnocentrism 자기 민족 중심주의　● inferior 열등한　● perspective 관점　● resultant 결과적인　● misappreciation 제대로 평가하지
못함　● unjustified 정당하지 않은　● advocate 지지하다　● pros and cons 찬반 양론

4 다음 글의 제목으로 가장 적절한 것은? 수능 응용

'Leisure' as a distinct non-work time, whether in the form of the holiday, weekend, or evening, was a result of the disciplined and bounded work time created by capitalist production. Workers then wanted more leisure and leisure time was enlarged by union campaigns, which first started in the cotton industry, and eventually new laws were passed that limited the hours of work and gave workers holiday **entitlements**. Leisure was also the creation of capitalism in another sense, through the commercialization of leisure. This no longer meant participation in traditional sports and pastimes. Workers began to pay for leisure activities organized by capitalist enterprises. Mass travel to spectator sports, especially football and horse-racing, where people could be charged for entry, was now possible. The importance of this can hardly be exaggerated, for whole new industries were emerging to exploit and develop the leisure market, which was to become a huge source of consumer demand, employment, and profit.

*discipline: 통제하다 **enterprise: 기업(체) ***exaggerate: 과장하다

① What It Takes to Satisfy Workers
② Why Workers Have Struggled for More Leisure
③ The Birth and Evolution of Leisure in Capitalism
④ How to Strike a Balance Between Work and Leisure
⑤ The Light and Dark Sides of the Modern Leisure Industry

Words

● distinct 별도의, 뚜렷한 ● bounded 제한된 ● capitalist 자본가 ● enlarge 확대하다 ● union 연합, 조합 ● entitlement 자격, 권리
● commercialization 상업화 ● emerge 출현하다 ● spectator 관중 ● entry 입장 ● exploit 개발하다

창의·융합·코딩 전략 ①

1 빈칸에 알맞은 카드를 골라 만화를 완성하시오. (필요하면 단어의 형태를 변형하시오.)

Hi! It's been weeks!
So good to see you.

Hi, you too! Let's go buy tickets. What exhibition do you want to see?

I'm interested in _____. Old things are always beautiful. So this one?

That exhibition ends next year, but this exhibition about _____ art ends this month.

I don't know anything about new or modern art.

You can learn from this exhibit!
I _____ you to give it a try. It might be fun!

OK. Let's _____ ourselves about the latest art.

That's good. Let's go for it.

enlighten	temporary	encourage	reproductions
lighten	contemporary	courage	antiques

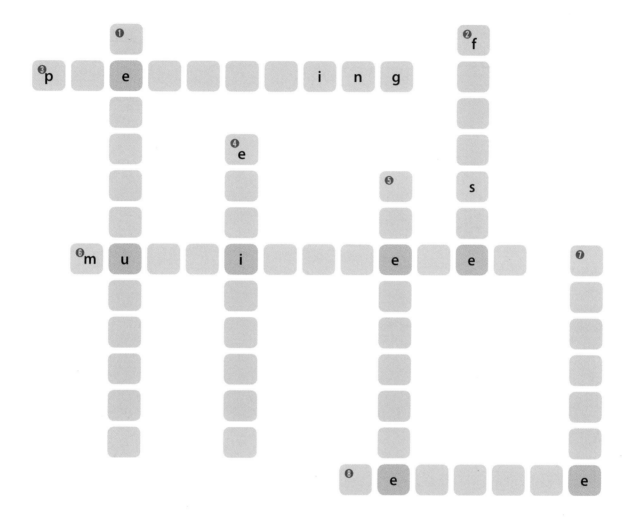

2 다음 퍼즐을 완성하시오.

Down ▼

❶ the act of plants and animals giving birth to offspring

❷ I invested my money because I could _____ its potential.

❹ *synonym* inform, instruct

❺ *antonym* understate

❼ to look at more than two things to find what's similar or different

Across ▶

❸ That was a _____ way to wear a dress. Everyone used to wear the same dress back then.

❻ having many aspects

❽ *synonym* substitute

3 우리말과 같은 뜻이 되도록 알맞은 순서로 퍼즐을 맞춰 문장을 완성하시오. (필요 <u>없는</u> 한 조각은 제외하시오.)

(1) 건강한 것이 가장 중요한 것이다.

→ _____

the foremost　　the most　　is　　thing　　being healthy

(2) 당신은 건강을 어떤 것으로도 대체할 수 없다.

→ _____

anything　　replace　　can't　　place　　health　　you　　with

(3) 일의 과부하는 당신의 건강에 나쁘다.

→ _____

overload　　bad　　is　　work　　for　　your　　health　　load

(4) 휴식을 취하는 것은 당신이 건강할 수 있게 할 것이다.

→ _____

enable　　able　　you　　taking　　to be　　will　　a rest　　healthy

© Getty Images Korea

4 그림을 보고, 둘 중 알맞은 단어를 골라 문장을 완성하시오.

(1) People feel pressure to conform / compensate to their group.

(2) She is good at multitasking / multiplying . She does several things at a time.

(3) Will electric cars replace / reunite gasoline cars in a few years?

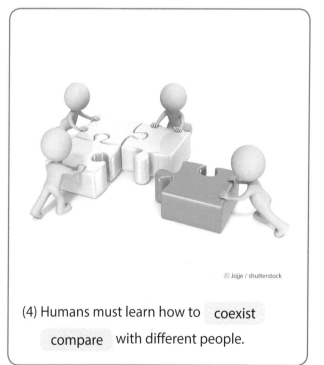

(4) Humans must learn how to coexist / compare with different people.

BOOK 1 마무리 전략

지난 2주간 학습한 접두사를 다시 한 번 기억해 두세요.

1주 │ 접두사 1

위치, 방향의 접두사

in-
~ 안에, 안으로
— **변화형**
in-, im-

under-
아래에

inter-
~ 사이에, 상호 간의

trans-
가로질러, 관통하여

out-
밖에, 밖으로, ~보다 더

ad-
~ 쪽으로, ~을 향하여
— **변화형**
ad-, ac-, al-, af-

부정, 반대의 접두사

in-
부정, 반대의
— **변화형**
in-, il-, im-, ir-

mis-
잘못된

dis-
부정, 반대의

anti-
~에 대항하여
— **변화형**
anti-, ant-

de-
떨어져, 아래로

counter-
~에 대항하여
— **변화형**
counter-, contra-, contro-

un-
부정, 반대의

2주　접두사 2

시간, 공간의 접두사

pre-
~ 전에, ~ 앞에, 미리

ante-
~ 전에, ~ 앞에

— 변화형
ante-, ant-, anc-

fore-
~ 전에, 먼저

post-
~ 후에, ~ 뒤에

pre- 　　　　　　post-

과잉의 접두사

over-
~ 넘어, ~ 위에, 과하게

super-
~ 위에, 초월해서

— 변화형
super-, sur-

'다시'를 나타내는 접두사

re-
다시

'많음'을 나타내는 접두사

multi-
많은

'함께'를 나타내는 접두사

com-
함께

— 변화형
com-, con-, co-

가능의 접두사

en-
~하게 만들다

— 변화형
en-, em-

신유형·신경향 전략

1 (A), (B)의 빈칸에 들어갈 말이 바르게 연결된 것은?   수능 응용

The importance of science has led people to think that 'objectivity' is the best way to see the world — to see the facts without any feelings. However, from a human point of view, objectivity is just another attitude. It is an interpretation that deliberately ignores our feelings. It is very useful to _____(A)_____ that scientific measurements are taken accurately and so on, but as far as life is concerned, it is a bit like turning the color off on your TV so that you see everything in black and white and then saying that is more truthful. It is not more truthful; it is just a filter that _____(B)_____ the richness of life. When you turn down the feelings, you also turn down the possibility of enjoyment.

(A)		(B)
① ensure	......	reforms
② overstate	......	reforms
③ ensure	......	reduces
④ overstate	......	reduces
⑤ disregard	......	recreates

© GraphicsRF.com / shutterstock

How to Solve

글의 앞부분을 읽고, 글의 주제를 파악합니다. 특히 문장에 however, yet, though 등의 접속어가 있을 때, 그 뒤에 글쓴이의 ❶⬜⬜⬜가 밝혀지는 경우가 많으므로 유의합니다. 글의 주제를 파악했다면, 글을 읽으며 빈칸이 있는 문장에 선택한 단어를 넣었을 때 ❷⬜⬜와 같은 맥락을 유지하는지도 확인해야 합니다.

답 ❶ 의도 ❷ 주제

Words
- objectivity 객관성
- interpretation 해석
- deliberately 고의적으로
- measurement 측정
- as far as ~ concerned ~에 관한 한
- turn down 거부하다, 무시하다

2 밑줄 친 underestimate를 문맥상 자연스러운 낱말로 바꾼 것은? 수능 응용

In the context of SNS, media literacy has been argued to be especially important "in order to make the users aware of their rights when using SNS tools, and also help them acquire or reinforce human rights values and develop the behaviour necessary to respect other people's rights and freedoms." With regard to peer-to-peer risks such as bullying, this last element is of particular importance. This relates to a basic principle that children are taught in the offline world as well: 'do not do to others what you would not want others to do to you.' This should also be a golden rule with regard to SNS, but for children and young people it is much more difficult to **underestimate** the consequences and potential serious impact of their actions in this environment. Hence, raising awareness of children from a very early age about the particular characteristics of SNS and the potential long-term impact of a seemingly trivial act is crucial.

① follow
② disregard
③ estimate
④ accompany
⑤ dominate

Words
- context 맥락, 전후 사정
- media literacy 미디어 정보 해독력(각종 미디어 정보를 주체성을 갖고 해독할 수 있는 능력)
- reinforce 강화하다
- with regard to ~와 관련하여
- bully 괴롭히다
- element 요소
- golden rule 황금률, 행동의 기본 원칙
- underestimate 과소평가하다, (비용을) 너무 적게 잡다
- consequence 결과
- potential 잠재적인
- seemingly 겉보기에, 외견상으로
- trivial 사소한
- crucial 필수적인, 결정적인

© Getty Images Bank

How to Solve
글의 첫 부분을 통해 글의 소재와 ❶ [   ]를 파악한 뒤에 글을 읽습니다. 밑줄 친 부분이 있는 문장에서 해당 부분을 ❷ [   ]이라고 생각하고 글의 흐름에 맞게 적절한 단어를 떠올려, 선택지에서 가장 가까운 것을 찾습니다.

답 ❶ 주제 ❷ 빈칸

3 (A), (B)의 빈칸에 들어갈 말이 바르게 연결된 것은?   수능 응용

Cinema is valuable not for its ability to make visible the hidden outlines of our reality, but for its ability to reveal what reality itself veils — the dimension of fantasy. This is why, to a person, the first great theorists of film decried the introduction of sound and other technical innovations (such as color) that pushed film in the direction of realism. Since cinema was an entirely fantasmatic art, these innovations were completely ____(A)____ . And what's worse, they could do nothing but turn filmmakers and audiences away from the fantasmatic dimension of cinema, potentially transforming film into a mere delivery device for representations of reality. As long as the irrealism of the silent black and white film ____(B)____ , one could not take filmic fantasies for representations of reality. But sound and color threatened to create just such an illusion, thereby destroying the very essence of film art. As Rudolf Arnheim puts it, "The creative power of the artist can only come into play where reality and the medium of representation do not coincide."

*decry: 공공연히 비난하다   **fantasmatic: 환상의

	(A)		(B)		(A)		(B)
①	welcomed	······	declined	②	necessary	······	**predominated**
③	unnecessary	······	declined	④	unnecessary	······	predominated
⑤	necessary	······	controlled				

How to Solve

글의 주제와 흐름을 파악하여, 빈칸이 있는 문장에 선택한 단어를 넣었을 때 글의 주제와 같은 ❶____ 을 유지하는지 확인해야 합니다. 완성된 문장이 앞뒤에 있는 문장과 논리적으로 ❷____ 되는 진술을 하지 않는지 유의하여 살핍니다. 또한 (A)와 (B) 둘 중 한 단어만 보고 섣불리 답을 고르지 않도록 합니다.

답 ❶ 맥락 ❷ 모순

Words
- veil 가리다
- dimension 차원
- to a person 이구동성으로
- introduction 도입
- innovation 혁신
- realism 리얼리즘, 현실주의
  cf. irrealism 비현실주의
- entirely 완전히
- potentially 잠재적으로
- transform 변형시키다
- delivery device 전달 도구
- representation 묘사
- illusion 환상, 착각
- thereby 그렇게 함으로써
- come into play 작동하다
- coincide 일치하다, 동시에 일어나다

4 다음 글의 주제를 아래와 같이 나타낼 때, 빈칸에 들어갈 말로 가장 적절한 것은? 수능 응용

Difficulties arise when we do not think of people and machines as collaborative systems, but assign whatever tasks can be automated to the machines and leave the rest to people. This ends up requiring people to behave in machine-like fashion, in ways that differ from human capabilities. We expect people to monitor machines, which means keeping alert for long periods, something we are bad at. We require people to do repeated operations with the extreme precision and accuracy required by machines, again something we are not good at. When we divide up the machine and human components of a task in this way, we fail to take advantage of human strengths and capabilities but instead rely upon areas where we are genetically, biologically unsuited. Yet, when people fail, they are blamed.

➡ issues of _____ unfit tasks to humans in automated systems

① allowing　　　　　　② **allocating**

③ educating　　　　　　④ locking

⑤ attributing

Words
- arise 발생하다
- collaborative system 협업 체계
- assign 할당하다
- automate 자동화하다
- end up -ing 결국 ~하게 되다
- behave 행동하다
- fashion (유행하는) 방식
- monitor 감시하다
- keep alert 경계 태세를 유지하다
- extreme 극한의, 극도의
- precision 정밀함
- accuracy 정확성
- component 구성요소
- take advantage of ~을 이용하다
- genetically 유전적으로
- unsuited 부적합한

© HstrongArt / shutterstock

How to Solve

주어진 주제를 먼저 읽고 글의 전반적인 내용을 유추한 뒤 지문을 읽습니다. 빈칸에 들어갈 낱말은 글의 핵심 어이거나, 그 핵심어와 **❶** 의미의 다른 낱말일 가능성이 높습니다. 비슷한 의미의 표현이 **❷** 해서 제시된다면 특히 유의해서 살펴보아야 합니다.

답 ❶ 비슷한[같은] ❷ 반복

01 다음 빈칸에 들어갈 말로 가장 적절한 것은? 학평 기출

The title of Thomas Friedman's 2005 book, *The World Is Flat*, was based on the belief that globalization would **inevitably** bring us closer together. It has done that, but it has also inspired us _____. When faced with perceived threats — the financial crisis, terrorism, violent **conflict**, refugees and **immigration**, the increasing gap between rich and poor — people cling more tightly to their groups. One founder of a famous social media company believed social media would unite us. In some respects it has, but it has simultaneously given voice and organizational ability to new cyber tribes, some of whom spend their time spreading blame and division across the World Wide Web. There seem now to be as many tribes, and as much conflict between them, as there have ever been. Is it possible for these tribes to **coexist** in a world where the concept of "us and them" remains?

① to build barriers
② to achieve equality
③ to abandon traditions
④ to value individualism
⑤ to develop technologies

© violetkaipa / shutterstock

Words

● inevitably 필연적으로 ● inspire 영감을 주다, 고무하다 ● conflict 갈등 ● refugee 난민 ● immigration (집단적) 이민자
● cling 달라붙다 ● simultaneously 동시에 ● tribe 부족 ● division 분열 ● coexist 공존하다

02 다음 글의 제목으로 가장 적절한 것은? 수능 기출

When we remark with surprise that someone "looks young" for his or her chronological age, we are observing that we all age biologically at different rates. Scientists have good evidence that this apparent difference is real. It is likely that age changes begin in different parts of the body at different times and that the rate of annual change varies among various cells, tissues, and organs, as well as from person to person. Unlike the passage of time, biological aging resists easy measurement. What we would like to have is one or a few measurable biological changes that mirror all other biological age changes without reference to the passage of time, so that we could say, for example, that someone who is chronologically eighty years old is biologically sixty years old. This kind of measurement would help explain why one eighty-year-old has so many more youthful qualities than does another eighty-year-old, who may be biologically eighty or even ninety years old.

① In Search of a Mirror Reflecting Biological Aging
② Reasons for Slow Aging in the Modern Era
③ A Few Tips to Guess Chronological Age
④ Secrets of Biological Aging **Disclosed**
⑤ Looking for the Fountain of Youth

Words
● chronological age 실제 연령, 생활 연령 ● biologically 생물학적으로 ● apparent 외관상의, 겉보기의 ● annual 매년의, 연례의
● tissue 조직 ● organ 기관, 장기 ● mirror 반영하다 ● without reference to ~와 관계없이

03 다음 글의 밑줄 친 부분 중, 문맥상 낱말의 쓰임이 적절하지 <u>않은</u> 것은? (모평) 기출

An Egyptian executive, after entertaining his Canadian guest, offered him joint partnership in a new business venture. The Canadian, delighted with the offer, suggested that they meet again the next morning with their ① <u>respective</u> lawyers to finalize the details. The Egyptian never showed up. The surprised and disappointed Canadian tried to understand what had gone wrong: Did Egyptians ② <u>lack</u> punctuality? Was the Egyptian expecting a counter-offer? Were lawyers unavailable in Cairo? None of these explanations proved to be correct; rather, the problem was ③ <u>caused</u> by the different meaning Canadians and Egyptians attach to inviting lawyers. The Canadian regarded the lawyers' ④ <u>absence</u> as facilitating the successful completion of the negotiation; the Egyptian interpreted it as signaling the Canadian's mistrust of his verbal commitment. Canadians often use the **impersonal** formality of a lawyer's services to finalize ⑤ <u>agreements</u>. Egyptians, by contrast, more frequently depend on the personal relationship between bargaining partners to accomplish the same purpose.

*punctuality: 시간 엄수

© Getty Images Korea

Words

● joint partnership 합작 제휴 ● venture 벤처 (사업) ● respective 각각의 ● finalize 마무리하다 ● detail 세부 사항
● counter-offer 수정 제안 ● unavailable 이용할 수 없는 ● facilitate 용이하게 하다 ● negotiation 협상 ● mistrust 불신
● verbal 말의, 구두의 ● impersonal 개인적인 것에 치우치지 않는, 사사롭지 않은, 비인격적인 ● formality 형식상의 절차

04 다음 글의 주제로 가장 적절한 것은? 수능 기출

The most normal and competent child encounters what seem like insurmountable problems in living. But by playing them out, he may become able to cope with them in a step-by-step process. He often does so in symbolic ways that are hard for even him to understand, as he is reacting to inner processes whose origin may be buried deep in his unconscious. This may result in play that makes little sense to us at the moment, since we do not know the purposes it serves. When there is no immediate danger, it is usually best to approve of the child's play without **interfering**. Efforts to assist him in his struggles, while well intentioned, may divert him from seeking and eventually finding the solution that will serve him best.

① dangers of playing violent games to mental health
② beneficial influence of playing outdoors in childhood
③ children's play as problem solving with minimal **intervention**
④ necessity of **intervening** in disputes between siblings
⑤ parental roles in children's physical development

© Pakawat Suwannaket / shutterstock

Words

● **competent** 유능한 ● **encounter** 조우하다, 맞닥뜨리다 ● **insurmountable** 극복할 수 없는, 넘을 수 없는 ● **cope with** ~에 대처[대응]하다
● **immediate** 당면한, 직접적인 ● **approve** 인정하다 ● **interfere** 간섭하다, 방해하다 ● **divert** (주의·관심을) 돌리다 ● **intervention** 간섭
● **intervene** 개입하다, 끼어들다 ● **dispute** 논쟁 ● **sibling** 형제자매

01 주어진 글 다음에 이어질 글의 순서로 가장 적절한 것은?   수능 기출

> To modern man disease is a biological phenomenon that concerns him only as an individual and has no moral implications. When he contracts influenza, he never attributes this event to his behavior toward the tax collector or his mother-in-law.

(A) Sometimes they may not strike the guilty person himself, but rather one of his relatives or tribesmen, to whom responsibility is extended. Disease, action that might produce disease, and recovery from disease are, therefore, of vital concern to the whole primitive community.

(B) Disease, as a sanction against social misbehavior, becomes one of the most important pillars of order in such societies. It takes over, in many cases, the role played by policemen, judges, and priests in modern society.

(C) Among primitives, because of their supernaturalistic theories, the **prevailing** moral point of view gives a deeper meaning to disease. The gods who send disease are usually angered by the moral offences of the individual.　　　　　　*sanction: 제재

① (A) – (C) – (B)
② (B) – (A) – (C)
③ (B) – (C) – (A)
④ (C) – (A) – (B)
⑤ (C) – (B) – (A)

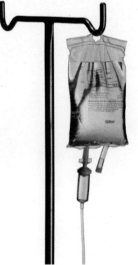

© Stock Up / shutterstock

Words
- phenomenon 현상　● implication 함의　● contract (병에) 걸리다　● attribute ~ to ... ~을 …의 탓으로 돌리다　● extend 확장하다
- of vital concern 매우 중요한　● primitive 원시의　● misbehavior 부정행위　● pillar 기둥, (시스템·조직 등의) 기본적인 부분
- take over 인계받다, 탈취하다　● supernaturalistic 초자연적인　● prevailing 우세한　● anger 화나게 하다　● offence 범죄

02 다음 빈칸에 들어갈 말로 가장 적절한 것은? 모평 기출

Externalization is the foundation from which many narrative conversations are built. This requires a particular shift in the use of language. Often externalizing conversations involve tracing the influence of the problem in a child's life over time and how the problem has **disempowered** the child by limiting his ability to see things in a different light. The counsellor helps the child to change by deconstructing old stories and reconstructing preferred stories about himself and his life. To help the child to develop a new story, the counsellor and child search for times when the problem has not influenced the child or the child's life and focus on the different ways the child thought, felt and behaved. These _____ help the child create a new and **preferred** story. As a new and preferred story begins to emerge, it is important to assist the child to hold on to, or stay connected to, the new story.

© Oksana Mizina / shutterstock

① exceptions to the problem story
② distances from the alternative story
③ problems that originate from the counsellor
④ efforts to combine old and new experiences
⑤ methods of linking the child's stories to another's

Words

- **externalization** 외재화, 외적 표현 ● **foundation** 토대 ● **narrative** 이야기(의), 서술(적인) ● **shift** 전환 ● **trace** 추적하다
- **disempower** 영향력[권력]을 빼앗다 *cf.* empower 권력을 부여하다, 위임하다 ● **deconstruct** 해체하다, 분해하다 ● **reconstruct** 재구성하다
- **emerge** 나타나다, 나오다 ● **hold on to** ~에 매달리다 ● **exception** 예외 ● **alternative** 대안의, 대안적인 ● **originate** 유래하다, 비롯하다

03 (A), (B), (C)의 각 네모 안에서 문맥에 맞는 낱말로 가장 적절한 것은? 수능 기출

The Atitlán Giant Grebe was a large, flightless bird that had evolved from the much more widespread and smaller Pied-billed Grebe. By 1965 there were only around 80 birds left on Lake Atitlán. One immediate reason was easy enough to spot: the local human population was cutting down the reed beds at a furious rate. This (A) accommodation / destruction was driven by the needs of a fast growing mat-making industry. But there were other problems. An American airline was intent on developing the lake as a tourist destination for fishermen. However, there was a major problem with this idea: the lake (B) lacked / supported any suitable sporting fish! To compensate for this rather obvious defect, a specially selected species of fish called the Large-mouthed Bass was introduced. The introduced individuals immediately turned their attentions to the crabs and small fish that lived in the lake, thus (C) **competing / cooperating** with the few remaining grebes for food. There is also little doubt that they sometimes gobbled up the zebra-striped Atitlán Giant Grebe's chicks.

*reed: 갈대 **gobble up: 게걸스럽게 먹다

	(A)	(B)	(C)
①	accommodation	······ lacked	······ competing
②	accommodation	······ supported	······ cooperating
③	destruction	······ lacked	······ competing
④	destruction	······ supported	······ cooperating
⑤	destruction	······ lacked	······ cooperating

© Getty Images Bank

Words
- flightless 날지 못하는 ● evolve 진화하다 ● spot 알아내다, 발견하다 ● reed bed 갈대 밭 ● furious 맹렬한
- intent 강한 관심을 보이는, 열중하는 ● tourist destination 관광지 ● suitable 적절한 ● sporting fish 스포츠용[낚시용] 물고기
- compensate for ~을 보충[보상]하다 ● defect 결함 ● introduce 도입하다 ● chick 새끼 새, 병아리

04 다음 글의 요지로 가장 적절한 것은?

모평 기출

While genetic advancements are often reported as environmentally dependent or modest in effect size in academic publications, these are often translated to the public in deterministic language through the media. Sociologists of genetics argue that media portrayals of genetic influences on health have increased considerably over time, becoming part of the public discourse through which individuals understand symptoms, make help-seeking decisions, and form views of people with particular traits or conditions. The media is the primary source of information about genetic advances and their applications, but it does not provide a neutral discourse. Rather, information is selectively included or ignored, and scientific and clinical implications of genetic discoveries are often inaccurate or **overstated**. This "genetic optimism" has influenced public opinion, and research suggests that ordinary people are largely accepting of genetic explanations for health and behavior and tend to **overestimate** the heritability of common diseases for biological relatives.

① 유전학자들의 편견과 낙관주의는 유전학의 발전을 저해한다.
② 성격이 낙천적인 사람들은 유전의 영향을 덜 받는 경향이 있다.
③ 대중 매체는 건강에 관한 유전학의 성과를 부정확하게 전달한다.
④ 유전학은 대중 매체를 통해 이해할 수 있는 학문이 아니다.
⑤ 유전학의 발전으로 건강에 관한 지식이 대중화되었다.

© Getty Images Bank

Words

- genetic 유전의, 유전학의 ● modest 별로 크지 않은 ● deterministic 결정론적인 ● portrayal 묘사 ● considerably 상당히
- discourse 담론 ● trait 특성 ● primary 주요한 ● application 적용 ● neutral 중립적인 ● clinical 임상의 ● implication 함의
- inaccurate 부정확한 ● overstate 과장하다 ● optimism 낙관주의, 낙관론 ● largely 대체로, 주로 ● overestimate 과대평가하다
- heritability 유전 가능성

memo

실 전 에 강 한
수능전략

영어
영역 어휘

교재
교재
발간

수능전략
영·어·영·역
어휘

BOOK 2

BOOK 1
1주, 2주

BOOK 2
1주, 2주

BOOK 3
정답과 해설

본책인 BOOK 1과 BOOK 2의 구성은 아래와 같습니다.

주 도입

본격적인 학습에 앞서, 재미있는 만화를
살펴보며 이번 주에 학습할 내용을 확인해
봅니다.

1일

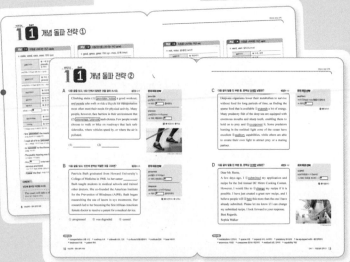

개념 돌파 전략
수능 영어 영역을 대비하기 위해 꼭 알아야 할
어휘를 접두사와 어근을 활용하여 익힌 뒤,
문제를 풀며 확인해 봅니다.

2일, 3일

필수 체크 전략
앞서 배운 어휘가 포함된 기출 문제를 풀며 어휘에
대한 이해도를 높입니다.

부록 수능에 꼭 나오는 필수 유형 ZIP

본 책에서 다룬 대표 유형과 어휘를 집중적으로
복습할 수 있도록 권두 부록을 구성했습니다.
부록을 뜯으면 미니북으로 활용할 수 있습니다.

주 마무리 코너

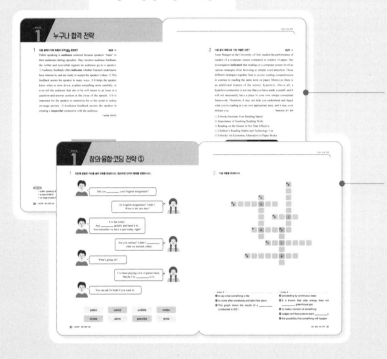

누구나 합격 전략
난이도가 낮은 기출 문제를 풀며
학습 자신감을 높일 수 있습니다.

창의·융합·코딩 전략
재미있는 문제를 통해 학습한 어휘를 다시
확인합니다.

권 마무리 코너

마무리 전략
학습한 내용을 표로 구성하여 앞에서
무엇을 공부했는지 한눈에 파악할 수 있습니다.

신유형·신경향 전략
신유형·신경향 문제를 집중적으로 풀며
문제 적응력을 높일 수 있습니다.

1·2등급 확보 전략
난이도가 높은 기출 문제를 풀며
고난도 문제에 대비할 수 있습니다.

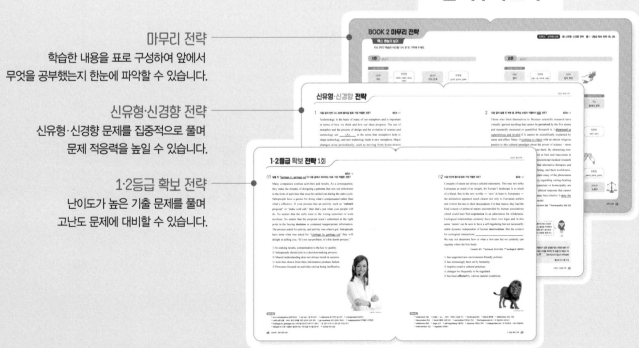

이 책의 **차례**

BOOK **2**

파이팅!!

파이팅!!

1 1 개념 돌파 전략 ①

개념 01 이동을 나타내는 어근 cede

❖ cede, ceed, cess, ceas: 가다 (go)

precede	통 ~에 앞서다, 선행하다 precede A with B: A에 앞서 B를 하다

pre(전에)+cede(go): 먼저 가다 → 앞서다

proceed	통 가다, 계속하다, 진행하다 process 명 과정

pro(앞으로)+ceed(go): 앞으로 가다 → 계속하다

succeed	통 성공하다, 계승하다 successor 명 후임자, 후계자
access	통 접근하다, 접속하다 명 접근[이용]성
recess	통 휴식하다, 휴회하다 명 휴식, 휴회

re(뒤로)+cess(❶ [ ]): 뒤로 가다 → 휴식하다

excessive	형 과도한, 지나친 exceed 통 초과하다
cease	통 멈추다

ceas(e)(go away): 가 버리다, 그만 두다 → 멈추다

· She preceded the meeting with her speech.
  그녀는 회의에 앞서 연설을 했다.

· I read all of it to proceed with the game.
  나는 그 게임을 진행하기 위해 그것 전부를 읽었다.

· to succeed to the throne
  왕위를 계승하다

· The public hearing was recessed.
  그 공청회는 휴회되었다.

· His ❷ [ ] intervention makes everyone nervous and tired.
  그의 지나친 개입은 모두를 긴장되고 피곤하게 만든다.

· Cease fire! 사격을 멈춰라!

답 ❶ go ❷ excessive

CHECK 1

빈칸에 들어갈 어근을 쓰시오.

The court will take a short re_____.
법정은 짧은 휴회를 할 것이다.

개념 02 이동/단계를 나타내는 어근 grad

❖ grad, gress, gree: 가다 (go, step), 단계 (step)

gradual	형 점차적인, 점진적인, 서서히 하는
degrade	통 낮추다, 떨어뜨리다

de(아래로)+grad(e)(❶ [ ]): 아래 단계 → 낮추다

progress	통 전진하다, 발전하다 명 진행, 전진
congress	명 회의, 의회

con(함께)+gress(go): 함께 와서 만남 → 회의

aggressive	형 공격적인, 적극적인

ag(~에게, ~ 방향으로)+gress(step)+ive(형용사 접미사): 상대 방향으로 내딛는 → 공격적인, 적극적인

degree	명 정도, 단계, 학위, (온도, 각도 등의) 도

de(떨어져)+gree(step): 서로 떨어진 단계 → 등급, 도

· It's not sudden but gradual.
  그것은 갑작스럽지 않고 점진적이다.

· to degrade the quality of a product
  상품의 질을 떨어뜨리다

· slow but steady ❷ [ ]
  느리지만 꾸준한 전진

· She wants to represent the congress.
  그녀는 그 의회를 대표하길 원한다.

· to need an aggressive approach
  공격적인 접근이 필요하다

· He earned a master's degree in history.
  그는 역사학 석사 학위를 취득했다.

답 ❶ step ❷ progress

CHECK 2

빈칸에 들어갈 어근을 쓰시오.

It's outstanding pro_____.
그것은 눈에 띄는 진전이다.

개념 03 이동을 나타내는 어근 mit

❖ mit, miss: 보내다 (send)

sub**mit**	동 제출하다
ad**mit**	동 인정하다, 승인하다 admission 명 인정, 입장, 입학

ad(~에)+mit(send): ~에 들여보내다 → 인정하다

o**mit**	동 빼다, 생략하다

o(강조)+mit(send): 완전히 보내다 → 빼다

com**mit**	동 (범죄를) 저지르다, 약속하다, 전념하다, 수용[수감]하다 commitment 명 실행, 공약, 헌신
e**mit**	동 방출하다
trans**mit**	동 전달하다, 옮기다
dis**miss**	동 무시하다, 해고하다 dismissal 명 무시, 해고

dis(떨어져)+miss(❶ ⬚): 멀리 보내다 → 무시하다

· to submit an assignment before the deadline
  마감일 전에 과제를 제출하다

· Just omit those two questions.
  그 두 문제들은 그냥 생략해라.

· This doesn't emit greenhouse gas.
  이것은 온실가스를 방출하지 않는다.

· to ❷ ⬚ viruses 바이러스를 옮기다

· They decided to dismiss him from the board.
  그들은 그를 이사회에서 해고하기로 결정했다.

> 여러분이 잘 아는 mission(임무, 사절단),
> missile(미사일, 무기) 역시 이 어근이
> 사용된 어휘랍니다.

답 ❶ send ❷ transmit

CHECK 3

빈칸에 알맞은 어근은?

Don't forget to sub_____ your ID.
당신의 신분증을 제출하는 것을 잊지 마시오.

① mit   ② miss   ③ mess

개념 04 이동을 나타내는 어근 vent

❖ vent, ven: 오다 (come)

ad**vent**	명 도래, 출현
ad**vent**ure	명 모험

ad(~에게)+vent(❶ ⬚)+ure(명사 접미사): 뜻하지 않게 다가오는 것 → 모험

pre**vent**	동 막다, 예방하다

pre(먼저)+vent(come): 먼저 오다 → 막다, 예방하다

in**vent**ion	명 발명 invent 동 발명하다, 만들다
con**ven**e	동 모으다, 소집하다

con(함께)+ven(e)(❷ ⬚): 함께 오다 → 모으다

inter**ven**e	동 개입하다, 간섭하다 intervention 명 개입, 간섭

inter(사이에)+ven(e)(come): 사이에 오다 → 개입하다

· the advent of a new era
  새로운 시대의 도래

· He is afraid of adventure .
  그는 모험을 두려워한다.

· to prevent a car accident
  자동차 사고를 예방하다

· The new acting style is her invention .
  그 새로운 연기 방식은 그녀의 발명이다.

· All of the members were convened for the
  meeting.
  모든 회원들은 회의를 위해 소집됐다.

· Be careful not to intervene too much.
  너무 많이 개입하지 않도록 조심해라.

답 ❶ come ❷ come

CHECK 4

빈칸에 공통으로 들어갈 어근을 쓰시오.

They will pre_____ me from joining the
ad_____ure.
그들은 내가 그 모험에 함께하는 것을 막을 것이다.

개념 돌파 전략 ①

개념 05 시각을 나타내는 어근 spec

❖ spec, spect: 보다 (look)

speculate	동 추측하다, 숙고하다
aspect	명 측면, 방향, 양상
prospect	명 전망, 가망, 예상

pro(앞) + spect(❶   ): 앞을 봄 → 전망, 가망

respect	동 존경하다, 존중하다 명 존경, 존중

re(다시, 뒤) + spect(look): (다시) 뒤돌아보다 → 존경하다

inspect	동 조사하다 inspection 명 조사
suspect	동 의심하다 명 용의자 suspicious 형 의심스러운

su(b)(아래에) + spect(look): 아래에서부터 보다 → 의심하다

perspective	명 원근법, 시각, 전망

· It is useful to speculate about possible effects.
가능성 있는 영향에 대해 추측하는 것은 유용하다.

· every aspect of the case
그 사건의 모든 측면

· a hopeful prospect
희망적인 선망

· I have a huge respect for the writer.
나는 그 작가에게 큰 존경심을 갖고 있다.

· Susan kept inspecting the packages.
Susan은 소포들을 계속 조사했다.

· to ❷   a spinal cord injury
척추 손상을 의심하다

우리가 잘 아는 special이라는 단어의
어근도 spec입니다. '보다'라는 뜻에서
'겉모습, 특징'이라는 의미가 생겨났고,
그것이 '특별한'이라는 의미로 발전했죠.

답 ❶ look ❷ suspect

CHECK 5

다음 단어들의 공통 어근을 찾아 각각 밑줄을 치시오.

respect   inspect   suspect

개념 06 시각을 나타내는 어근 vis

❖ vis, vid, view, vey: 보다 (see)

visual	형 시각의 vision 명 시력, 통찰력, 환상
supervise	동 감독하다 supervisor 명 감독관
revise	동 수정하다, 개정하다 revision 명 수정
provide	동 준비하다, 제공하다

pro(앞) + vid(e)(see): 앞을 보다 → 준비하다, 제공하다

review	동 복습하다, 재검토하다 명 검토, 논평
survey	동 조사하다, 측량하다 명 조사, 측량

sur(위에서) + vey(❶   ): 전체적으로 보다 → 조사하다

· Who supervised their project?
누가 그들의 프로젝트를 감독했지?

· to revise the law of copyright
저작권법을 개정하다

· to ❷   the whole community
지역 사회 전체를 조사하다

답 ❶ see ❷ survey

CHECK 6

빈칸에 알맞은 철자를 쓰시오.

The law needs to be re   ☐ ☐ ☐   ed and
re   ☐ ☐ ☐   ed.
그 법은 재검토되고 개정될 필요가 있다.

개념 07 청각을 나타내는 어근 audi

❖ audi: 듣다 (hear, listen)

audience	명 청중, 대중

audi(hear) + ence(명사 접미사): 청중, 대중

auditory	형 청력의, 청각의
audition	동 오디션을 하다 명 오디션, 심사

· The ❶   got upset to find out that the
concert was canceled all of a sudden.
청중은 갑자기 콘서트가 취소됐다는 것을 알고 화를 냈다.

답 ❶ audience

개념 08 언어/기록을 나타내는 어근 dict

❖ dict, dic: 말하다 (say, speak, proclaim)

dictate	통 명령하다, 받아쓰게 하다 dictation 명 받아쓰기
contradict	통 모순되다, 반론하다 contradictory 형 모순되는

contra(반대로) + dict(say): 반대로 ❶ [＿＿＿] → 반론하다

predict	통 예측하다 prediction 명 예측 predictable 형 예측 가능한
verdict	명 (배심원의) 평결, 의견

ver(= true, 진실의) + dict(say): 진실을 말하는 것 → 판결

addict	명 중독자 addiction 명 중독 addicted 형 중독된
indicate	통 가리키다, 나타내다

in(= toward, ～을 향해) + dic(proclaim) + ate(동사 접미사): ～을 향해 선언하다 → 가리키다

dedicate	통 헌신하다, (시간, 노력을) 바치다 dedication 명 헌신

de(= away, 떨어져) + dic(proclaim) + ate(동사 접미사): 따로 두었다가 (바치겠다고) 선언하다 → 헌신하다

· I have to contradict what he said about me.
  나는 그가 나에 대해 했던 말을 반박해야 한다.

· to ❷ [＿＿＿] the next step
  그 다음 단계를 예상하다

· The verdict was overruled.
  그 평결은 기각됐다.

· to dedicate a few hours to their family
  가족에게 몇 시간을 바치다

> 우리가 잘 아는 단어 dictionary도 같은 어근 dict를 갖고 있습니다. '단어, 즉 말을 모은 책'이라는 의미입니다.

답 ❶ 말하다 ❷ predict

CHECK 8

빈칸에 공통으로 들어갈 어근은?

- pre＿＿＿ 예상하다
- ＿＿＿ate 명령하다

① mit ② dict ③ spect

개념 09 언어/기록을 나타내는 어근 scrib

❖ scrib, script: 쓰다 (write)

describe	통 서술하다, 묘사하다

de(아래로) + scrib(e)(write): 적어 내려가다 → 서술하다

transcribe	통 옮겨 적다, 기록하다, 필사하다 transcript 명 필기록, 성적증명서

trans(가로질러) + scrib(e)(write): 옮겨 적다

prescribe	통 규정하다, 처방하다 prescription 명 규정, 처방전
subscribe	통 구독하다, 가입하다

sub(아래에) + scrib(e)❶ [＿＿＿]): 아래에 쓰다 → 서명하다, 구독하다

ascribe	통 원인을 ～에 돌리다, ～ 탓으로 돌리다

a(to, ～에) + scrib(e)(write) → (목록에) 써 넣다: 원인을 ～에 돌리다

scribble	통 낙서하다, 휘갈겨 쓰다 명 휘갈겨 쓴 것
manuscript	명 원고

manu(= hand, 손) + script(write): 손으로 쓰다 → 원고

· Describe the sunset that you saw yesterday.
  어제 당신이 본 일몰을 묘사하시오.

· to transcribe a note
  메모를 옮겨 적다

· The doctor will prescribe some medicine.
  의사는 약을 처방할 것이다.

· They ascribed the crisis to his ignorance.
  그들은 그 위기를 그의 무지함 탓으로 돌렸다.

· I had to get the manuscript for her.
  나는 그녀를 위해 그 ❷ [＿＿＿]를 구해야 했다.

답 ❶ write ❷ 원고

CHECK 9

빈칸에 알맞은 말은?

I have five magazines which I ＿＿＿ to.
나는 5권의 잡지를 구독한다.

① subscribe ② prescribe ③ describe

A

다음 글을 읽고, 네모 안에서 알맞은 것을 골라 쓰시오. (학평) 응용

Climbing stairs (1) provides / ruins a good workout, and people who walk or ride a bicycle for transportation most often meet their needs for physical activity. Many people, however, face barriers in their environment that (2) encourage / prevent such choices. Few people would choose to walk or bike on roadways that lack safe sidewalks, where vehicles speed by, or where the air is polluted.

(1) ~~~~~~~~~ (2) ~~~~~~~~~

문제 해결 전략

provide
pro(앞)+vid(e)(see)
→ 의미: ❶ ⬚ , 준비하다

prevent
pre(먼저)+vent(come)
→ 의미: 예방하다, ❷ ⬚

目 ❶ 제공하다 ❷ 막다

© Africa Studio / shutterstock

B

다음 글을 읽고, 빈칸에 문맥상 적절한 것을 고르면? (학평) 응용

Patricia Bath graduated from Howard University's College of Medicine in 1968. As her career _____, Bath taught students in medical schools and trained other doctors. She co-founded the American Institute for the Prevention of Blindness (AiPB). Bath began researching the use of lasers in eye treatments. Her research led to her becoming the first African-American female doctor to receive a patent for a medical device.

① progressed   ② was degraded   ③ ceased

문제 해결 전략

progress
pro(앞)+gress(go)
→ 의미: 전진하다, ❶ ⬚

degrade
de(아래로)+grad(e)(step)
→ 의미: ❷ ⬚ , 떨어뜨리다

目 ❶ 발전하다 ❷ 낮추다

Words
● transportation 교통 수단 ● roadway 도로 ● sidewalk 보도, 인도 ● co-found 공동설립하다 ● institute 협회 ● laser 레이저
● treatment 치료 ● patent 특허

C 다음 글의 밑줄 친 부분 중, 문맥상 어색한 낱말은?

Deep-sea organisms lower their metabolism to survive without food for long periods of time, as finding the sparse food that is available ① expends a lot of energy. Many predatory fish of the deep sea are equipped with enormous mouths and sharp teeth, enabling them to hold on to prey and ② overpower it. Some predators hunting in the residual light zone of the ocean have excellent ③ auditory capabilities, while others are able to create their own light to attract prey or a mating partner.

문제 해결 전략

auditory
audi(t)(hear)+ory(형용사 접미사)
→ 의미: ❶ [   ]

답 ❶ 청각의

D 다음 글의 밑줄 친 부분 중, 문맥상 어색한 낱말은?

Dear Mr. Reese,
A few days ago, I ① submitted my application and recipe for the 2nd Annual DC Metro Cooking Contest. However, I would like to ② change my recipe if it is possible. I have just created a great new recipe, and I believe people will ③ hate this more than the one I have already submitted. Please let me know if I can change my submitted recipe. I look forward to your response.
Best Regards,
Sophia Walker

문제 해결 전략

submit
sub(아래로)+mit(send)
→ 의미: 아래로 보내다 → ❶ [   ]

답 ❶ 제출하다

© Getty Images Korea

Words

● metabolism 신진대사 ● sparse 드문 ● expend 쓰다, 소비하다 ● predatory 포식성의 ● be equipped with ~를 장착하다
● enormous 거대한 ● overpower 힘으로 제압하다 ● residual 남은, 잔여의 ● capability 역량

1 다음 글의 요지로 가장 적절한 것은?   학평 응용

Recording an interview is easier and more thorough, and can be less unnerving to an interviewee than seeing someone scribbling in a notebook. But using a recorder has some disadvantages and is not always the best solution. If the interview lasts a while, listening to it again to select the quotes you wish to use can be time-consuming, especially if you are working to a tight deadline. It is often more efficient to develop the technique (using a recorder as backup if you wish) of selective note-taking. This involves writing down the key answers from an interview so that they can be transcribed easily afterwards. It is sensible to take down more than you think you'll need, but try to get into the habit of editing out the material you are not going to need as the interview proceeds. It makes the material much easier and quicker to handle afterwards.

*unnerving: 불안하게 만드는

① How to do an interview should be discussed in advance.
② Questions for an interview should not overlap.
③ Selective note-taking is more efficient than recording.
④ Objective point of view on an interviewee is important.
⑤ It's good to make a nervous interviewee relax.

Double Check

1-1 괄호 안에서 알맞은 것을 고르시오.

I could never understand the letter that my best friend (scribbled / typed out).
나는 나의 가장 친한 친구가 휘갈겨 쓴 편지를 전혀 이해할 수 없었다.

• 글의 요지를 찾을 때는 첫 번째 문장과 마지막 문장을 먼저 읽는다. 핵심 내용을 말하고 있는 문장과 그를 뒷받침하는 문장들을 파악하며 답을 찾는다.

• scribble
   scrib(b)(❶   )+le: 휘갈겨 쓰다

• transcribe
   trans(가로질러)+**scrib**(e)(쓰다)
   : ❷

• proceed
   pro(앞으로)+**ceed**(= go, 가다)
   : 계속하다, 진행하다

   답 ❶ 쓰다 ❷ 옮겨 적다

scribble의 유의어
doodle 낙서하다 scrawl 휘갈겨 쓰다

Words
• thorough 철저한 • quote 인용하다; 인용구 • time-consuming 시간이 많이 걸리는 • efficient 효율적인 • selective 선별적인
• involve 포함하다 • sensible 합리적인 • in advance 미리 • overlap 겹치다 • objective 객관적인

대표 어휘 포함 지문

2 다음 빈칸에 들어갈 말로 가장 적절한 것은? <수능 기출>

Research and development for seed improvement has long been a public domain and government activity for the common good. However, private capital started to flow into seed production and took it over as a sector of the economy, creating an artificial split between the two aspects of the seed's nature: its role as means of production and its role as product. This process gained pace after the invention of hybrid breeding of maize in the late 1920s. Today most maize seed cultivated are hybrids. The companies that sell them are able to keep the distinct parent lines from farmers, and the grain that they produce is not suited for seed saving and replanting. The combination guarantees that farmers will have to _____ _____. In the 1990s the extension of patent laws as the only intellectual property rights tool into the area of seed varieties started to create a growing market for private seed companies.

*maize : 옥수수

① buy more seed from the company each season
② use more chemical fertilizer than before
③ pioneer markets for their food products
④ increase the efficiency of food production
⑤ search for ways to maintain rural communities

Double Check

2-1 괄호 안에서 알맞은 것을 고르시오.

Would you please explain the (process / prospect) in detail?
그 과정에 대해 자세하게 설명해 주시겠습니까?

풀이 전략

• 앞에서 나온 문장들에서 나온 단서들을 활용하고 앞뒤 문장과의 연결에 유의하여 주어진 보기에서 답을 찾는다.

• aspect
a(= to, ~쪽으로)+**spect**(= look, 보다): ~쪽을 보다 → 측면, 양상

• invention
in(안으로)+**vent**(= come, 오다)+ion(명사 접미사): 안으로 새로운 것이 옴 → ❷ ____

답 ❶ 가다 ❷ 발명

함께 알아둘 어휘

process의 유의어
proceeding 진행 procedure 절차

Words
● seed 종자, 씨앗 ● domain 영역 ● common good 공익 ● capital 자본 ● take over 인수하다 ● sector 영역 ● split 분할
● hybrid 잡종 ● breeding 품종 개량, 사육 ● cultivate 재배하다 ● distinct 다른, 독특한 ● extension 연장 ● patent 특허

1 다음 빈칸에 들어갈 말로 가장 적절한 것은? 수능 기출

Minorities tend not to have much power or status and may even be dismissed as troublemakers, extremists or simply 'weirdos'. How, then, do they ever have any influence over the majority? The social psychologist Serge Moscovici claims that the answer lies in their *behavioural style,* i.e. the *way* _____. The crucial factor in the success of the suffragette movement was that its supporters were *consistent* in their views, and this created a considerable degree of social influence. Minorities that are active and organised, who support and defend their position *consistently,* can create social conflict, doubt and uncertainty among members of the majority, and ultimately this may lead to social change. Such change has often occurred because a minority has converted others to its point of view. Without the influence of minorities, we would have no innovation, no social change. Many of what we now regard as 'major' social movements (e.g. Christianity, trade unionism or feminism) were originally due to the influence of an outspoken minority.

*dismiss: 일축하다 **weirdo: 별난 사람 ***suffragette: 여성 참정권론자

① the minority gets its point across
② the minority tones down its voice
③ the majority cultivates the minority
④ the majority brings about social change
⑤ the minority cooperates with the majority

어휘 Check!

• dismiss
dis(떨어져)+miss(보내다)
: 멀리 보내다 → 해고하다. ❶

답 ❶ 무시하다

© Getty Images Korea

Words
● minority 소수 (집단)
● status 지위
● extremist 극단주의자
● majority 다수 (집단)
● lie in ~에 있다
● crucial 중대한
● consistent 일관된
● convert 전환하다
● trade unionism 노동조합
● outspoken 거침없이 말하는
● get across 이해시키다
● cultivate 경작하다
● bring about 유발하다

2 다음 글에서 필자가 주장하는 바로 가장 적절한 것은? 〔모평〕기출

Life is hectic. Our days are filled with so many of the "have tos" that we feel there's no time left for the "want tos." Further, spending all our time with others doesn't give us the ability to hit the reset button and relax. Leaving little to no time for ourselves or for the things that are important to us can lead to unmanaged stress, frustration, fatigue, resentment, or worse, health issues. Building in regular "you time," however, can provide numerous benefits, all of which help to make life a little bit sweeter and a little bit more manageable. Unfortunately, many individuals struggle with reaching goals due to an inability to prioritize their own needs. Alone time, however, forces you to take a break from everyday responsibilities and the requirements of others so you can dedicate time to move forward with your own goals, meet your own personal needs, and further explore your personal dreams.

*hectic: 매우 바쁜

① 자신을 위한 시간을 확보하여 원하는 바를 추구할 필요가 있다.
② 타인과의 정기적인 교류를 통해 스트레스를 해소해야 한다.
③ 자신의 분야에서 성공하려면 체계적인 시간 관리가 중요하다.
④ 개인의 이익과 공공의 이익 간의 조화를 이루어야 한다.
⑤ 업무의 우선순위는 동료와 협의하여 정해야 한다.

© Getty Images Bank

어휘 Check!

· dedicate
de(떨어져)+**dic**(❶   )+ate(동사 접미사): 따로 두었다가 (바치겠다고) 선언하다 → 바치다

· inability
in(반대의, ~이 없는)+ability
(❷   ) → 무능, 무력

답 ❶ 말하다 ❷ 능력

Words
● lead to ~으로 이어지다
● unmanaged 조절되지 않는
● frustration 좌절
● fatigue 피로
● resentment 분노
● benefit 혜택, 이득
● struggle 몸부림치다, 허우적거리다
● prioritize 우선순위를 정하다

3 주어진 글 다음에 이어질 글의 순서로 가장 적절한 것은? 수능 기출

> Movies may be said to support the dominant culture and to serve as a means for its reproduction over time.

(A) The bad guys are usually punished; the romantic couple almost always find each other despite the obstacles and difficulties they encounter on the path to true love; and the way we wish the world to be is how, in the movies, it more often than not winds up being. No doubt it is this utopian aspect of movies that accounts for why we enjoy them so much.

(B) The simple answer to this question is that movies do more than present two-hour civics lessons or editorials on responsible behavior. They also tell stories that, in the end, we find satisfying.

(C) But one may ask why audiences would find such movies enjoyable if all they do is give cultural directives and prescriptions for proper living. Most of us would likely grow tired of such didactic movies and would probably come to see them as propaganda, similar to the cultural artwork that was common in the Soviet Union and other autocratic societies.

*didactic: 교훈적인 **autocratic: 독재적인

① (A) – (C) – (B)
② (B) – (A) – (C)
③ (B) – (C) – (A)
④ (C) – (A) – (B)
⑤ (C) – (B) – (A)

어휘 Check!

• aspect
a(~쪽으로)+spect(보다): 측면, 양상

• audience
audi(듣다)+ence(명사 접미사):
❶ [　　　], 대중

• prescription
pre(미리)+script(❷ [　　　])+ion
(명사 접미사): 처방, 규정

답 ❶ 청중 ❷ 쓰다

© Getty Images Bank

Words
• dominant 지배적인
• reproduction 재생산
• more often than not 대개
• wind up 결국 ~로 끝나다
• utopian 유토피아적인, 이상적인
• account for 설명하다
• civics lesson 국민 윤리 교육
• editorial 사설
• directive 지시
• propaganda 선전
• artwork 예술적 제작 활동, 수공예품

4 다음 글에서 전체 흐름과 관계 <u>없는</u> 문장은? 수능 기출

Although commonsense knowledge may have merit, it also has weaknesses, not the least of which is that it often **contradicts** itself. For example, we hear that people who are similar will like one another ("Birds of a feather flock together") but also that persons who are dissimilar will like each other ("Opposites attract"). ① We are told that groups are wiser and smarter than individuals ("Two heads are better than one") but also that group work inevitably produces poor results ("Too many cooks spoil the broth"). ② Each of these contradictory statements may hold true under particular conditions, but without a clear statement of when they apply and when they do not, aphorisms **provide** little insight into relations among people. ③ That is why we heavily depend on aphorisms whenever we face difficulties and challenges in the long journey of our lives. ④ They provide even less guidance in situations where we must make decisions. ⑤ For example, when facing a choice that entails risk, which guideline should we use — "Nothing ventured, nothing gained" or "Better safe than sorry"?

*aphorism: 격언, 경구 **entail: 수반하다

© Sebra / shutterstock

어휘 Check!

• contradict
contra(반대로)+dict(말하다):
모순되다, 반론하다
contradictory 형 [❶   ]

• provide
pro(앞)+vid(e)([❷   ]):
앞을 보다 → 제공하다

• venture
adventure가 줄어든 형태 → 모험; 모험하다

답 ❶ 모순되는 ❷ 보다

Words
● commonsense 상식적인
● merit 장점
● not the least 적지 않은, 막대한
● flock 모이다
● dissimilar 닮지 않은
● inevitably 불가피하게
● spoil 망치다
● broth 수프, 육수
● statement 말, 진술
● hold true 사실이다, 진실이다
● insight 통찰
● even less 하물며 ~은 아니다

대표 어휘 포함 지문

1 (A), (B), (C)의 각 네모 안에서 문맥에 맞는 낱말로 가장 적절한 것은? 학평 기출

Many successful people tend to keep a good bedtime routine. They take the time just before bed to reflect on or write down three things that they are (A) regretful / thankful for that happened during the day. Keeping a diary of things that they appreciate reminds them of the progress they made that day in any aspect of their lives. It serves as a key way to stay motivated, especially when they experience a (B) hardship / success. In such case, many people fall easily into the trap of replaying negative situations from a hard day. But regardless of how badly their day went, successful people typically (C) avoid / employ that trap of negative self-talk. That is because they know it will only create more stress.

(A)	(B)	(C)
① regretful	hardship	avoid
② regretful	success	employ
③ thankful	hardship	avoid
④ thankful	success	avoid
⑤ thankful	hardship	employ

풀이 전략

- 글의 첫 부분을 읽고, 글의 중심 소재와 주제를 파악해야 한다. 그리고 선택한 낱말로 만들어진 문장이 글의 주제와 맥락을 같이 하는지 확인해야 한다.

- progress
pro(앞)+gress(❶): 발전하다; 발전

- aspect
a(~쪽으로)+❷ (보다): 측면, 양상

답 ❶ 가다 ❷ spect

Double Check

1-1 괄호 안에서 알맞은 것을 고르시오.

It seemed that we made very little (process / progress) despite all of our efforts.
우리의 모든 노력에도 불구하고 진척이 거의 없는 것 같았다.

함께 알아둘 어휘

progress의 유의어
development 발전 improvement 개선
advance 전진
progress의 반의어
regression 퇴보 get behind 낙후하다

Words
- routine 일과, (판에 박힌) 일상 ● reflect on ~을 되돌아보다 ● appreciate 감사하다, 감상하다 ● serve as ~의 역할을 하다
- hardship 고난, 어려움 ● trap 덫 ● negative 부정적인 ● self-talk 자기 대화

2 주어진 글 다음에 이어질 글의 순서로 가장 적절한 것은? 〔학평〕 기출

> Every day in each of my classes I randomly select two students who are given the title of "official questioners." These students are assigned the responsibility to ask at least one question during that class.

(A) In a serious tone, she answered that she'd been extremely nervous when I appointed her at the beginning of class. But then, during that class, she felt differently from how she'd felt during other lectures.

(B) After being the day's official questioner, one of my students, Carrie, visited me in my office. Just to break the ice, I asked in a lighthearted way, "Did you feel honored to be named one of the first 'official questioners' of the semester?"

(C) It was a lecture just like the others, but this time, she said, she was forced to have a higher level of consciousness; she was more aware of the content of the lecture and discussion. She also admitted that as a result she got more out of that class.

① (A) – (C) – (B) ② (B) – (A) – (C)
③ (B) – (C) – (A) ④ (C) – (A) – (B)
⑤ (C) – (B) – (A)

Double Check ─────

2-1 괄호 안에서 알맞은 것을 고르시오.

Everybody knows that he is the one who is lying but he never (admits / denies) it. 모두가 거짓말하고 있는 사람이 그라는 것을 알지만 그는 절대 그것을 인정하지 않는다.

풀이 전략

• 각 문단의 접속사, 주된 내용을 연결하는 단어, 지시대명사의 사용 등에 유의하여 주어진 글과 순서대로 이어지는 글을 찾는다.

• **assign**
as(~에)+sign(서명하다): ~에게 가도록 서명하다 → 맡기다, 할당하다

• admit
ad(~에) + mit(❶): 인정하다, 승인하다
admission 똉 ❷ , 입학
〔답〕 ❶ 보내다 ❷ 인정

함께 알아둘 어휘

admit의 유의어
acknowledge 인정하다 accept 받아들이다 agree 동의하다 allow 허락하다 grant 승인하다

Words
• randomly 무작위로 • extremely 매우 • appoint 지명하다 • lecture 강의 • break the ice 서먹한 분위기를 깨다
• lighthearted 쾌활한 • consciousness 의식 • be aware of ~을 인지하다 • content 내용

1 다음 글의 내용을 한 문장으로 요약하고자 한다. 빈칸 (A), (B)에 들어갈 말로 가장 적절한 것은? 학평 기출

Inappropriate precision means giving information or figures to a greater degree of apparent accuracy than suits the context. For example, advertisers often use the results of surveys to prove what they say about their products. Sometimes they claim a level of precision not based reliably on evidence. So, if a company selling washing powder claims 95.45% of British adults agree that this powder washes whiter than any other, then this level of precision is clearly inappropriate. It is unlikely that all British adults were surveyed, so the results are based only on a sample and not the whole population. At best the company should be claiming that over 95% of *those asked* agreed that their powder washes whiter than any other. Even if the whole population had been surveyed, to have given the result to two decimal points would have been absurd. The effect is to propose a high degree of scientific precision in the research. Frequently, however, inappropriate precision is an attempt to mask the unscientific nature of a study. *decimal point: 소수점

↓

Advertisers often give us information with a(n) ___(A)___ precision, but it can be considered as an intention to conceal the lack of ___(B)___ of their research.

     (A)   (B)
① excessive ······ reliability
② excessive ······ popularity
③ sufficient ······ investment
④ reasonable ······ integrity
⑤ reasonable ······ availability

22 수능전략 • 영어 영역 어휘

어휘 Check!

• survey
sur(위에서)+**vey**(❶   )
: 조사; 조사하다

• excessive
ex(밖으로)+**cess**(가다)+ive(형용사 접미사): 과도한, 지나친
exceed ⑧ 넘다, ❷

답 ❶ 보다 ❷ 초과하다

© Getty Images Korea

Words
● inappropriate 부적합한
● precision 정밀성
● apparent 명백한
● accuracy 정확성
● claim 주장하다
● reliably 확실히, 신뢰할 수 있게
● absurd 터무니없는

2 다음 글의 빈칸에 들어갈 말로 가장 적절한 것은? 학평 기출

A term like *social drinker* was itself what we might call "socially constructed." When a social drinker was caught driving drunk, it was seen as a single instance of bad judgment in an otherwise exemplary life, but this was rarely the case. Experts liked to point out that persons caught driving drunk for the first time had probably done so dozens of times before without incident. The language chosen to characterize these particular individuals, however, reflected the _____ way that society viewed them. The same could be said for the word *accident*, which was the common term used to describe automobile crashes well into the 1980s. An accident implied an unfortunate act of God, not something that could — or should — be prevented.

① forgiving
② objective
③ degrading
④ unwelcome
⑤ praiseworthy

3 다음 글의 제목으로 가장 적절한 것은? 수능 기출

As a system for **transmitting** specific factual information without any distortion or ambiguity, the sign system of honey-bees would probably win easily over human language every time. However, language offers something more valuable than mere information exchange. Because the meanings of words are not invariable and because understanding always involves interpretation, the act of communicating is always a joint, creative effort. Words can carry meanings beyond those consciously intended by speakers or writers because listeners or readers bring their own **perspectives** to the language they encounter. Ideas expressed imprecisely may be more intellectually stimulating for listeners or readers than simple facts. The fact that language is not always reliable for causing precise meanings to be generated in someone else's mind is a reflection of its powerful strength as a medium for creating new understanding. It is the inherent ambiguity and adaptability of language as a meaning-making system that makes the relationship between language and thinking so special.

*distortion: 왜곡, 곡해

① Erase Ambiguity in Language Production!
② Not Creative but Simple: The Way Language Works
③ Communication as a Universal Goal in Language Use
④ What in Language Creates Varied Understanding?
⑤ Language: A Crystal-Clear Looking Glass

어휘 Check!

- **transmit**
  trans(가로질러)+**mit**(❶ ⬜)
  : 전달하다

- **perspective**
  per(완전히)+**spect**(❷ ⬜)
  +ive(명사 접미사): 관점

- **inherent**
  in(= towards, ~을 향해)+herent
  (= stick, 붙다): ~에 달라붙다 → 내재한, 고유한

답 ❶ 보내다 ❷ 보다

© Studio Smart / shutterstock

Words
- ambiguity 모호성
- invariable 불변의
- interpretation 해석
- joint 공동의
- intend 작정하다, 의도하다
- stimulating 자극적인
- reliable 신뢰할 수 있는
- adaptability 적응성

4 다음 글의 내용을 한 문장으로 요약하고자 한다. 빈칸 (A), (B)에 들어갈 말로 가장 적절한 것은?
수능 기출

Time spent on on-line interaction with members of one's own, preselected community leaves less time available for actual encounters with a wide variety of people. If physicists, for example, were to concentrate on exchanging email and electronic preprints with other physicists around the world working in the same specialized subject area, they would likely devote less time, and be less receptive to new ways of looking at the world. Facilitating the voluntary construction of highly homogeneous social networks of scientific communication therefore allows individuals to filter the potentially overwhelming flow of information. But the result may be the tendency to overfilter it, thus eliminating the diversity of the knowledge circulating and diminishing the frequency of radically new ideas. In this regard, even a journey through the stacks of a real library can be more fruitful than a trip through today's distributed virtual archives, because it seems difficult to use the available "search engines" to emulate efficiently the mixture of predictable and surprising discoveries that typically result from a physical shelf-search of an extensive library collection.

*homogeneous: 동종의 **emulate: 따라 하다

⬇

> Focusing on on-line interaction with people who are engaged in the same specialized area can ____(A)____ potential sources of information and thus make it less probable for ____(B)____ findings to happen.

	(A)	(B)		(A)	(B)
①	limit	······ unexpected	②	limit	······ distorted
③	diversify	······ misleading	④	diversify	······ accidental
⑤	provide	······ novel			

누구나 합격 전략

1 다음 글에서 전체 흐름과 관계 <u>없는</u> 문장은? 학평 기출

Public speaking is **audience** centered because speakers "listen" to their audiences during speeches. They monitor audience feedback, the verbal and nonverbal signals an audience gives a speaker. ① Audience feedback often **indicates** whether listeners understand, have interest in, and are ready to accept the speaker's ideas. ② This feedback assists the speaker in many ways. ③ It helps the speaker know when to slow down, explain something more carefully, or even tell the audience that she or he will return to an issue in a question-and-answer session at the close of the speech. ④ It is important for the speaker to memorize his or her script to reduce on-stage anxiety. ⑤ Audience feedback assists the speaker in creating a **respectful** connection with the audience.

*verbal: 언어적인

© Getty Images Bank

Words
- **public speaking** 대중 연설 ● **audience** 청중 ● **monitor** 모니터하다, 감시하다 ● **nonverbal** 비언어적인 ● **indicate** 보여 주다, 나타내다
- **accept** 받아들이다 ● **assist** 돕다 ● **question-and-answer session** 질의응답 시간 ● **memorize** 암기하다
- **on-stage anxiety** 무대공포증 ● **respectful** 존중하는 ● **connection** 관계

2 다음 글의 제목으로 가장 적절한 것은? 학평 기출

Anne Mangen at the University of Oslo studied the performance of readers of a computer screen compared to readers of paper. Her investigation **indicated** that reading on a computer screen involves various strategies from browsing to simple word detection. Those different strategies together lead to poorer reading comprehension in contrast to reading the same texts on paper. Moreover, there is an additional feature of the screen: hypertext. Above all, a hypertext connection is not one that you have made yourself, and it will not necessarily have a place in your own unique conceptual framework. Therefore, it may not help you understand and digest what you're reading at your own appropriate pace, and it may even distract you.

*detection: 찾기, 탐색

① E-books Increase Your Reading Speed
② Importance of Teaching Reading Skills
③ Reading on the Screen Is Not That Effective
④ Children's Reading Habits and Technology Use
⑤ E-books: An Economic Alternative to Paper Books

© Getty Images Bank

3 밑줄 친 <u>bringing together contradictory characteristics</u>가 다음 글에서 의미하는 바로 가장 적절한 것은?　학평 기출

The creative team exhibits paradoxical characteristics. It shows tendencies of thought and action that we'd assume to be mutually exclusive or **contradictory**. For example, to do its best work, a team needs deep knowledge of subjects relevant to the problem it's trying to solve, and a mastery of the **processes** involved. But at the same time, the team needs fresh **perspectives** that are unencumbered by the prevailing wisdom or established ways of doing things. Often called a "beginner's mind," this is the newcomers' perspective: people who are curious, even playful, and willing to ask anything — no matter how naive the question may seem — because they don't know what they don't know. Thus, <u>bringing together contradictory characteristics</u> can accelerate the process of new ideas.

*unencumbered: 방해 없는

① establishing short-term and long-term goals
② performing both challenging and easy tasks
③ adopting temporary and permanent solutions
④ utilizing aspects of both experts and rookies
⑤ considering processes and results simultaneously

© Getty Images Korea

Words

● exhibit 보이다, 전시하다　● paradoxical 역설적인　● tendency 경향　● assume 가정하다　● mutually exclusive 상호 배타적인
● mastery 숙달　● prevailing 널리 퍼진, 우세한　● characteristic 특징　● accelerate 가속화하다　● utilize 활용하다　● rookie 신참자

4 다음 글의 밑줄 친 부분 중, 문맥상 낱말의 쓰임이 적절하지 <u>않은</u> 것은? (모평) 기출

Sport can trigger an emotional response in its consumers of the kind rarely brought forth by other products. Imagine bank customers buying memorabilia to show loyalty to their bank, or consumers ① <u>identifying</u> so strongly with their car insurance company that they get a tattoo with its logo. We know that some sport followers are so ② <u>passionate</u> about players, teams and the sport itself that their interest borders on obsession. This **addiction provides** the emotional glue that binds fans to teams, and maintains loyalty even in the face of on-field ③ <u>failure</u>. While most managers can only dream of having customers that are as passionate about their products as sport fans, the emotion triggered by sport can also have a negative impact. Sport's emotional intensity can mean that organisations have strong attachments to the past through nostalgia and club tradition. As a result, they may ④ <u>increase</u> efficiency, productivity and the need to respond quickly to changing market conditions. For example, a proposal to change club colours in order to project a more attractive image may be ⑤ <u>defeated</u> because it breaks a link with tradition.

*memorabilia: 기념품 **obsession: 집착

Words

● **trigger** 촉발시키다   ● **bring forth** ~을 일으키다   ● **loyalty** 충성(심)   ● **identify with** ~와 동질감을 갖다   ● **insurance** 보험
● **border on** ~에 아주 가깝다   ● **on-field** 구장에서 일어나는   ● **intensity** 강도, 강렬함   ● **attachment** 애착   ● **nostalgia** 향수
● **project** 투영하다   ● **defeat** 패배시키다, 좌절시키다   ● **break a link with** ~와 관계를 끊다

창의·융합·코딩 전략 ①

1 빈칸에 알맞은 카드를 골라 만화를 완성하시오. (필요하면 단어의 형태를 변형하시오.)

Did you _____ your English assignment?

An English assignment? I didn't.
When is the due date?

It is due today!
Just _____ quickly and hand it in.
You remember we have a quiz today, right?

Are you serious? I didn't _____
what we learned, either.

What's going on?

I've been playing a lot of games lately.
Maybe I'm _____ to it.

You can ask for help if you want to.

addict	submit	scribble	review
dictate	admit	prescribe	revise

2 다음 퍼즐을 완성하시오.

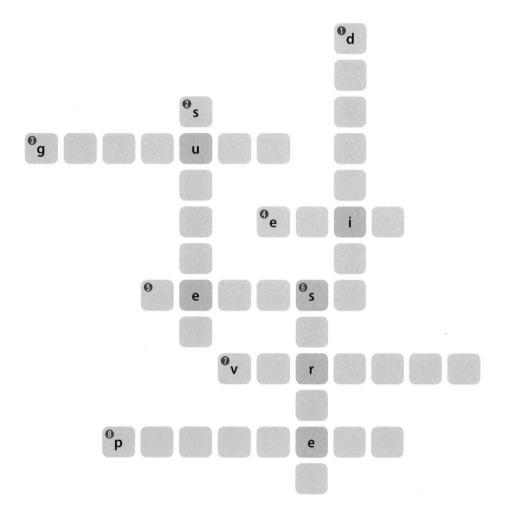

Down ▼

❶ to say what something is like

❷ to come after somebody and take their place

❻ This graph shows the results of a _____ conducted in 2021.

Across ▶

❸ proceeding by continuous steps

❹ It is known that solar energy does not _____ greenhouse gas.

❺ to make a revision of something

❼ Judges can't force juries to reach _____s.

❽ the possibility that something will happen

창의·융합·코딩 전략 ②

3 보기의 단어를 해당하는 어근에 맞게 분류하여 표를 완성하시오. (들어갈 수 <u>없는</u> 단어가 두 개 있으니 유의하시오.)

(1)

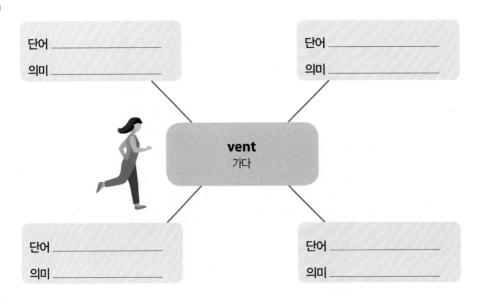

단어 _____
의미 _____

단어 _____
의미 _____

vent
가다

단어 _____
의미 _____

단어 _____
의미 _____

(2)

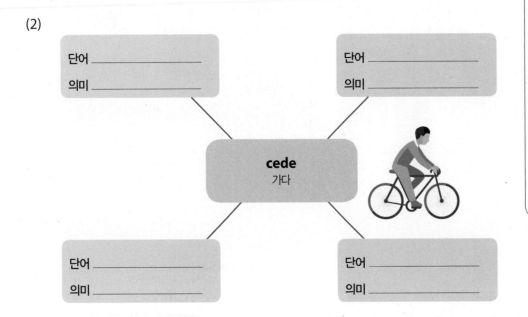

단어 _____
의미 _____

단어 _____
의미 _____

cede
가다

단어 _____
의미 _____

단어 _____
의미 _____

보기

advent

adventure

precede

excessive

prevent

intervene

perceive

cease

succeed

approve

4 우리말과 같은 뜻이 되도록 알맞은 순서로 퍼즐을 맞춰 문장을 완성하시오. (필요 <u>없는</u> 한 조각은 제외하시오.)

(1) 여러분은 스스로를 존중할 필요가 있습니다.

→ _____

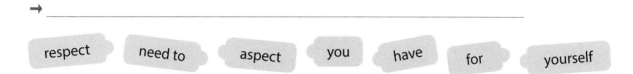

respect   need to   aspect   you   have   for   yourself

(2) 그 농부는 모든 것을 날씨 탓으로 돌린다.

→ _____

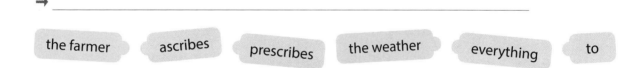

the farmer   ascribes   prescribes   the weather   everything   to

5 빨간색 단어에 유의하여 둘 중 알맞은 것을 골라 문장을 완성하시오.

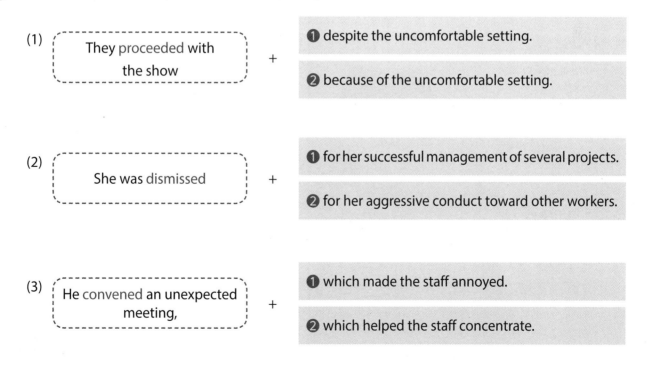

(1) They proceeded with the show   +   ❶ despite the uncomfortable setting.
❷ because of the uncomfortable setting.

(2) She was dismissed   +   ❶ for her successful management of several projects.
❷ for her aggressive conduct toward other workers.

(3) He convened an unexpected meeting,   +   ❶ which made the staff annoyed.
❷ which helped the staff concentrate.

2 어근 2

개념 01 '잡다'를 나타내는 어근 cap

❖ cap, cip, ceive, cept: 잡다, 취하다 (take, hold)

capable	⑱ 할 수 있는, 유능한
anticipate	⑧ 예측하다

anti(= ante, 먼저)+cip(take)+ate(동사 접미사): 먼저 취하다 → 예측하다

participate	⑧ 참여하다

part(i)(부분)+cip(❶　　　　)+ate(동사 접미사): 부분을 차지하다 → 참여하다

receive	⑧ 받다, (방송 등을) 수신하다
conceive	⑧ (생각을) 품다, 임신하다

con(= com, 완전히)+ceive(take): 완전히 가지다 → (생각을) 품다, 임신하다

deceive	⑧ 속이다
perceive	⑧ 인식하다, 알아차리다

per(= thoroughly, 철저히)+ceive(take): 철저히 취하다 → 인식하다

accept	⑧ 받아들이다

· to anticipate the opponent's next move
적의 다음 움직임을 예측하다

· to ❷　　　　 in the game
그 게임에 참여하다

· They conceived a massive plan.
그들은 대단한 계획을 품었다.

· He didn't perceive what was going on in the house.
그는 그 집에서 무슨 일이 일어나고 있는지 인식하지 못했다.

우리말처럼 친숙하게 쓰는 capture라는 단어도 실은 '사로잡다, 포획하다'라는 의미로 어근 cap이 사용되었습니다.

답 ❶ take ❷ participate

CHECK 1

빈칸에 알맞은 어근을 넣어 문장을 완성하시오.

The company de_____d their customers.
그 회사는 그들의 고객을 속였다.

개념 02 '잡다'를 나타내는 어근 tain

❖ tain: 잡다, 쥐다 (hold)

entertain	⑧ 즐겁게 하다
maintain	⑧ 유지하다, 주장하다

main(= hand, 손)+tain(❶　　　　): 손에 쥐다 → 유지하다. (다른 사람들이 믿지 않아도 계속) 주장하다

retain	⑧ 유지하다, 간직하다

re(= back, 뒤에서)+tain(hold): 뒤에서 잡다 → 유지하다

sustain	⑧ 떠받치다, 유지하다, 지지하다 sustainable ⑱ 지속 가능한

sus(= sub, 아래에서)+tain(hold): 아래에서 떠받치다 → 유지하다, 지지하다

· to maintain that the rule is necessary
그 규칙이 필요하다고 주장하다

답 ❶ hold

CHECK 2

빈칸에 공통으로 들어갈 어근은?

main_____　　re_____　　sus_____　　enter_____

① act　　　② pend　　　③ tain

개념 03 크기를 나타내는 어근 magni

❖ magni, maxim: 엄청난, 큰 (great)

magnify	⑧ 확대하다, 과장하다

magni(❶　　　　)+fy(동사 접미사): 크게 하다 → 확대하다

magnitude	⑱ 크기, (큰) 규모
maximize	⑧ 극대화하다, 최대한 활용하다

· magnifying glasses 확대경
· the magnitude of the explosion 폭발의 ❷　　　　

답 ❶ great ❷ 규모

CHECK 3

빈칸에 알맞은 어근을 넣어 문장을 완성하시오.

Most firms seek to _____ize their profits.
대부분의 회사는 그들의 이윤을 극대화할 것을 추구한다.

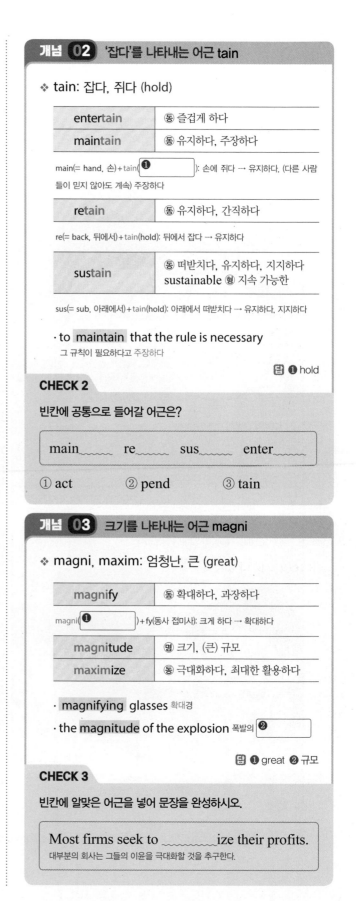

개념 04 종결을 나타내는 어근 fin

❖ fin: 끝내다 (end), 경계 (end, limit)

refine	통 정제하다, 다듬다
confine	통 국한시키다, 가두다 confinement 명 제한, 국한, 감금

con(= com, 전부) + fin(e)(end): 전부 경계 안에 넣다 → 제한하다

definition	명 정의, 선명도 define 통 정의하다
infinite	형 무한한

in(아닌) + fin(❶ [   ]) + ite(형용사 접미사): 끝이 없는 → 무한한

· refined sugar 정제된 설탕

· This tool helps increase image definition .
  이 도구는 이미지의 선명도를 올리는 데 도움을 준다.

· ❷ [   ] wealth 무한한 부

답 ❶ end ❷ infinite

CHECK 4

괄호 안에서 알맞은 것을 고르시오.

a series of (infinite / finite) challenges
무한한 도전의 연속

개념 05 유지를 나타내는 어근 serv

❖ serv: 지키다 (protect)

conserve	통 보존하다, 유지하다, 아끼다 conservation 명 보존, 보호

con(= com, 완전히) + serv(e)(❶ [   ]): 완전히 지키다 → 보존하다

preserve	통 보존하다, 유지하다 명 전유물

pre(미리) + serv(e)(protect): 미리 지키다 → 보존하다

· Please try to conserve the fuel.
  연료를 아끼려고 노력해라.

답 ❶ protect

CHECK 5

빈칸에 알맞은 어근을 넣어 문장을 완성하시오.

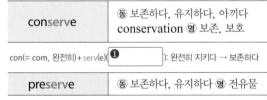

The peaches are pre _____ ed in syrup.
그 복숭아들은 시럽에 보존된다.

개념 06 변화를 나타내는 어근 vert

❖ vert, vers: 돌다, 돌리다 (turn)

advertise	통 광고하다
convert	통 전환하다, 개조하다

con(= com, 전부) + vert(❶ [   ]): 전환하다

introvert	형 내향적인 명 내향적인 사람 ↔ extrovert 형 외향적인 명 외향적인 사람
converse	통 이야기하다, 대화하다 conversation 명 대화

con(= com, 함께) + vers(e)(turn): 함께 돌아가며 이야기하다 → 대화하다

diverse	형 다양한 diversity 명 변화, 다양성
reverse	통 반전시키다 명 반전, 반대

re(= back, 뒤로) + vers(e)(turn): 뒤로 돌리다 → 반전시키다

· to be converted into a car
  자동차로 개조되다

· I am an extrovert, but my brother is such an introvert .
  나는 외향적인 사람이지만, 내 남동생은 정말 내향적인 사람이다.

· to ❷ [   ] with other people
  다른 사람들과 대화하다

· If the situations were reversed , I would be a totally different person.
  만약 상황이 반전된다면, 나는 완전히 다른 사람이 될 것이다.

'버전', 즉 version 역시 같은 어근 vers 를 사용한 단어입니다. 이전에 있던 것에서 무언가를 바꾸었을 때 '몇 번째 버전'이라고 한다는 점을 생각해 보세요.

답 ❶ turn ❷ converse

CHECK 6

빈칸에 공통으로 들어갈 어근을 쓰시오.

intro_____ ↔ extro_____
내향적인 ↔ 외향적인

개념 돌파 전략 ①

개념 07 동작의 어근 fac

❖ fac, fec, fic: 만들다 (make), 하다 (do)

factor	몡 요인, 요소
artifact	몡 인공물, 공예품

arti(기술)+fac(t)(❶⬚): 기술로 만든 것 → 인공물

defect	몡 결함 defective 혱 결함이 있는

de(= away, 떨어져)+fec(t)(make): 떨어지게 만든 것 → 결함

affect	동 영향을 미치다 affection 몡 애착, 정
sacrifice	몡 희생 동 희생하다

sacri(신성한)+fic(e)(do): 신성하게 하는 것 → 희생

proficient	혱 능숙한

pro(= forward, 앞으로)+fic(i)(make)+ent(형용사 접미사): 앞으로 나아가는, 진전하는 → 능숙한

· a key ❷⬚ in customer satisfaction
   고객 만족의 핵심 요소

· to collect prehistoric **artifacts**
   선사 시대의 공예품들을 모으다

· Your advice **affected** my writing style.
   당신의 조언은 내 글쓰기 방식에 영향을 미쳤다.

· We should remember their **sacrifice**.
   우리는 그들의 희생을 기억해야 한다.

· She is highly **proficient** in English.
   그녀는 영어에 매우 능숙하다.

'사실'이라는 의미의 단어 fact의 어근도 fac 입니다. 실제로 '행한' 것이라는 의미에서 '사실'이라는 뜻이 생겨났습니다.

답 ❶ make ❷ factor

CHECK 7

빈칸에 공통으로 들어갈 어근은?

> · de_____ 결함   · af_____ 영향을 미치다

① form   ② fect   ③ ford

개념 08 동작의 어근 sert

❖ sert: 결합하다 (join)

insert	동 삽입하다, 끼워 넣다 몡 부속품
assert	동 (단호하게) 주장하다

as(= to, ~쪽으로)+sert(join): ~쪽으로 결합하다 → 단호하게 주장하다

exert	동 행사하다, 발휘하다

ex(밖으로)+(s)ert(❶⬚): 밖으로 모아 보내다 → 행사하다, 발휘하다

· He **asserted** his innocence. 그는 자신의 결백을 주장했다.

· to ❷⬚ one's authority 권한을 행사하다

답 ❶ join ❷ exert

CHECK 8

빈칸에 들어갈 어근을 쓰시오.

> In_____ your credit card into the slot.
> 투입구에 당신의 신용카드를 넣으세요.

개념 09 동작의 어근 clos

❖ clos, clud: 닫다 (close)

enclose	동 둘러싸다, 동봉하다 enclosure 몡 구역, 동봉물

en(= in, 안에)+clos(e) (close): 안에 넣고 ❶⬚ → 둘러싸다

exclude	동 제외하다, 배척하다 ↔ include exclusive 혱 독점적인, 배타적인 exclusively 뷔 독점적으로, 배타적으로
conclude	동 끝내다, 결론 내리다

· an ❷⬚ interview with Bill Gates
   빌 게이츠와의 독점 인터뷰

· to **conclude** a meeting
   회의를 끝내다

답 ❶ 닫다 ❷ exclusive

CHECK 9

빈칸에 공통으로 들어갈 어근을 쓰시오.

> in_____e ↔ ex_____e
> 포함하다 ↔ 배제하다

개념 10 동작의 어근 pend

❖ pend, pens, pond: 매달다 (hang), 무게를 재다 (weigh)

depend	동 의존하다, ~에 달려 있다 (on)

de(= down, 아래에) + pend(hang): 아래에서 매달리다 → 의존하다

expend	동 소비하다 expense 명 비용

ex(밖에) + pend(weigh): 밖에서 무게를 재다 → 소비하다

suspend	동 중단하다, 연기하다
pension	명 연금

pens(❶) + ion(명사 접미사): 무게를 재어 지불하는 것, 보상하는 것 → 연금

ponder	동 숙고하다

· good ways to reduce living expenses
생활비를 줄이는 좋은 방법들

· The service is ❷ ed because of the heavy rain. 심한 비 때문에 그 서비스는 중단됐다.

· She gets a pension after retirement.
그녀는 퇴직 후에 연금을 받는다.

· Ponder the questions before you answer.
대답하기 전에 질문에 대해 숙고해라.

어근 pend에는 '무게를 재다(weigh)'라는 의미가 있는데, 이것은 '지불하다(pay)'를 의미하기도 합니다. 옛날에는 물건의 무게를 재어(weigh) 그것에 대한 값을 지불했기(pay) 때문에 이런 식으로 의미가 발전한 것입니다.

답 ❶ weigh ❷ suspend

CHECK 10

빈칸에 공통으로 들어갈 어근은?

> • sus_____ 중단하다, 연기하다 • ex_____ 소비하다

① pect ② pend ③ mit

개념 11 동작의 어근 tract

❖ tract: 끌다 (draw)

abstract	동 추출하다 형 추상적인 명 추상화

ab(s)(떨어져) + tract(draw): 따로 끌어내다 → 추출하다

attract	동 매혹하다, 끌어들이다
contract	동 계약하다, 수축하다, (병에) 걸리다 명 계약

con(= com, 함께) + tract(❶): 함께 (의견을) 끌어모으다 → 계약하다

distract	동 주의를 돌리다, 산만하게 하다
extract	동 추출하다, 발췌하다 명 추출물, 발췌

· I contracted to rent a cottage.
나는 오두막을 빌리기로 계약했다.

· ❷ her from her stress.
그녀를 스트레스로부터 주의를 돌리게 해라.

답 ❶ draw ❷ Distract

CHECK 11

빈칸에 알맞은 말을 쓰시오.

> I like _____ paintings. 나는 추상적인 그림을 좋아한다.

개념 12 동작의 어근 press

❖ press: 누르다 (press)

depress	동 하락시키다, 우울하게 하다 depression 명 우울증, 불경기[불황]

de(= down, 아래로) + press: 아래로 ❶ → 하락시키다, 우울하게 하다

express	동 표현하다
impress	동 깊은 인상을 주다
suppress	동 억누르다

· He suppressed his anger. 그는 분노를 억눌렀다.

답 ❶ 누르다

CHECK 12

빈칸에 알맞은 말을 쓰시오.

> I want to _____ my teacher.
> 나는 나의 선생님에게 깊은 인상을 주고 싶다.

개념 돌파 전략 ②

A 다음 글을 읽고, 괄호 안에서 알맞은 것을 골라 쓰시오. 학평 응용

> Dear Grace,
>
> I was sorry to (receive / deceive) your letter. As your supervisor, I feel that you have performed well in your time with the company; your departure would be a big loss to us. I'm hoping that you reconsider your resignation. Please allow us to try to keep a valued employee.
>
> Best regards,
>
> Maria Rodriguez, Sales & Marketing Manager

➡ ~~~~~~~~~~~~~~

문제 해결 전략

receive
re(다시)+ceive(hold)
→ 의미: ❶ ▢

deceive
de(= from, off, ~으로부터)+ceive (take) → 의미: ❷ ▢

답 ❶ 받다 ❷ 속이다

B 다음 글을 읽고, 괄호 안에서 알맞은 것을 골라 쓰시오. 수능 응용

> A photograph was a challenge to painting and was one cause of painting's moving away from direct representation and reproduction to the (abstract / abnormal) painting of the twentieth century. Since photographs did such a good job of representing things as they existed in the world, painters were freed to look inward and represent things as they were in their imagination.

➡ ~~~~~~~~~~~~~~

문제 해결 전략

abstract
ab(s)(떨어져)+❶ ▢ (draw)
→ 의미: 따로 끌어내다 → 추출하다; 추상적인

abnormal
ab(❷ ▢)+normal
→ 의미: 정상적인 것과 거리가 먼 → 비정상적인

답 ❶ tract ❷ 떨어져

Improvisation No. 30(Cannons) / Vasily Kandinsky, 1913

Words
● supervisor 관리자 ● perform 수행하다 ● departure 떠남, 출발 ● resignation 사직
● representation 표현 ● free 풀어 주다 ● inward 내면의 ● imagination 상상

C 다음 글을 읽고, 괄호 (A), (B) 안에서 각각 알맞은 것을 골라 쓰시오. 수능 응용

One difference between winners and losers is how they handle losing. The ability to (A) (cover / recover) quickly is so important. Troubles are ubiquitous. Surprises can fall from the sky like volcanic ash and appear to change everything. That's why one prominent scholar said, "Anything can look like a failure in the middle." Thus, a key (B) (fact / factor) in high achievement is bouncing back from the low points.

(A) _____   (B) _____

문제 해결 전략

fact
fac(t)(make) ➡ 의미: 실제로 한 일 →
사실

- -

factor
fac(make)+or(~하는 것)
➡ 의미: ❶ [   ], 요소

답 ❶ 요인

D 다음 글의 밑줄 친 부분 중, 문맥상 낱말의 쓰임이 적절하지 않은 것은? 수능 응용

"Monumental" is a word that comes very close to ①expressing the basic characteristic of Egyptian art. Never before and never since has the quality of monumentality been achieved as fully as it was in Egypt. The reason for this is not the ②internal size and massiveness of their works, although the Egyptians admittedly achieved some amazing things in this respect. Many modern structures ③exceed those of Egypt in terms of purely physical size. But massiveness has nothing to do with monumentality.

문제 해결 전략

express
ex(밖으로)+press ➡ 의미: 밖으로 눌
러 내보내다 → ❶ [   ]

답 ❶ 표현하다

© Getty Images Korea

Words
- ubiquitous 편재하는, 어디에나 존재하는 • prominent 저명한 • bounce back 다시 회복하다 • monumental 기념비적인
- internal 내적인 (↔ external 외적인) • admittedly 인정하건대 • exceed 능가하다 • massiveness 거대함

대표 어휘 포함 지문

1 글의 흐름으로 보아, 주어진 문장이 들어가기에 가장 적절한 곳은? 수능 기출

> The researchers had made this happen by lengthening the period of daylight to which the peach trees on whose roots the insects fed were exposed.

Exactly how cicadas keep track of time has always intrigued researchers, and it has always been assumed that the insects must rely on an internal clock. Recently, however, one group of scientists working with the 17-year cicada in California have suggested that the nymphs use an external cue and that they can count. (①) For their experiments they took 15-year-old nymphs and moved them to an experimental enclosure. (②) These nymphs should have taken a further two years to emerge as adults, but in fact they took just one year. (③) By doing this, the trees were "tricked" into flowering twice during the year rather than the usual once. (④) Flowering in trees coincides with a peak in amino acid concentrations in the sap that the insects feed on. (⑤) So it seems that the cicadas keep track of time by counting the peaks. *nymph: 애벌레 **sap: 수액

풀이 전략

- 글의 첫 번째 문장에서 소재와 주제를 파악하고 흐름에 유의하여 글을 읽어야 한다. 특히 주어진 문장에 대명사나 연결사가 있으면 이를 단서로 전후 문맥을 추측할 수 있다.

- enclosure
en(안으로)+clos(닫다)+ure(명사 접미사): 안에 넣고 닫은 것
→ ❶ [   ], 동봉물

- coincide
co(= com, 함께)+incide(= fall upon, ~에 떨어지다): 같은 곳에 ❷ [   ] 떨어지다 → 동시에 일어나다, 일치하다

답 ❶ 구역 ❷ 함께

Double Check

1-1 빈칸에 들어갈 수 없는 것은?

The sacred box was _____ in hard rocks.
그 신성한 상자는 단단한 돌로 둘러싸여 있었다.

① encased   ② encouraged   ③ enclosed

함께 알아둘 어휘

enclose의 유의어
encase 둘러싸다   surround 둘러싸다
fence 울타리를 치다   envelop 싸다, 봉하다

Words
- cicada 매미 - keep track of ~을 추적하다 - intrigue 호기심을 자아내다 - internal 내부의 - external 외부의 - cue 신호, 단서
- emerge 나타나다 - trick 속이다 - peak 최고점 - concentration 농도, 농축

2 다음 빈칸에 들어갈 말로 가장 적절한 것은? 〔수능〕 기출

The future of our high-tech goods may lie not in the limitations of our minds, but in _____.
In previous eras, such as the Iron Age and the Bronze Age, the discovery of new elements brought forth seemingly unending numbers of new inventions. Now the combinations may truly be unending. We are now witnessing a fundamental shift in our resource demands. At no point in human history have we used *more* elements, in *more* combinations, and in increasingly refined amounts. Our ingenuity will soon outpace our material supplies. This situation comes at a defining moment when the world is struggling to reduce its reliance on fossil fuels. Fortunately, rare metals are key ingredients in green technologies such as electric cars, wind turbines, and solar panels. They help to convert free natural resources like the sun and wind into the power that fuels our lives. But without increasing today's limited supplies, we have no chance of developing the alternative green technologies we need to slow climate change.

*ingenuity: 창의력

① our ability to secure the ingredients to produce them
② our effort to make them as eco-friendly as possible
③ the wider distribution of innovative technologies
④ governmental policies not to limit resource supplies
⑤ the constant update and improvement of their functions

풀이 전략

• 글의 앞부분에 빈칸이 있으면 그 문장이 주제문일 가능성이 높다. 글을 읽으며 반복되는 어구 또는 유사한 주제문을 찾아 빈칸에 들어갈 말을 추론한다.

• **refine**
re(다시)+**fin**(e)(❶ ____)
: 다시 끝내다 → 정제하다

• **define**
de(= away, 떨어져)+**fin**(e)(경계)
: 떨어뜨려 경계를 두다 → 정의하다
defining ⑱ 결정적인

• **convert**
con(= com, 전부)+**vert**(❷ ____)
: 전부 돌리다 → 전환하다

〔답〕 ❶ 끝내다 ❷ 돌리다

ⓒ Getty Images Bank

Words
● **previous** 이전의 ● **bring forth** ~을 낳다 ● **combination** 조합 ● **witness** 목격하다 ● **fundamental** 근본적인 ● **outpace** 앞지르다
● **reliance** 의존 ● **rare** 드문 ● **ingredient** 재료 ● **alternative** 대체의 ● **distribution** 보급

1 주어진 글 다음에 이어질 글의 순서로 가장 적절한 것은? 수능 기출

> The impact of color has been studied for decades. For example, in a factory, the temperature was maintained at 72°F and the walls were painted a cool blue-green. The employees complained of the cold.

(A) The psychological effects of warm and cool hues seem to be used effectively by the coaches of the Notre Dame football team. The locker rooms used for half-time breaks were reportedly painted to take advantage of the emotional impact of certain hues.

(B) The home-team room was painted a bright red, which kept team members excited or even angered. The visiting-team room was painted a blue-green, which had a calming effect on the team members. The success of this application of color can be noted in the records set by Notre Dame football teams.

(C) The temperature was maintained at the same level, but the walls were painted a warm coral. The employees stopped complaining about the temperature and reported they were quite comfortable. *hue: 색조, 색상

① (A) – (C) – (B) ② (B) – (A) – (C)
③ (B) – (C) – (A) ④ (C) – (A) – (B)
⑤ (C) – (B) – (A)

© Profit-image / shutterstock

Words
● for decades 수십 년 동안
● temperature 온도
● psychological 심리학적인
● reportedly 전하는 바에 따르면
● take advantage of 이용하다
● impact 영향
● application 적용, 응용
● note 주목하다, 알아차리다
● coral 산호색

2 다음 글의 내용을 한 문장으로 요약하고자 한다. 빈칸 (A), (B)에 들어갈 말로 가장 적절한 것은? 학평 기출

People typically consider the virtual, or imaginative, nature of cyberspace to be its unique characteristic. Although cyberspace involves imaginary characters and events of a kind and magnitude not seen before, less developed virtual realities have always been integral parts of human life. All forms of art, including cave drawings made by our Stone Age ancestors, involve some kind of virtual reality. In this sense, cyberspace does not offer a totally new dimension to human life. What is new about cyberspace is its interactive nature and this interactivity has made it a psychological reality as well as a social reality. It is a space where real people have actual interactions with other real people, while being able to shape, or even create, their own and other people's personalities. The move from passive imaginary reality to the interactive virtual reality of cyberspace is much more radical than the move from photographs to movies.

⬇

> What makes cyberspace unique is not the ___(A)___ of its virtual reality but the interaction among people that gives cyberspace the feeling of ___(B)___ .

	(A)		(B)
①	novelty	……	authenticity
②	novelty	……	security
③	variety	……	completeness
④	accessibility	……	authority
⑤	accessibility	……	hospitality

© Getty Images Korea

어휘 Check!

· magnitude
magni(큰)+tude(명사 접미사):
❶ _____ , 큰 규모

· involve
in(안으로)+**volve**(= roll, ❷ _____):
안으로 굴러들어가다 → 얽어매다, 둘러싸다 → 관련시키다

답 ❶ 크기 ❷ 구르다

Words
● virtual 가상의
● integral 필수적인, 필수불가결한
● ancestor 선조, 조상
● dimension 차원
● interactive 상호적인
● interactivity 상호작용
● passive 수동적인
● radical 근본적인, 급진적인
● novelty 참신함
● authenticity 진짜임
● accessibility 접근성
● authority 권한
● hospitality 환대, 접대

3 주어진 글 다음에 이어질 글의 순서로 가장 적절한 것은? 수능 기출

> Most consumer magazines depend on subscriptions and advertising. Subscriptions account for almost 90 percent of total magazine circulation. Single-copy, or newsstand, sales account for the rest.

(A) For example, the *Columbia Journalism Review* is marketed toward professional journalists and its few advertisements are news organizations, book publishers, and others. A few magazines, like *Consumer Reports*, work toward objectivity and therefore contain no advertising.

(B) However, single-copy sales are important: they bring in more revenue per magazine, because subscription prices are typically at least 50 percent less than the price of buying single issues.

(C) Further, potential readers explore a new magazine by buying a single issue; all those insert cards with subscription offers are included in magazines to encourage you to subscribe. Some magazines are distributed only by subscription. Professional or trade magazines are specialized magazines and are often published by professional associations. They usually feature highly targeted advertising. *revenue: 수입

① (A) – (C) – (B)   ② (B) – (A) – (C)
③ (B) – (C) – (A)   ④ (C) – (A) – (B)
⑤ (C) – (B) – (A)

어휘 Check!

· depend
de(아래에)+pend(매달다)
: 아래에서 매달리다 → ❶ ▢

· advertise
ad(~쪽으로)+vert(❷ ▢)+
ise(동사 접미사): ~로 관심을 돌리다
→ 알리다, 광고하다

· insert
in(안에)+sert(결합하다): 안에 끼워넣
다 → 삽입하다; 삽입물

답 ❶ 의존하다 ❷ 돌리다

Words
● subscription 구독
● account for 차지하다, 설명하다
● circulation 판매 부수, 발행 부수
● newsstand 신문 가판대
● objectivity 객관성
● distribute 유통시키다
● trade magazine 업계지
● association 협회
● feature 특징을 이루다

4 다음 빈칸에 들어갈 말로 가장 적절한 것은? 수능 기출

In the less developed world, the percentage of the population involved in agriculture is declining, but at the same time, those remaining in agriculture are not benefiting from technological advances. The typical scenario in the less developed world is one in which a very few commercial agriculturalists are technologically advanced while the vast majority are incapable of competing. Indeed, this vast majority _____ because of larger global causes. As an example, in Kenya, farmers are actively encouraged to grow export crops such as tea and coffee at the expense of basic food production. The result is that a staple crop, such as maize, is not being produced in a sufficient amount. The essential argument here is that the capitalist mode of production is affecting peasant production in the less developed world in such a way as to limit the production of staple foods, thus causing a food problem.

*staple: 주요한 **maize: 옥수수 ***peasant: 소농(小農)

① have lost control over their own production
② have turned to technology for food production
③ have challenged the capitalist mode of production
④ have reduced their involvement in growing cash crops
⑤ have regained their competitiveness in the world market

어휘 Check!

· incapable
in(아닌)+**cap**(잡다)+able(할 수 있는): 잡을 수 없는 → 할 수 없는, 무능력한

· expense
ex(밖에)+**pens**(e)(무게를 재다): 밖에서 무게를 매달아 잰 것 → ❶ [____], 경비

· affect
af(~에)+**fec**(t)(하다): ❷ [____]

❶ 비용 ❷ 영향을 미치다

© Paulo Vilela / shutterstock

Words
● decline 감소하다
● remain 남다
● commercial 상업적인
● agriculturalist 농업 경영인
● export crop 수출 작물
● at the expense of ~을 희생하여
● production 생산
● sufficient 충분한
● argument 논점
● capitalist mode of production
　자본주의적 생산 방식

대표 어휘 포함 지문

1 다음 글의 밑줄 친 부분 중, 문맥상 낱말의 쓰임이 적절하지 않은 것은? 수능 기출

Some prominent journalists say that archaeologists should work with treasure hunters because treasure hunters have accumulated valuable historical artifacts that can reveal much about the past. But archaeologists are not asked to cooperate with tomb robbers, who also have valuable historical artifacts. The quest for profit and the search for knowledge cannot coexist in archaeology because of the ① time factor. Rather incredibly, one archaeologist employed by a treasure hunting firm said that as long as archaeologists are given six months to study shipwrecked artifacts before they are sold, no historical knowledge is ② found! On the contrary, archaeologists and assistants from the INA (Institute of Nautical Archaeology) needed more than a decade of year-round conservation before they could even ③ catalog all the finds from an eleventh-century AD wreck they had excavated. Then, to interpret those finds, they had to ④ learn Russian, Bulgarian, and Romanian, without which they would never have learned the true nature of the site. Could a "commercial archaeologist" have ⑤ waited more than a decade or so before selling the finds?

*prominent: 저명한 **excavate: 발굴하다

Double Check

1-1 괄호 안에서 알맞은 것을 고르시오.

Children should learn how to (conserve / serve) water at home.
어린이들은 집에서 물을 아끼는 방법을 배워야 한다.

Words

● archaeologist 고고학자 ● accumulate 축적하다 ● reveal 드러내다 ● cooperate with ~와 협력하다 ● tomb robber 도굴꾼
● quest 추구, 탐색 ● shipwreck 난파시키다 ● nautical 해상의 ● interpret 해석하다 ● nature 실체, 성질, 자연

풀이 전략

• 밑줄 친 낱말을 포함하는 문장이 글의 주제와 일관성을 유지하는지 확인한다.

• **artifact**
arti(기술) + **fac**(t)(❶   ): 기술로 만든 것 → 인공물, 공예품

• **conserve**
con(완전히) + **serv**(e)(❷   ): 완전히 지키다 → 보존하다
conservation 몡 보존

답 ❶ 만들다 ❷ 지키다

함께 알아둘 어휘

conserve의 유의어
save 구하다, 절약하다 preserve 보존하다 protect 보호하다
conserve의 반의어
exhaust 다 써버리다 waste 낭비하다 drain 고갈시키다

2 다음 빈칸에 들어갈 말로 가장 적절한 것은? 수능 기출

Temporal resolution is particularly interesting in the context of satellite remote sensing. The temporal density of remotely sensed imagery is large, impressive, and growing. Satellites are collecting a great deal of imagery as you read this sentence. However, most applications in geography and environmental studies do not require extremely fine-grained temporal resolution. Meteorologists may require visible, infrared, and radar information at sub-hourly temporal resolution; urban planners might require imagery at monthly or annual resolution; and transportation planners may not need any time series information at all for some applications. Again, the temporal resolution of imagery used should _____ _____. Sometimes researchers have to search archives of aerial photographs to get information from that past that pre-date the collection of satellite imagery.

*meteorologist: 기상학자 **infrared: 적외선의

① be selected for general purposes
② meet the requirements of your inquiry
③ be as high as possible for any occasion
④ be applied to new technology by experts
⑤ rely exclusively upon satellite information

Double Check

2-1 괄호 안에서 알맞은 것을 고르시오.

These four books are (inclusively / exclusively) sold by our online store. 이 네 권의 책은 우리의 온라인 상점에서만 독점적으로 판매된다.

풀이 전략

• 빈칸이 있는 문장을 먼저 읽고, 어떤 정보가 필요할지 생각한다. 이 문제의 경우에는 'Again (그리고 또, 또한)'으로 시작하는 문장에 빈칸이 있으므로 앞뒤 문장을 특히 유의하여 살펴야 한다.

• **remote**
re(떨어져)+**mot**(e)(= move, 옮기다)
: 먼
remotely ⑨ ❶ _____, 원격으로

• **exclude**
ex(밖으로)+**clud**(e)(닫다): 밖으로 내보내고 닫다 → 제외하다, 배척하다
exclusive ⑱ 배타적인, 독점적인
exclusively ⑨ ❷ _____, 독점적으로
⑧ ❶ 멀리서 ❷ 배타적으로

함께 알아둘 어휘

exclusively의 유의어
solely 오로지, 단독으로 alone 단독으로
only 오직, 단지

Words
• temporal 시간의 • resolution 해상도 • density 밀도 • imagery 사진, 화상 • application 응용 프로그램, 적용
• fine-grained 결이 고운 • radar 레이더, 전파 탐지기 • sub-hourly 한 시간 이내의 주기로 • aerial 항공기의 • pre-date (시기가) 앞서다

1 다음 빈칸에 들어갈 말로 가장 적절한 것은? 〔학평〕 기출

The designer in the Age of Algorithms poses a threat to American jurisprudence because the algorithm is only as good as _____. The person designing the algorithm may be an excellent software engineer, but without the knowledge of all the factors that need to go into an algorithmic process, the engineer could unknowingly produce an algorithm whose decisions are at best incomplete and at worst discriminatory and unfair. Compounding the problem, an algorithm design firm might be under contract to design algorithms for a wide range of uses, from determining which patients awaiting transplants are chosen to receive organs, to which criminals facing sentencing should be given probation or the maximum sentence. That firm is not going to be staffed with subject matter experts who know what questions each algorithm needs to address, what databases the algorithm should use to collect its data, and what pitfalls the algorithm needs to avoid in churning out decisions.

*jurisprudence: 법체계 **probation: 집행 유예 ***churn out: 잇달아 내다

① the amount of data that the public can access
② its capacity to teach itself to reach the best decisions
③ its potential to create a lasting profit for the algorithm users
④ the functionality of the hardware the designing company operates
⑤ the designer's understanding of the intended use of the algorithm

어휘 Check!

- factor
  fac(t)(하다)+or(명사 접미사): 작용하는 것 → 요소

- contract
  con(함께)+tract(❶　　　)
  : 함께 (의견을) 끌어 모으다 → 계약하다

- transplant
  trans(= across, 가로질러)+plant(❷　　　): 옮겨 심다 → 이식하다; 이식

- receive
  re(다시)+ceive(잡다): 되잡다 → 받다, 수신하다

답 ❶ 끌다 ❷ 심다

Words
● pose a threat 위협을 제기하다 ● algorithm 알고리즘 ● incomplete 불완전한 ● discriminatory 차별적인 ● compound 악화시키다, 더 심각하게 만들다 ● under contract 계약 중인 ● organ 장기, 기관 ● criminal 범죄자 ● sentence 선고하다 ● maximum sentence 최고형 ● subject matter 주제 ● address (문제를) 다루다 ● pitfall 위험, 곤란 ● operate 작동[가동]하다 ● functionality 기능성

2 다음 글의 내용을 한 문장으로 요약하고자 한다. 빈칸 (A)와 (B)에 들어갈 말로 가장 적절한 것은? [수능] 기출

Plato and Tolstoy both assume that it can be firmly established that certain works have certain effects. Plato is sure that the representation of cowardly people makes us cowardly; the only way to prevent this effect is to suppress such representations. Tolstoy is confident that the artist who sincerely expresses feelings of pride will pass those feelings on to us; we can no more escape than we could escape an infectious disease. In fact, however, the effects of art are neither so certain nor so direct. People vary a great deal both in the intensity of their response to art and in the form which that response takes. Some people may indulge fantasies of violence by watching a film instead of working out those fantasies in real life. Others may be disgusted by even glamorous representations of violence. Still others may be left unmoved, neither attracted nor disgusted.

⬇

Although Plato and Tolstoy claim that works of art have a(n) ____(A)____ impact on people's feelings, the degrees and forms of people's actual responses ____(B)____ greatly.

	(A)		(B)
①	unavoidable	……	differ
②	direct	……	converge
③	temporary	……	fluctuate
④	unexpected	……	converge
⑤	favorable	……	differ

© Audrey-Popov / shutterstock

3 다음 글에서 필자가 주장하는 바로 가장 적절한 것은? 〔학평〕 기출

More often than not, modern parents are paralyzed by the fear that they will no longer be liked or even loved by their children if they scold them for any reason. They want their children's friendship above all, and are willing to sacrifice respect to get it. This is not good. A child will have many friends, but only two parents — if that — and parents are more, not less, than friends. Friends have very limited authority to correct. Every parent therefore needs to learn to tolerate the momentary anger or even hatred directed toward them by their children, after necessary corrective action has been taken, as the capacity of children to perceive or care about long-term consequences is very limited. Parents are the judges of society. They teach children how to behave so that other people will be able to interact meaningfully and productively with them.

① 부모는 두려워 말고 자녀의 잘못된 행동을 바로잡아 주어야 한다.
② 부모는 자녀의 신뢰를 얻기 위해 일관된 태도로 양육해야 한다.
③ 부모는 다양한 경험을 제공하여 자녀의 사회화를 도와야 한다.
④ 부모는 자녀의 친구 관계에 지나치게 개입하지 말아야 한다.
⑤ 부모는 자녀와 유대감을 쌓으며 친구의 역할을 해야 한다.

© maga / shutterstock

- sacrifice
sacri(신성한)+**fic**(e)(하다): 신성하게 하다 → **❶** 〔　　　〕
- perceive
per(철저히)+**ceive**(취하다): 철저히 취하다 → **❷** 〔　　　〕

답 ❶ 희생하다 ❷ 인식하다

Words
- more often than not 자주, 종종
- paralyze 마비시키다
- scold 꾸짖다
- be willing to 기꺼이 ~하다
- limited 제한된
- authority 권위, 권한
- tolerate 인내하다, 견디다
- momentary 순간적인
- hatred 증오
- consequence 결과
- interact 상호작용하다

4 다음 글의 내용을 한 문장으로 요약하고자 한다. 빈칸 (A)와 (B)에 들어갈 말로 가장 적절한 것은? 학평 기출

What lies behind the claim that so many people will take off to virtual worlds? Statistics show that the global market for video and computer game hardware and software today stands at about ten billion dollars annually and has risen continuously for the past several years. Digital games — the term that covers both video games and computer games — have long been the preserve of the young, but that distinction is fading. This is apparently not the sort of thing one gives up as one grows up; people born after 1980 seem to continue their gaming with more sophisticated and emotionally involved products. Consistent with this, industry statistics indicate that the average age of video gamers is rising by about one year each year. It is already in the thirties right now. People may change the kinds of games they are playing, but an interest in interactive entertainment media, once acquired, seems never to fade.

⬇

According to statistics, there have been _____(A)_____ in the market demand for digital games, with gamers remaining in the market as they become _____(B)_____.

	(A)		(B)
①	boosts	……	mature
②	boosts	……	isolated
③	slumps	……	educated
④	fluctuations	……	connected
⑤	fluctuations	……	competitive

© Getty Images Bank

어휘 Check!

• preserve
pre(미리)+serv(e)(❶_____): 미리 지키다 → 보존하다; 전유물

• continue
con(함께)+tin(ue)(= tain, 잡다): 함께 잡고 있다 → 이어지다, 계속하다

• entertain
enter(사이에)+tain(❷_____): 사람들 사이에서 관심을 잡다 → 즐겁게 하다 entertainment 명 즐거움

답 ❶ 지키다 ❷ 잡다

Words
● lie ~에 있다
● take off 떠나다
● stand at ~에 이르다
● distinction 구분
● fade 희미해지다
● sophisticated 정교한, 세련된
● consistent 일치하는
● interactive 상호작용하는, 쌍방향의
● acquire 습득하다
● fluctuation 변동, 동요

1 밑줄 친 The body works the same way.가 다음 글에서 의미하는 바로 가장 적절한 것은? 학평 기출

The body tends to accumulate problems, often beginning with one small, seemingly minor imbalance. This problem causes another subtle imbalance, which triggers another, then several more. In the end, you get a symptom. It's like lining up a series of dominoes. All you need to do is knock down the first one and many others will fall too. What caused the last one to fall? Obviously it wasn't the one before it, or the one before that, but the first one. <u>The body works the same way.</u> The initial problem is often unnoticed. It's not until some of the later "dominoes" fall that more obvious clues and symptoms appear. In the end, you get a headache, fatigue or **depression** — or even disease. When you try to treat the last domino — treat just the end-result symptom — the cause of the problem isn't addressed. The first domino is the cause, or primary problem.

*accumulate: 축적하다

① There is no **definite** order in treating an illness.
② Minor health problems are solved by themselves.
③ You get more and more inactive as you get older.
④ It'll never be too late to cure the end-result symptom.
⑤ The final symptom stems from the first minor problem.

© jesadaphorn / shutterstock

Words

● imbalance 불균형 ● trigger 야기하다 ● symptom 증상 ● initial 최초의 ● obvious 명백한 ● clue 단서 ● fatigue 피로
● end-result 최종 결과 ● inactive 활동하지 않는 ● stem from ~에서 생겨나다

2 다음 글의 주제로 가장 적절한 것은? 학평 기출

Vegetarian eating is moving into the mainstream as more and more young adults say no to meat, poultry, and fish. According to the American Dietetic Association, "approximately planned vegetarian diets are healthful, are nutritionally adequate, and provide health benefits in the prevention and treatment of certain diseases." But health concerns are not the only reason that young adults give for changing their diets. Some make the choice out of concern for animal rights. When faced with the statistics that show the majority of animals raised as food live in **confinement**, many teens give up meat to protest those conditions. Others turn to vegetarianism to support the environment. Meat production uses vast amounts of water, land, grain, and energy and creates problems with animal waste and resulting pollution.　　*poultry: 가금류(닭·오리·거위 등)

① reasons why young people go for vegetarian diets
② ways to build healthy eating habits for teenagers
③ vegetables that help lower your risk of cancer
④ importance of **maintaining** a balanced diet
⑤ disadvantages of plant-based diets

© Getty Images Korea

Words

● vegetarian eating 채식　● mainstream 주류　● dietetic 영양학의　● association 협회　● approximately 대략　● adequate 적당한
● benefit 이득, 이익　● concern 관심, 걱정, 염려　● confinement 가둠, 갇힘　● protest 반대하다, 항의하다　● lower 낮추다

3 다음 빈칸에 들어갈 말로 가장 적절한 것은? (학평) 기출

There is good evidence that in organic development, perception starts with _____. For example, when two-year-old children and chimpanzees had learned that, of two boxes presented to them, the one with a triangle of a particular size and shape always **contained attractive** food, they had no difficulty applying their training to triangles of very different appearance. The triangles were made smaller or larger or turned upside down. A black triangle on a white background was replaced by a white triangle on a black background, or an outlined triangle by a solid one. These changes seemed not to interfere with recognition. Similar results were obtained with rats. Karl Lashley, a psychologist, has **asserted** that simple transpositions of this type are universal in all animals including humans. *transposition: 치환

① interpreting different gestures

② establishing social frameworks

③ identifying the information of colors

④ separating the self from the environment

⑤ recognizing outstanding structural features

© Getty Images Bank

Words

● evidence 증거 ● organic 유기적인 ● development 발달, 발전 ● contain ~이 들어 있다, 참다 ● apply 적용하다
● solid 고체의, 확실한, 다른 색이 섞이지 않은 ● interfere with ~을 저해하다 ● obtain 획득하다 ● universal 보편적인

4 글의 흐름으로 보아, 주어진 문장이 들어가기에 가장 적절한 곳은? 수능 기출

> Even so, it is not the money *per se* that is valuable, but the fact that it can potentially yield more positive experiences.

Money — beyond the bare minimum necessary for food and shelter — is nothing more than a means to an end. Yet so often we confuse means with ends, and **sacrifice** happiness(end) for money(means). It is easy to do this when material wealth is elevated to the position of the ultimate end, as it so often is in our society. (①) This is not to say that the accumulation and production of material wealth is in itself wrong. (②) Material prosperity can help individuals, as well as society, attain higher levels of happiness. (③) Financial security can liberate us from work we do not find meaningful and from having to worry about the next paycheck. (④) Moreover, the desire to make money can challenge and inspire us. (⑤) Material wealth in and of itself does not necessarily generate meaning or lead to emotional wealth.

per se: 그 자체로

© Khongtham / shutterstock

Words

- potentially 잠재적으로 ● bare 가장 기본적인 ● means 수단 ● end 목적 ● confuse ~ with ... ~을 …과 혼동하다 ● elevate 들어 올리다
- ultimate 궁극적인 ● accumulation 축적, 쌓음 ● material 물질적인 ● prosperity 번영, 풍요 ● liberate 해방시키다
- paycheck 급료, 봉급 ● inspire 고무하다 ● in and of itself 그 자체가 ● generate 일으키다, 만들어내다

1 빈칸에 알맞은 카드를 골라 대화를 완성하시오. (필요하면 단어의 형태를 변형하시오.)

What are you watching?

A talk show that I really love.
It always _____ me.

I've never seen such shows. What do
you love about it?

People on the show _____ themselves
enthusiastically. They talk, laugh, and even cry.

So do you watch the show because of
those people?

Yes! It's really fun. Maybe it's because
I am a(n) _____.

I get it. An outgoing personality
_____ shy people.

You should definitely watch this show.

| express | introvert | attract | entertain |
| suppress | extrovert | contract | maintain |

2 힌트를 보고 다음 퍼즐을 완성하시오.

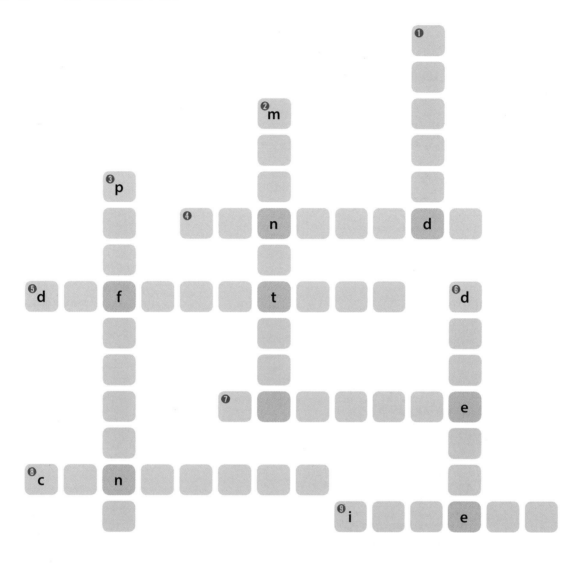

Down ▼

❶ *synonym* use, spend (energy or money)

❷ The _____ of the earthquake was recorded at 4.5 on the Richter scale.

❸ *antonym* inexperienced, unskillful

❻ *synonym* trick, fake out

Across ▶

❹ to come to an end

❺ Will you find the _____ of this word in the dictionary?

❼ to change the position of something opposite to its opposite

❽ to maintain or protect carefully

❾ _____ the memory card into the phone.

3 밑줄 친 단어의 어근을 활용하여 빈칸에 알맞은 철자를 쓰시오. (필요하면 형태를 변형하시오.)

(1) You need to anticipate your customer's needs.

→ Your apology is ac 　　　　 ed.

(2) Dan always magnifies a tiny problem into a catastrophe.

→ They tried to 　　　　　 ize the space of their office.

(3) It is the best way to advertise this.

→ I don't want to con 　　　　 e with him.

(4) Sophie doesn't depend on her parents anymore.

→ We must 　　　　 er our chances of winning.

(5) That is the biggest factor which made the experiment go wrong.

→ If you find any de 　　　 t, please contact us.

(6) The movie received three awards at the film festival.

→ Some students were invited to parti 　　　 ate in our project.

© ilubomir / shutterstock

4 다음 박물관 이용 후기를 읽고, 괄호 안에서 알맞은 단어를 고르시오.

VISITOR'S COMMENTS

Please leave a comment about your visit to the museum.

I could finally visit the museum where my favorite painting is exhibited. Going to museums

is the biggest (entertainment / container) for me. The painting that I like the most is called

"A Flower by the Sea." The artist who drew it is very famous for (abstract / absent) works and

strong brush strokes. Her paintings were kept in (confinement / convenience) last year and

the city decided to (suspend / suspect) the exhibition, which made me so frustrated. I was

so happy to go see them this year. I highly recommend this exhibit to those who are into art.

BOOK 2 마무리 전략

핵심 한눈에 보기

지난 2주간 학습한 어근을 다시 한 번 기억해 두세요.

1주 　어근 1

이동, 단계의 어근

cede 가다	—	변화형 cede, ceed, cess, ceas

grad 가다, 단계	—	변화형 grad, gress, gree

mit 보내다	—	변화형 mit, miss

vent 오다	—	변화형 vent, ven

시청각의 어근

spec 보다	—	변화형 spec, spect

vis 보다	—	변화형 vis, vid, view, vey

audi 듣다

언어 · 기록의 어근

dict 쓰다	—	변화형 dict, dic

scrib 쓰다	—	변화형 scrib, script

2주 어근 2

'잡다'를 나타내는 어근

| cap 잡다 | — | 변화형 cap, cip, ceive, cept |

tain
잡다, 쥐다

크기를 나타내는 어근

| magni 엄청난, 큰 | — | 변화형 magni, maxim |

종결을 나타내는 어근

fin
끝내다, 경계

유지를 나타내는 어근

serv
지키다

변화를 나타내는 어근

| vert 돌다, 돌리다 | — | 변화형 vert, vers |

동작을 나타내는 어근

| fac 만들다, 하다 | — | 변화형 fac, fec, fic |

sert
결합하다

| clos 닫다 | — | 변화형 clos, clud |

| pend 매달다, 무게를 재다 | — | 변화형 pend, pens, pond |

tract
끌다

press
누르다

1 다음 글의 빈칸 (A), (B)에 들어갈 말로 가장 적절한 것은? 학평 응용

Techonology is the basis of many of our metaphors and is important in terms of how we think and how our ideas progress. The use of metaphor and the process of design and the evolution of science and technology are _____(A)_____ in the sense that metaphors help to shape technology, and new technology leads to new metaphors. Major changes arise periodically, such as moving from horse-drawn carriages to motor-driven vehicles. The initial description of the latter is naturally metaphorical, as in the term "horseless carriage." The association with the previous technology is both verbal and visual. The early designs of such vehicles show visual evidence of the metaphor, as they _____(B)_____ much of the appearance of horse-drawn carriages. The horse-drawn carriage was itself a technological innovation, as were the horseless carriage and later automobiles. We tend to not only base new inventions on old, but also explain and try to understand new inventions in terms of what we already know.

	(A)		(B)
①	cyclic	……	released
②	linear	……	**retained**
③	cyclic	……	retained
④	linear	……	released
⑤	linear	……	**maintained**

© Library of Congress, Prints & Photographs Division,
LC-DIG-npcc-3214

Words
- metaphor 은유
- in terms of ~의 면에서
- evolution 진화
- shape 형성하다
- periodically 주기적으로
- initial 초기의
- association 연관(성), 관련(성)
- previous 이전의
- verbal 언어의
- visual 시각의
- innovation 혁신
- cyclic 순환의
- linear 직선의, 연속적인

How to Solve

글의 흐름상 빈칸에 들어갈 말을 짐작하며 읽고, 선택지에서 그것과 가장 가까운 것을 찾습니다. 선택한 단어를 넣어 완성된 문장이 ❶_____와 어긋나지 않는지, 앞뒤 문장과의 ❷_____에 방해가 되지 않는지 확인해야 합니다.

답 ❶ 주제 ❷ 연결

2 다음 글의 밑줄 친 부분 중, 문맥상 쓰임이 적절하지 <u>않은</u> 것은? (학평) 응용

Those who limit themselves to Western scientific research have virtually ignored anything that cannot be **perceived** by the five senses and repeatedly measured or quantified. Research is ① **dismissed as superstitious and invalid** if it cannot be scientifically explained by cause and effect. Many ② continue to object with an almost religious passion to this cultural paradigm about the power of science — more specifically, the power that science gives them. By dismissing non-Western scientific paradigms as inferior at best and inaccurate at worst, the most rigid members of the conventional medical research community try to ③ counter the threat that alternative therapies and research pose to their work, their well-being, and their worldviews. And yet, biomedical research cannot explain many of the phenomena that ④ concern alternative practitioners regarding caring-healing processes. When therapies such as acupuncture or homeopathy are observed to result in a physiological or clinical response that cannot be explained by the biomedical model, many have tried to ⑤ deny the results rather than modify the scientific model.

*acupuncture: 침술 **homeopathy: 동종 요법

ⓒ Getty Images Bank

Words

- virtually 사실상, 거의
- quantify 정량화하다
- dismiss 묵살하다
- superstitious 미신적인
- invalid 무효한, 효력 없는
- inferior 열등한
- rigid 완고한, 엄격한
- conventional 전통적인
- counter 반박하다, 대응하다
- alternative 대안; (기존의 것과 다른) 대체의
- pose 가하다, 제기하다
- biomedical 생물 의학의
- phenomenon 현상 (*pl.* phenomena)
- practitioner 시술자 (의사)
- physiological 생리적인

동종 요법은 환자의 병과 비슷한 증상을 일으키는 물질을 투여하여 인체의 '반작용'을 끌어 냄으로써 병을 치료하려는 요법을 말합니다.

How to Solve

문맥상 쓰임이 적절하지 않은 부분을 찾는 유형은 문맥상 쓰임이 적절하지 않은 낱말을 찾는 유형과 풀이 전략이 크게 다르지 않습니다. 글의 초반부를 주의 깊게 읽고 중심 소재와 주제를 파악한 뒤, 밑줄 친 부분이 있는 문장이 앞뒤 내용과 자연스럽게 ❶　　　　되는지 확인하고, 글의 ❷　　　　에 어긋나지 않는지 파악해야 합니다.

답 ❶ 연결 ❷ 주제

3 (A), (B)의 각 네모 안에서 문맥에 맞는 낱말로 가장 적절한 것은? 수능 응용

The objective of battle, to "throw" the enemy and to make him defenseless, may temporarily blind commanders and even strategists to the larger purpose of war. War is never a(n) (A) isolated / linked / **expressed** act, nor is it ever only one decision. In the real world, war's larger purpose is always a political purpose. It transcends the use of force. This insight was famously **captured** by Clausewitz's most famous phrase, "War is a mere continuation of politics by other means." To be political, a political entity or a representative of a political entity, whatever its constitutional form, has to have an intention, a will. That intention has to be clearly expressed. And one side's will has to be (B) dismissed / **transmitted** / **addicted** to the enemy at some point during the confrontation (it does not have to be publicly communicated). A violent act and its larger political intention must also be attributed to one side at some point during the confrontation. History does not know of acts of war without eventual attribution.

*transcend: 초월하다 **entity: 실체

(A)	(B)	(A)	(B)
① isolated	······ dismissed	② linked	······ transmitted
③ expressed	······ addicted	④ isolated	······ transmitted
⑤ expressed	······ addicted		

© NikolayN / shutterstock

Words
- defenseless 무방비한
- commander 지휘관
- strategist 전략가
- insight 통찰(력)
- capture 포착하다
- mere 단순한
- continuation 연속
- entity 실체
- constitutional 입헌의, 헌법에 따르는
- confrontation 대치, 대면
- be attributed to ~에 기인하다, ~의 탓으로 여겨지다
- eventual 궁극적인
- attribution 귀인, 속성

How to Solve

세 개 중에 선택해야 할 때에는 서로 반대되는 의미가 있는 두 단어 중 답이 있을 확률이 높습니다. 이를 염두에 두고 네모가 있는 문장의 앞뒤를 살펴 네모가 있는 문장이 어떤 ❶   을 해야 하는지 파악하여 빈칸에 어울리는 낱말을 선택합니다. 이때, 완성된 문장이 글의 ❷   와 어긋나지 않는지 반드시 확인합니다.

답 ❶ 역할 ❷ 주제

4 밑줄 친 encouraged를 문맥상 자연스러운 낱말로 바꾼 것은? 모평 응용

If I say to you, 'Don't think of a white bear', you will find it difficult not to think of a white bear. In this way, 'thought suppression can actually increase the thoughts one wishes to **suppress** instead of calming them'. One common example of this is that people on a diet who try not to think about food often begin to think much more about food. This process is therefore also known as the *rebound effect*. The ironic effect seems to be caused by the interplay of two related cognitive processes. This dual-process system involves, first, an intentional operating process, which consciously attempts to locate thoughts unrelated to the <u>encouraged</u> ones. Second, and simultaneously, an unconscious monitoring process tests whether the operating system is functioning effectively. If the monitoring system encounters thoughts inconsistent with the intended ones, it prompts the intentional operating process to ensure that these are replaced by appropriate thoughts. However, it is argued, the intentional operating system can fail due to increased cognitive load caused by fatigue, stress and emotional **factors**, and so the monitoring process filters the inappropriate thoughts into consciousness, making them highly accessible.

① successful　　② provided
③ preceding　　④ admitted
⑤ suppressed

© file 404 / shutterstock

Words
- **suppression** 억제, 억압
- **rebound effect** 반동 효과
- **interplay** 상호작용
- **cognitive** 인지의
- **simultaneously** 동시에
- **encounter** 마주치다
- **inconsistent with** ~와 일치하지 않는
- **prompt** 자극하다
- **ensure** 확실하게 하다

How to Solve

글의 전체 흐름을 파악하고 밑줄 친 어휘가 ❶　　　에 적절한 의미인지를 판별해 내야 하는데, 특히 앞뒤 문장의 ❷　　　관계에 주목하여 의미를 파악하는 것이 중요합니다. 더불어 선택지로 제시되는 동의어, 반의어, 주제 관련 어휘, 혼동 어휘 등에 대해 평소에 기본적인 학습이 필요합니다.

답 ❶ 문맥 ❷ 논리적인

모평 기출

01 밑줄 친 "Garbage in, garbage out"이 다음 글에서 의미하는 바로 가장 적절한 것은?

Many companies confuse activities and results. As a consequence, they make the mistake of designing a **process** that sets out milestones in the form of activities that must be carried out during the sales cycle. Salespeople have a genius for doing what's compensated rather than what's effective. If your process has an activity such as "**submit** proposal" or "make cold call," then that's just what your people will do. No matter that the calls were to the wrong customer or went nowhere. No matter that the proposal wasn't submitted at the right point in the buying decision or contained inappropriate information. The process asked for activity, and activity was what it got. Salespeople have done what was asked for. "Garbage in, garbage out" they will delight in telling you. "It's not our problem, it's this dumb process."

① In seeking results, compensation is the key to quality.
② Salespeople should join in a decision-making process.
③ Shared understanding does not always result in success.
④ Activities drawn from false information produce failure.
⑤ Processes focused on activities end up being ineffective.

© Vgstudio / shutterstock

Words
- **as a consequence** 결과적으로 • **set out** ~에 착수하다 • **milestone** 획기적인 일[사건] • **compensate** 보상하다
- **cold call** (상품·서비스 등의 판매를 위한) 임의의 권유 전화 • **go nowhere** 아무 성과도 못보다 • **inappropriate** 부적절한, 부적합한
- **Garbage in, garbage out.** 쓰레기를 넣으면 쓰레기가 나온다. → 콩 심은 데 콩 나고 팥 심은 데 팥 난다.
- **delight in** (다른 사람들이 불편해 하는 어떤 일을 하기를) 즐기다 • **dumb** 바보 같은

02 다음 빈칸에 들어갈 말로 가장 적절한 것은? 〔모평〕기출

Concepts of nature are always cultural statements. This may not strike Europeans as much of an insight, for Europe's landscape is so much of a blend. But in the new worlds — 'new' at least to Europeans — the distinction appeared much clearer not only to European settlers and visitors but also to their descendants. For that reason, they had the fond conceit of primeval nature uncontrolled by human associations which could later find **expression** in an admiration for wilderness. Ecological relationships certainly have their own logic and in this sense 'nature' can be seen to have a self-regulating but not necessarily stable dynamic independent of human **intervention**. But the context for ecological interactions _____.
We may not determine how or what a lion eats but we certainly can regulate where the lion feeds.

*conceit: 생각 **primeval: 원시(시대)의 ***ecological: 생태학의

① has supported new environment-friendly policies
② has increasingly been set by humanity
③ inspires creative cultural practices
④ changes too frequently to be regulated
⑤ has been **affected** by various natural conditions

© Getty Images Korea

Words

● statement 진술 ● strike ~ as ... ~에게 …이라는 인상을 주다 ● landscape 풍경 ● blend 혼합물 ● distinction 차이, 구별
● descendant 후손 ● fond 허황된, 애정 어린 ● association 연관(성), 연상 ● find expression in ~의 모습으로 나타나다
● wilderness 황야 ● logic 논리 ● self-regulating 자율적인 ● dynamic 역동성, 역학 ● independent of ~과 무관하게, ~에서 독립하여
● intervention 개입 ● regulate 규제하다

03 글의 흐름으로 보아, 주어진 문장이 들어가기에 가장 적절한 곳은? 학평 기출

> The Maasai, however, are a small minority, and their communally held lands have often been taken by outsiders.

Since the 1970s, more and more Maasai have given up the traditional life of mobile herding and now dwell in permanent huts. (①) This trend was started by government policies that encouraged subdivision of commonly held lands. (②) In the 1960s, conventional **conservation** wisdom held that the Maasai's roaming herds were overstocked, degrading the range and Amboseli's fever-tree woodlands. (③) Settled, commercial ranching, it was thought, would be far more efficient. (④) The Maasai rejected the idea at first — they knew they could not survive dry seasons without moving their herds to follow the availability of water and fresh grass. (⑤) As East Africa's human population grows, Maasai people are subdividing their lands and settling down, for fear of otherwise losing everything.

© Getty Images Bank

Words

● minority 소수 집단 ● communally 공동으로 ● mobile 움직이는, 이동의 ● herd (짐승을) 몰다, 이동하다 ● dwell 정착하다 ● permanent 영구적인 ● subdivision 분할 ● conventional 기존의, 종래의 ● conservation 보존, 보호, 보수 ● roam 떠돌다 ● overstock 재고과잉이다, 가축을 너무 많이 집어넣다 ● degrade 낮추다 ● ranch 목장 ● availability 이용 가능성

04 (A), (B), (C)의 각 네모 안에서 문맥에 맞는 낱말로 가장 적절한 것은? 학평 기출

A phenomenon in social psychology, the Pratfall Effect states that an individual's perceived attractiveness increases or decreases after he or she makes a mistake — depending on the individual's (A) perceived / hidden competence. As celebrities are generally considered to be competent individuals, and often even presented as flawless or perfect in certain **aspects**, **committing** blunders will make one's humanness endearing to others. Basically, those who never make mistakes are perceived as being less attractive and "likable" than those who make occasional mistakes. Perfection, or the attribution of that quality to individuals, (B) creates / narrows a perceived distance that the general public cannot relate to — making those who never make mistakes perceived as being less attractive or likable. However, this can also have the opposite effect — if a perceived average or less than average competent person makes a mistake, he or she will be (C) more / less attractive and likable to others.

*blunder: 부주의하거나 어리석은 실수

	(A)	(B)	(C)
①	perceived	creates	less
②	perceived	narrows	more
③	perceived	creates	more
④	hidden	creates	less
⑤	hidden	narrows	less

© Getty Images Korea

Words

● phenomenon 현상 ● pratfall 엉덩방아, 난처한 실수 ● state 말하다, 서술하다, 명시하다 ● perceived 인지된 ● competence 능숙함
● flawless 흠없는 ● aspect 측면, 양상 ● commit (실수, 죄를) 저지르다 ● humanness 인간성 ● endearing 사랑스러운
● attribution 귀속

01 글의 흐름으로 보아, 주어진 문장이 들어가기에 가장 적절한 곳은?   모평 기출

> Still, many believe we will eventually reach a point at which conflict with the **finite** nature of resources is inevitable.

Can we **sustain** our standard of living in the same ecological space while consuming the resources of that space? This question is particularly relevant since we are living in an era of skyrocketing fuel costs and humans' ever-growing carbon footprints. (①) Some argue that we are already at a breaking point because we have nearly exhausted the Earth's finite carrying capacity. (②) However, it's possible that innovations and cultural changes can expand Earth's capacity. (③) We are already seeing this as the world economies are increasingly looking at "green," renewable industries like solar and hydrogen energy. (④) That means survival could ultimately **depend** on getting the human population below its carrying capacity. (⑤) Otherwise, without population control, the demand for resources will eventually **exceed** an ecosystem's ability to provide it.

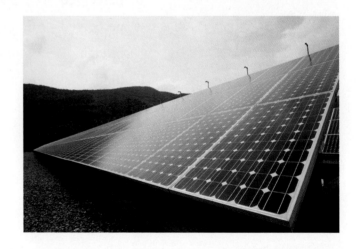

Words

- **eventually** 결국   - **conflict** 갈등   - **finite** 유한한   - **inevitable** 불가피한   - **sustain** 유지하다, 지속하다   - **ecological** 생태의
- **relevant** 적절한, 타당한   - **era** 시대   - **skyrocketing** 치솟는   - **breaking point** 한계점   - **exhaust** 고갈시키다, 다 써버리다
- **hydrogen** 수소   - **ultimately** 궁극적으로   - **carrying capacity** 환경 수용력   - **population control** 인구 통제   - **exceed** 초과하다

02 다음 빈칸에 들어갈 말로 가장 적절한 것은? (모평) 기출

If one looks at the Oxford **definition**, one gets the sense that post-truth is not so much a claim that truth *does not exist* as that *facts are subordinate to our political point of view*. The Oxford definition focuses on *"what"* post-truth is: the idea that feelings sometimes matter more than facts. But just as important is the next question, which is *why* this ever occurs. Someone does not argue against an obvious or easily confirmable fact for no reason; he or she does so when it is to his or her advantage. When a person's beliefs are threatened by an "inconvenient fact," sometimes it is preferable to challenge the fact. This can happen at either a conscious or unconscious level (since sometimes the person we are seeking to convince is ourselves), but the point is that this sort of post-truth relationship to facts occurs only when we are seeking to **assert** something _____.

*subordinate: 종속하는

① to hold back our mixed feelings

② that balances our views on politics

③ that leads us to give way to others in need

④ to carry the constant value of absolute truth

⑤ that is more important to us than the truth itself

© Yurlick / shutterstock

Words

● post-truth 탈진실 ● not so much *A* as *B* A가 아니라 B인 ● confirmable 확인할 수 있는 ● to advantage 유리하게
● inconvenient 불편한 ● preferable 선호되는 ● challenge 이의를 제기하다 ● convince 납득시키다 ● seek to ~하려고 애쓰다
● assert 주장하다 ● constant 끊임없는, 변치 않는 ● absolute 절대적인

03 다음 글의 내용을 한 문장으로 요약하고자 한다. 빈칸 (A), (B)에 들어갈 말로 가장 적절한 것은? 모평 기출

Perceptions of forest use and the value of forests as standing timber vary considerably from indigenous peoples to national governments and Western scientists. These differences in attitudes and values lie at the root of **conflicting** management strategies and stimulate protest groups such as the Chipko movement. For example, the cultivators of the Himalayas and Karakoram view forests as essentially a **convertible** resource. That is, under increasing population pressure and growing demands for cultivable land, the **conversion** of forest into cultivated terraces means a much higher productivity can be **extracted** from the same area. **Compensation** in the form of planting on terrace edges occurs to make up for the clearance. This contrasts with the national view of the value of forests as a renewable resource, with the need or desire to keep a forest cover over the land for soil **conservation**, and with a global view of protection for biodiversity and climate change purposes, irrespective of the local people's needs.

*timber: (목재가 되는) 수목 **indigenous: 토착의

⬇

> For indigenous peoples forests serve as a source of ＿＿(A)＿＿ resources, while national and global perspectives prioritize the ＿＿(B)＿＿ of forests, despite the local needs.

	(A)		(B)		(A)		(B)
①	transformable	⋯⋯	**preservation**	②	transformable	⋯⋯	practicality
③	consumable	⋯⋯	manipulation	④	restorable	⋯⋯	potential
⑤	restorable	⋯⋯	recovery				

Words
- perception 인식 • conflicting 상충하는 • stimulate 자극하다 • cultivator 경작자 • convertible 바꿀 수 있는
- cultivable 경작할 수 있는 • conversion 전환, 바꿈 • terrace 계단식 농경지 • extract 끌어내다, 추출하다 • compensation 보상
- edge 가장자리, 변두리 • make up for ~을 벌충하다 • clearance 벌채 • irrespective of ~와 관계없이

04 다음 글의 밑줄 친 부분 중, 문맥상 낱말의 쓰임이 적절하지 <u>않은</u> 것은? 수능 기출

Classifying things together into groups is something we do all the time, and it isn't hard to see why. Imagine trying to shop in a supermarket where the food was arranged in random order on the shelves: tomato soup next to the white bread in one aisle, chicken soup in the back next to the 60-watt light bulbs, one brand of cream cheese in front and another in aisle 8 near the cookies. The task of finding what you want would be ① <u>time-consuming</u> and extremely difficult, if not impossible.

In the case of a supermarket, someone had to ② <u>design</u> the system of classification. But there is also a ready-made system of classification embodied in our language. The word "dog," for example, groups together a certain class of animals and distinguishes them from other animals. Such a grouping may seem too ③ **abstract** to be called a classification, but this is only because you have already mastered the word. As a child learning to speak, you had to work hard to ④ <u>learn</u> the system of classification your parents were trying to teach you. Before you got the hang of it, you probably made mistakes, like calling the cat a dog. If you hadn't learned to speak, the whole world would seem like the ⑤ <u>unorganized</u> supermarket; you would be in the position of an infant, for whom every object is new and unfamiliar. In learning the principles of classification, therefore, we'll be learning about the structure that lies at the core of our language.

© Myroslava Malovana / shutterstock

memo

수능전략

영·어·영·역

어휘

BOOK 3

정답과 해설

Book 1

WEEK

1

DAY 1 개념 돌파 전략 ① CHECK | 8~11쪽

1 in- 2 inter- 3 out- 4 trans- 5 ② 6 ③ 7 ③ 9 ③ 10 guide 11 ②

DAY 1 개념 돌파 전략 ② | 12~13쪽

A complete **B** ③ **C** disapprove **D** (A) likely (B) antisocial

---

A 해석 Zeigarnik 효과는 보통 당신에게 어떤 과업이 완료될 때까지 완료되지 않은 그 과업을 상기시켜 주는 잠재적인 마음의 경향을 의미한다. 리투아니아 심리학자인 Bluma Zeigarnik는 한 식당에서 웨이터들이 서빙하는 것을 보고 효과를 알아차렸다. 그 웨이터들은 주문이 아무리 복잡하더라도 완료될 때까지 그 주문을 기억했는데, 그들은 나중에는 그 주문을 기억하기 어려워 했다.

끊어 읽기로 보는 구문

Zeigarnik 효과는 보통 의미한다   경향이라고   잠재적인 마음의
The Zeigarnik effect is commonly referred to / as the tendency / of the subconscious mind
be referred to as ~라고 언급되다, 의미하다

여러분에게 어떤 과업을 상기시키는   완료되지 않은   그 과업이 완료될 때까지
/ [to remind you of a task / that is incomplete / until that task is complete].
the tendency ~ mind를 꾸미는   a task를 꾸미는 주격 관계대명사절   to부정사구 안에 포함된 시간 부사절
형용사적 용법의 to부정사

B 해석 최근 수십 년 동안 학계 고고학자들은 가설 검증 절차에 따라 연구와 발굴을 수행하라고 촉구받아왔다. 일반적인 이론들을 세우고 검증할 수 있는 명제들을 추론하며 그것들을 표본 자료와 비교해 증명하거나 반증해야 한다고 주장되어왔던 것이다. 사실, 이런 '과학적 방법'의 적용은 자주 어려움에 부딪혔는데, 왜냐하면 자료는 예상되는(→ 예상치 못한) 질문들, 문제들, 그리고 쟁점들로 이어지는 경향이 있기 때문이다.

정답 전략 ③ 자료와 비교하여 증명하는 방법의 적용이 어려움에 부딪혔다고 했으므로 자료가 '예상치 못한' 질문으로 이어졌다고 해야 자연스럽다. 따라서 ③의 expected를 unexpected 등으로 고쳐 쓰는 것이 적절하다.

끊어 읽기로 보는 구문

주장되어 왔다   우리는 우리의 일반적인 이론들을 세워야 하며   검증할 수 있는 명제들을 추론하고
It has been argued / that we should construct our general theories, / deduce testable propositions
가주어   진주어가 되는 명사절을 이끄는 접속사 that

그리고 그것들을 증명하거나 반증해야 한다고   표본 자료와 비교해
/ and prove or disprove them / against the sampled data.
construct, deduce, prove or disprove 모두 주어는 we이고, 조동사 should에 이어짐

C 해석 어떤 원칙이 어떤 사람의 도덕적 규범의 일부이면, 그 사람은 그 원칙에 의해 요구되는 행동을 하도록, 그리고 그 원칙과 충돌하는 행동을 하지 않도록 강하게 동기를 부여받는다. 그 사람은 자기 자신의 행동이 그 원칙에 위배되면 죄책감을 느끼는 경향이 있을 것이며, 그

것과 충돌하는 행동을 하는 다른 사람을 못마땅해 하는 경향이 있을 것이다. 마찬가지로, 그 사람은 그 원칙이 요구하는 동기가 풍부함을 보여주는 행동을 하는 사람을 존경하는 경향이 있을 것이다.

끊어 읽기로 보는 구문

어떤 원칙이 어떤 사람의 도덕적 규범의 일부이면,　　　　　그 사람은 강하게 동기를 부여받는다　　　　행동 쪽으로
When a principle is part of a person's moral code, / that person is strongly motivated / toward the conduct

　그 원칙에 의해 요구되는　　　　그리고 행동에 반하도록　　　그 원칙과 충돌하는
/ required by the principle, / and against behavior / [that conflicts with that principle].
conduct와 required 사이에　　　toward와 against는 motivated에　behavior를 수식하는 관계대명사절
「주격 관계대명사+be동사」가 생략됨　연결됨 (병렬 구조)

D 해석 내성적인 사람은 자신의 생각을 즐겨 성찰할 것이고, 그리하여 외부 자극이 없어도 지루함에 훨씬 덜 시달릴 것이다. 내성적인 사람으로서 여러분이 직면할 유일한 위험은, 여러분을 모르는 사람들은 여러분이 쌀쌀맞다고 생각하거나 또는 여러분이 자신을 그들보다 더 낫다고 생각한다고 여길 수 있다는 것이다. 여러분이 자신의 의견 및 사고와 관련하여 약간만 마음을 터놓는 법을 배운다면, 여러분은 양쪽 세계 모두에서 잘 지낼 수 있을 것이다. 그러면 여러분은 비사교적으로 보이지 않고서 자신의 개성에 계속 충실할 수 있다.

끊어 읽기로 보는 구문

유일한 위험은　　　내성적인 사람으로서 여러분이 직면할　　　　～이다　여러분을 모르는 사람들이 여길 수 있다는 것
The only risk / [that you will face as an introvert] / is / that people [who do not know you] may think
　　　　　목적격 관계대명사절로 주어 The only risk를 수식　　　who do not know you가 수식하는 people이 that절의 주어

여러분이 쌀쌀맞다고　　　혹은 여러분이 생각한다고　　자신을 그들보다 더 낫다고
/ that you are aloof / or that you think / you are better than them.
that이 이끄는 명사절 두 개가 접속사 or로 연결되어 may think의 목적어로 쓰임

DAY
2 필수 체크 전략 ①, ②
14~19쪽

[대표 어휘 포함 지문] **1** ④　　**1-1** undergo　　**2** ③
1 ②　　**2** ⑤　　**3** ⑤　　**4** ①

[대표 어휘 포함 지문] **1**　　　　　　　　　　　　　　　　　　　지 문 한 눈 에 보 기

❶ A special feature of the real estate rental market / is its tendency / [to undergo a severe and prolonged
　　　　　　　　　　　　　　　　　　　　　　　　　　　　its tendency를 꾸미는 형용사적 용법의 to부정사
contraction phase], / more so than with manufactured products. ❷ When the supply of a manufactured product
　　　　　　　　　　더 그렇다
①exceeds the demand, / the manufacturer cuts back on output, / and the merchant reduces inventory /
to balance supply and demand. ❸ However, / ②property owners cannot reduce the amount of space / [available
부사적 용법(목적)　　　　　　　　　　　　　　　　　　　　　　　　　　　　　　　　　　which is 생략
for rent in their buildings]. ❹ Space / [that was constructed to accommodate business and consumer needs /
　　　　　　　　　　　　　　　　　Space를 수식하는 관계대명사절　부사적 용법(목적)
at the peak of the cycle] / ③remains, / so vacancy rates climb / and the downward trend becomes more severe.
　　　　　　　　　remains의 주어는 Space
❺ Rental rates generally do not drop below a certain point, / the ④maximum(→ minimum) / that must be
　　　　　　　　　　　　　　　　　　　　　　　a certain point = the minimum ─(콤마에 의한 동격)
charged / in order to cover operating expenses. ❻ Some owners will take space off the market / rather than lose
money on it. ❼ A few, / unable to subsidize the property, / will sell at distress prices, / and lenders will repossess
　　　= space　　being이 생략된 분사구문
others. ❽ These may then be placed on the market / at lower rental rates, / further ⑤depressing the market.
　　　　　　　　　　　　　　　　　　　　　　　　　　　　　　　동시에 일어나는 일을 나타내는 분사구문

해석 ❶ 부동산 임대 시장의 특별한 특징은 그것이 심한 장기적 경기 수축기를 겪는 경향이 있다는 것인데, 공산품보다 그 경향이 더 강하다. ❷ 어떤 공산품의 공급이 수요를 초과하면, 수요와 공급의 균형을 맞추기 위해 제조자는 생산량을 줄이고 상인은 재고를 줄인다. ❸ 하지만 부동산 소유자는 자신들 건물의 임대 가능한 공간의 양을 줄일 수 없다. ❹ 주기의 절정기에 업체와 소비자 요구를 수용하기 위해 건설된 공간은 남아있고, 그래서 공실률은 오르고 하향 추세는 더욱 심해진다. ❺ 임대료는 일반적으로 어떤 지점, 즉 운영비를 충당하기 위해 청구되어야 할 <u>최대한의 비용(→ 최소한의 비</u>

용) 밑으로는 떨어지지 않는다. ❻ 어떤 소유자들은 그것 때문에 돈을 잃으니 그 공간을 시장에서 빼버릴 것이다. ❼ 그 부동산의 비용을 보조할 수 없는 소수는 투매 가격에 팔 것이고 대출 기관은 (임대료를 치르지 않은) 다른 부동산들을 회수(압류)할 것이다. ❽ 그렇게 되면 이것들은 더 낮은 임대료로 시장에 나올 수도 있는데, 이는 시장을 더욱 침체시킨다.

정답 전략 ④ 임대료는 일반적으로 운영비를 충당하기 위해 청구되어야 할 최소한의 비용(minimum) 밑으로는 떨어지지 않는다고 해야 논리에 맞는데 최대한의 비용(maximum)으로 되어 있다.

[대표 어휘 포함 지문] 2

❶ Finkenauer and Rimé investigated / the memory of the unexpected death / of Belgium's King Baudouin / in 1993 / in a large sample of Belgian citizens. ❷ The data revealed / [that the news of the king's death had been
목적절을 이끄는 접속사
widely socially shared]. ❸ By talking about the event, / people gradually constructed / a social narrative and a collective memory / of the emotional event. ❹ At the same time, / they consolidated / their own memory of the
콤마에 의한 동격(they ~ place = an ~ memory)
personal circumstances / [in which the event took place], / an effect known as "flashbulb memory." ❺ The more
= where 「the+비교급 ~, the+비교급 ...」 구문: ~할수록 더 …하다
an event is socially shared, / the more it will be fixed in people's minds. ❻ Social sharing may in this way / help to counteract some natural tendency / [people may have]. ❼ Naturally, people should be driven / to "forget"
목적격 관계대명사가 생략됨 drive A to ~ (A를 ~하도록 만들다)의 수동태
undesirable events. ❽ Thus, someone [who just heard a piece of bad news] / often tends initially to deny / what
someone을 수식하는 주격 관계대명사절
happened. ❾ The **repetitive** social sharing of the bad news / contributes to realism.

해석 Finkenauer와 Rimé는 많은 벨기에 시민들을 표본으로 추출하여 1993년에 있었던 벨기에 왕 Baudouin의 갑작스러운 죽음에 관한 기억을 조사했다. ❷ 그 자료는 왕의 죽음에 관한 소식이 사회적으로 널리 공유되었다는 것을 나타냈다. ❸ 그 사건에 관해 이야기함으로써 사람들은 서서히 그 감정적 사건의 사회적 이야기와 집단 기억을 구축했다. ❹ 동시에 그들은 그 사건이 발생했던 개인적인 상황에 관한 자신들의 기억을 공고히 했는데, 그것은 '섬광 기억'으로 알려진 효과이다. ❺ 한 사건이 사회적으로 더 많이 공유될수록, 그것은 사람들의 마음에 더 깊이 새겨질 것이다. ❻ 사회적 공유는 이런 식으로 사람들이 갖고 있을지 모를 어떤 자연스러운 경향을 중화시키는 데 도움이 될 수도 있다. ❼ 본래 사람들은 바람직하

지 않은 사건을 '잊도록' 이끌린다. ❽ 그러므로, 방금 어떤 나쁜 소식을 들은 사람은 종종 일어난 일을 처음에는 부인하는 경향이 있다. ❾ 나쁜 소식의 반복적인 사회적 공유는 현실성에 기여한다.

정답 전략 ③ 왕의 갑작스러운 죽음이라는 사건이 사회적으로 더 많이 공유될수록(즉, 더 많이 이야기될수록) 그것에 관한 기억이 공고해지며, 이는 나쁜 소식을 부인하고 싶어 하는 사람들의 성향을 중화시켜 현실성에 기여한다고 했다. 따라서 빈칸에는 '반복적인'이 가장 적절하다. ① 선입견을 가진 ② 불법의 ④ 일시적인 ⑤ 이성적인

1

❶ The concept of humans doing multiple things at a time / has been studied / by psychologists / since the
동격의 of(The concept = humans ~ time)
1920s, / but the term "multitasking" didn't exist / until the 1960s. ❷ It was used / to describe computers, not
not ~ until ...: …에서야 ~해지다
people. ❸ Back then, ten megahertz was so fast / that a new word was needed / to describe a computer's
so ~ that 구문(매우 ~해서 …하다) 부사적 용법(목적)

ability [to quickly perform many tasks]. ❹ In retrospect, / they probably made a poor choice, / for the expression
　　　ability를 꾸미는 형용사적 용법　　　　　　　　　　　　　　　　　　　　　　　　　　　　　　　　= because
"multitasking" is inherently deceptive. ❺ Multitasking is about multiple tasks / alternately sharing one resource
　　　　　　　　　　　　　　　　　　　　　　　　　　　　　　　multiple tasks를 현재분사 sharing이 수식
(the CPU), / but in time the context was flipped / and it became interpreted / [to mean multiple tasks / being
　　　　　　　　　　　　　　　　　　　　　　　　= multitasking
done simultaneously / by one resource (a person)]. ❻ It was a clever turn of phrase [that's misleading], / for even
　　　　　　　　　　　　　　　　　　　　　　　　　a clever ~ phrase를 수식하는 관계대명사절　= because
computers can process only one piece of code at a time. ❼ When they "multitask," / they switch back and forth,
/ alternating their attention / until both tasks are done. ❽ The speed / [with which computers tackle multiple
　동시 상황을 나타내는 분사구문　　　　　　　　　　　　　　　　　　　　the speed를 선행사로 하는 목적격 관계대명사
tasks] / feeds the illusion / that everything happens at the same time, / so comparing computers to humans /
　　　　　　　　the illusion과 동격절을 이끄는 접속사　　　　　　　결과를 나타내는 접속사
can be confusing.

해석 ❶ 인간이 한 번에 여러 가지 일을 한다는 개념은 1920년대 이래로 심리학자들에 의해 연구되어 왔지만, '멀티태스킹'이라는 용어는 1960년대가 되어서야 비로소 존재하였다. ❷ 그것은 사람이 아니라 컴퓨터를 기술하기 위하여 사용되었다. ❸ 그때는 10메가헤르츠만으로도 너무 빨라서 여러 가지 일을 빠르게 수행할 수 있는 컴퓨터의 능력을 기술하기 위하여 새로운 단어가 필요했다. ❹ 돌이켜 생각해 보면, 그들은 아마 좋지 못한 선택을 했을 것인데, 왜냐하면 '멀티태스킹'이라는 표현은 본질적으로 기만적이기 때문이다. ❺ 멀티태스킹은 대체로 다수의 일이 하나의 자원(CPU)을 번갈아 공유하는 것을 말하지만, 이윽고 맥락이 뒤바뀌었고 그것은 다수의 일이 하나의 자원(사람)에 의하여 동시에 수행되고 있는 것을 의미하는 것으로 이해되었다. ❻ 그것은 오해를 일으키는 교묘한 어구

의 전환이었는데, 왜냐하면 컴퓨터조차 한 번에 단 한 개의 부호만을 처리할 수 있기 때문이다. ❼ 그것들이 '멀티태스킹'을 할 때, 그것들은 두 개의 일이 모두 끝날 때까지 번갈아 집중하면서 왔다 갔다 한다. ❽ 컴퓨터가 다수의 일을 처리하는 속도는 모든 것이 동시에 일어난다는 착각을 하게 해서 컴퓨터를 인간과 비교하는 것은 혼란스러울 수 있다.

정답 전략 ② 컴퓨터도 한 번에 한 개의 부호밖에 처리할 수 없지만, 그 처리 속도가 매우 빨라 컴퓨터가 하는 모든 일이 동시에 일어나는 것과 같은 착각을 불러일으킬 수 있으므로 빈칸에는 '착각을 하게 하다'가 가장 적절하다. ① 미신을 몰아내다 ③ 사실을 숨기다 ④ 가설을 증명하다 ⑤ 신념을 흐리게 하다

❶ Erikson believes / that when we reach the adult years, / several physical, social, and psychological stimuli /
trigger a sense of generativity. ❷ A central component of this attitude is / the desire [to care for others]. (①)
several ~ stimuli가 주어　　　　　　　　　　　　　　　　　　　　　　　　　the desire를 꾸미는 형용사적 용법
❸ For the majority of people, / parenthood is perhaps the most obvious and convenient opportunity /
[to fulfill this desire]. (②) ❹ Erikson believes / that another distinguishing feature of adulthood is / the
opportunity를 꾸미는 형용사적 용법
emergence of an inborn desire to teach. (③) ❺ We become aware of this desire / when the event [of
　　　　　　　　　　　　desire를 꾸미는 형용사적 용법　　　　　　전치사구 of ~ reproducing이 the event를 꾸밈
being physically capable of reproducing] is joined / with the events [of participating in a committed
relationship, / the establishment of an adult pattern of living, / and the assumption of job responsibilities].
(④) ❻ According to Erikson, / by becoming parents / we learn / that we have the need / [to be needed by
　　　　　　　　　　　　　　　　　　　　　　　　　　　　　　　　　　　　　　수동의 to부정사
others / who depend on our knowledge, protection, and guidance]. (⑤) ❼ We become entrusted / to
　　　　　　others를 선행사로 하는 주격 관계대명사
teach / culturally appropriate behaviors, values, attitudes, skills, and information about the world.

❽ By assuming the responsibilities / of being primary caregivers to children / through their long years of
　　　　　　　　　　　　　　　　　동격의 of(the responsibilities = being ~ growth)
physical and social growth, / we concretely express / [what Erikson believes to be an inborn desire to teach].
　　　　　　　　　　　　　　　　　　　　　　　　　　　express의 목적절을 이끄는 관계대명사

해석 ❶ Erikson은 우리가 성년에 이를 때, 여러 신체적, 사회적, 그리고 심리적 자극이 '생식성'의 감각을 촉발한다고 믿는다. ❷ 이러한 태도의 한 가지 중심적인 구성요소는 다른 사람들을 돌보려는 욕구이다. ❸ 대다수 사람에게 있어, 부모가 되는 것이 아마 이러한 욕구를 충족하는 가장 명확하고 편리한 기회일 것이다. ❹ Erikson은 성인기의 또 다른 눈에 띄는 특징은 가르치고자 하는 타고난 욕구의 출현이라고 믿는다. ❺ 신체적으로 재생산(아이를 낳는 것)할 수 있는 상태가 된 일이 헌신적인 관계에의 참여, 성인 생활 패턴의 확립, 그리고 직업적 책임 인수의 일들과 결합할 때 우리는 이 욕구를 인식하게 된다. ❻ Erikson에 따르면, 부모가 됨으로써 우리는 우리의 지식, 보호, 그리고 지도에 의존하는 다른 사람들에 의해 필요해지고 싶은 욕구가 있다는 것을 알게 된다. ❼ 우리는 문화적으로 적절한 행동, 가치, 태도, 기술, 그리고 세상에 대한 정보를 가르치는 일을 위임받게 된다. ❽ 아이들이 신체적, 사회적으로 성장하는 긴 세월 동안 그들에게 일차적인 돌봄 제공자가 되는 책임을 떠맡음으로써, 우리는 가르치고자 하는 타고난 욕구라고 Erikson이 믿는 것을 구체적으로 표현한다.

정답 전략 ⑤ 이 글의 주제는 인간이 성년기에 이르렀을 때 생식성의 인식과 가르치고자 하는 욕구가 나타난다는 것이다. 그리고 주어진 문장은 우리가 가르치는 일을 위임받게 된다는 내용이다. 그러므로 주어진 문장은 이 글에서 '가르침에 대한 욕구'를 설명하는 부분에 들어가야 함을 알 수 있다. 따라서 이 문장은 우리는 부모가 됨으로써 다른 이에게 필요한 존재가 되고자 하는 욕구가 있다는 내용의 문장과, 아이에게 돌봄을 제공하여 가르치고자 하는 선천적 욕구를 표현한다는 문장 사이에 들어가는 것이 가장 적절하다.

❶ Why / does the "pure" acting of the movies not seem unnatural / to the audience, / who, after all, are
the audience를 보충 설명하는 주격 관계대명사절
accustomed / in real life / to people [whose expression is more or less indistinct]? ❷ Most people's perception in
people을 수식하는 소유격 관계대명사절
these matters / is not very sharp. ❸ They are not in the habit / of observing closely / the play of features of their
동격의 of(the habit = observing ~ men)
fellow men — either in real life or at the movies. ❹ They are (A) disappointed / **satisfied** with / grasping the
not ~ either A or B: A도 B도 아닌
meaning of what they see. ❺ Thus, they often take in / the overemphasized expression of film actors / more easily
any를 수식하는 주격 관계대명사절
/ than any [that is too naturalistic]. ❻ And as far as lovers of art are concerned, / they do not look at the movies
= any expression
not A but B: A가 아니라 B
for imitations of nature but for art. ❼ They know / that (B) **artistic** / real representation is always explaining,
refining, and making clear the object depicted. ❽ Things / [that in real life are imperfectly realized, merely hinted
과거분사가 뒤에서 수식
things를 수식하는 주격 관계대명사절
at, and entangled with other things] / appear in a work of art / complete, entire, and (C) **free** / inseparable from
appear의 주어는 Things / appear + 형용사: ~하게 보이다
irrelevant matters. ❾ This is also true / of acting in film.

해석 ❶ 어쨌든 실제 현실에서는 표현이 다소 불분명한 사람들에 익숙한 관객들에게 왜 영화의 '순수한' 연기가 부자연스럽게 보이지 않을까? ❷ 이러한 문제에 대한 대부분의 사람들의 인식은 그리 날카롭지 않다. ❸ 그들은 실제 삶에서든 영화에서든 다른 사람의 이목구비의 움직임을 자세히 관찰하는 습관이 없다. ❹ 그들은 자신들이 보는 것의 의미를 이해하는 것으로 만족한다. ❺ 따라서 그들은 너무 자연스러운 그 어떤 것보다 영화배우들의 과장된 표현을 종종 더 쉽게 받아들인다. ❻ 그리고 예술 애호가들에 관한 한, 그들은 영화에서 자연의 모방을 찾는 것이 아니라 예술을 찾는다. ❼ 그들이 아는 바로는 예술적 표현은 늘 묘사되는 사물을 설명하고, 정제하고, 명확하게 만들고 있다. ❽ 현실에서는 불완전하게 인식되고, 그저 암시되기만 하며, 다른 것들과 뒤엉킨 것들이 예술 작품에서는 완전하고, 온전하며, 무관한 문제들로부터 자유로운 것처럼 보인다. ❾ 이것은 영화에서의 연기에서도 그러하다.

정답 전략 ⑤ (A) 사람들은 다른 사람들의 이목구비의 움직임을 자세히 관찰하지 않는다고 했으므로 단순히 보이는 것의 의미를 이해하는 것으로 만족한다(satisfied)는 흐름이 자연스럽다. (B) 주어 They가 앞에 나온 lovers of art이므로, 이들이 아는 것은 '예술적 (artistic)' 표현이 하는 일일 것이다. (C) 흐름상 문장 앞에 나온 'imperfectly realized, merely hinted at, and entangled with other things'와 대조를 이루는 부분이므로 'complete, entire, and free(자유로운) from irrelevant matters'가 자연스럽다. inseparable은 '분리할 수 없는'이라는 뜻이므로 entangled와 비슷한 의미가 된다.

❶ After [the United Nations environmental conference in Rio de Janeiro in 1992] made the term "sustainability"
make+목적어+과거분사: ~을 …되도록 하다
widely known around the world, / the word became a popular buzzword / by those [who wanted to be seen
who가 이끄는 관계대명사절 두 개가 those를 수식함
as pro-environmental] but [who did not really intend to change their behavior]. ❷ It became a public relations
term, / an attempt to be seen as abreast / with the latest thinking of what we must do / to save our planet from
콤마로 연결된 동격 표현(a public relations = an attempt ~)   부사적 용법(목적)
widespread harm. ❸ But then, / in a decade or so, / some governments, industries, educational institutions,
                                        ~쯤
and organizations / started to use the term / in a serious manner. ❹ In the United States / a number of large
corporations / appointed a vice president for sustainability. ❺ Not only were these officials interested in /[how
부정어구가 앞에 오면서 주어와 동사가 도치됨   간접의문문
their companies could profit by producing "green" products], / but they were often given the task of making
                                                        ↳ not only A but (also) B: A뿐만 아니라 B인
the company more efficient / by reducing wastes and pollution and by reducing its carbon emissions. → ❻
                                by -ing(~함으로써)의 병렬 연결
While the term "sustainability," / in the initial phase, / was popular / among those who (A)**pretended** to be eco-
대조의 접속사(~ 반면에)
conscious, / it later came to be used / by those who would (B)**actualize** their pro-environmental thoughts.
        = the term "sustainability"

해석 ❶ 1992년에 리우데자네이루에서 열린 국제 연합 환경 회의가 "지속 가능성"이라는 용어를 전 세계적으로 널리 알려지게 만든 후에 그 단어는 친환경적으로 보이기를 원하지만 자신의 행동을 진짜 바꿀 의도는 아니었던 사람들에 의해 인기 있는 유행어가 되었다. ❷ 그것은 홍보 용어가 됐는데, 즉 널리 퍼진 해악으로부터 지구를 구하기 위해 우리가 무엇을 해야 하는가에 관한 최신의 생각과 보조를 맞추고 있는 것으로 보이려는 시도였다. ❸ 그러나 그런 다음 십여 년이 지난 후, 일부 정부, 산업, 교육 기관, 그리고 조직이 그 용어를 진지하게 사용하기 시작했다. ❹ 미국에서 많은 대기업이 지속 가능성 담당 부사장을 임명했다. ❺ 이 임원들은 '친환경' 제품을 만들어 자기 회사가 어떻게 이익을 얻을 수 있는가에 관심

이 있을 뿐만 아니라, 흔히 쓰레기와 오염을 줄임으로써, 그리고 그 회사에서 배출하는 탄소 배기가스를 줄임으로써 회사를 더 효율적으로 만드는 과제를 받기도 했다. → ❻ 초기 단계에서 '지속 가능성'이라는 용어는 친환경 의식이 있는 척했던 사람들 사이에서 인기 있었지만, 나중에 그것은 자신의 친환경주의적 생각을 실현하고자 하는 사람들이 사용하게 되었다.

정답 전략 ① "지속 가능성"이라는 용어가 친환경적인 척했던 사람들의 홍보를 위한 용어로 사용되다가 나중에 실제로 진지하게 환경 문제에 임하는 사람들에 의해 사용되었다는 내용이다. (A)에는 pretended, (B)에는 actualize 또는 realize가 들어갈 수 있다.

DAY 3 필수 체크 전략 ①, ②
20~25쪽

[대표 어휘 포함 지문] **1** ⑤　　**2** ③　　**2-1** ③
　　　　　　　　　　　1 ②　　**2** ⑤　　**3** ①　　**4** ④

❶ While the eye sees at the surface, / the ear tends / to penetrate below the surface. ❷ Joachim-Ernst Berendt
대조의 접속사(~하는 반면)
points out / that the ear is the only sense / [that (A) fuses / replaces an ability to measure / with an ability to
                                        ╰╮ sense를 수식하는 주격 관계대명사절   fuse A with B: A와 B를 결합하다
judge]. ❸ We can discern different colors, / but we can give a precise *number* / to different sounds. ❹ Our eyes do
not let / us perceive with this kind of (B) diversity / **precision** . ❺ An unmusical person can recognize an octave
/ and, perhaps once instructed, / a quality of tone, that is, a C or an F-sharp. ❻ Berendt points out / that there are
        = once he or she is instructed   즉

few 'acoustical illusions' / — something sounding like something / [that in fact it is not] — / while there are many

— acoustical illusions를 설명
현재분사구가 뒤에서 수식
바로 앞의 something을 선행사로 하는 관계대명사
대조의 접속사(반면)

optical illusions. ❼ The ears do not lie. ❽ The sense of hearing / gives us a remarkable connection / with the

invisible, underlying order of things. ❾ Through our ears / we gain access to vibration, / which (C) **underlies**

vibration을 보충 설명하는 계속적 용법의 관계대명사

/ undermines everything around us. ❿ The sense of tone and music in another's voice / gives us an enormous

gives의 직접목적어는 an enormous amount of information

amount of information / [about that person, about her stance toward life, about her intentions].

세 개의 전치사구와 연결됨

해석 ❶ 눈은 표면에서 보지만, 귀는 표면 아래로 침투하는 경향이 있다. ❷ Joachim-Ernst Berendt는 귀가 측정 능력을 판단 능력과 결합하는 유일한 감각 기관이라고 지적한다. ❸ 우리는 서로 다른 색을 구분할 수 있지만, 서로 다른 소리에는 정확한 '숫자'를 붙일 수 있다. ❹ 눈은 우리가 이런 종류의 정확성을 가지고 지각하도록 해 주지는 않는다. ❺ 음악에 소질이 없는 사람이라도 한 옥타브를 인지할 수 있고, 아마도 한번 배우면 음의 특성, 즉 도 혹은 반음 높은 파를 인지할 수 있다. ❻ Berendt는 시각적 착각은 많지만 '청각적 착각', 즉 어떤 것이 사실은 그것이 아닌 무언가와 같이 들리는 일은 거의 없다고 지적한다. ❼ 귀는 거짓말을 하지 않는다. ❽ 청각은 보이지 않는, 기초가 되는 사물의 질서와 우리를 놀라울 정도로 연결시켜 준다. ❾ 귀를 통해서 우리는 진동에 접근할 수 있는데, 이것은 우리 주변의 모든 것의 기초를 이룬다. ❿ 다른 사람의 목소리에서 어조와 음악을 감지하는 것은 그 사람에 대해, 그 사람의 삶에 대한 태도에 대해, 그 사람의 의향에 대해 엄청난 양의 정보를 우리에게 준다.

정답 전략 ⑤ (A) 바로 뒤에서 우리가 서로 다른 소리에는 정확한 숫자를 붙일 수 있다고 했으므로 '측정'과 '판단'이라는 두 가지 능력들을 '결합하다'는 의미의 fuses가 알맞다. (B) 계속해서 시각과 청각을 비교하는데, 소리에는 정확한 숫자를 붙일 수 있다고 했고 눈은 그렇지 않다는 내용이므로 '정확성'이라는 뜻의 precision이 와야 한다. (C) 앞 문장에서 귀를 통해 보이지 않는, 기초가 되는 사물의 질서와 연결될 수 있다고 하였으므로 진동이 모든 것의 '기초가 된다'는 의미로 underlies가 알맞다.

[대표 어휘 포함 지문 2]

❶ Framing matters / in many domains. (①) ❷ When credit cards started / to become popular forms of payment /

in the 1970s, / some retail merchants wanted / to charge different prices / to their cash and credit card customers.

(②) ❸ To prevent this, / credit card companies adopted rules / [that forbade their retailers / from charging

앞 문장의 내용
rules를 선행사로 하는 주격 관계대명사
forbid A from + 동명사: A가 ~하는 것을 금지하다

different prices to cash and credit customers]. (③) ❹ **However, / when a bill was introduced in Congress /**

to outlaw such rules, / the credit card lobby turned its attention / to language. ❺ Its preference was / that

부사적 용법(목적)
보어절을 이끄는 접속사

if a company charged different prices to cash and credit customers, / the credit price should be considered

the "normal" (default) price / and the cash price a discount — / rather than the alternative / of making

should be considered가 생략됨
of 뒤의 내용을 가리킴(동격)

the cash price the usual price / and charging a surcharge to credit card customers. (④) ❻ The credit card

making과 charging은 of의 목적어(병렬구조)

companies had / a good intuitive understanding / of [what psychologists would come to call "framing."] (⑤)

of의 목적어인 관계대명사절

❼ The idea is / that choices depend, in part, on the way / [in which problems are stated].

보어절을 이끄는 접속사
the way를 선행사로 하는 관계대명사

해석 ❶ 프레이밍(Framing)은 많은 영역에서 중요하다. ❷ 신용카드가 1970년대에 인기 있는 지불 방식이 되기 시작했을 때, 몇몇 소매상들이 현금과 신용카드 고객들에게 다른 가격을 청구하고 싶어 했다. ❸ 이를 막기 위해, 신용카드 회사들은 소매상들이 현금과 신용카드 고객들에게 다른 가격을 청구하는 것을 막는 규정을 채택했다. ❹ 하지만, 그러한 규정들을 금지하기 위한 법안이 의회에 제출되었을 때, 신용카드 압력 단체는 주의를 언어로 돌렸다. ❺ 그 단체가 선호한 것은 만약 회사가 현금과 신용카드 고객들에게 다른 가격을 청구한다면, 현금 가격을 일반 가격으로 만들고 신용카드 고객들에게 추가요금을 청구하는 대안보다는 오히려 신용카드 가격은 "정상"(디폴트) 가격으로, 현금 가격은 할인으로 여겨져야 한다는 것이었다. ❻ 신용카드 회사들은 심리학자들이 "프레이밍"이라

고 부르게 된 것에 대한 훌륭한 직관적 이해를 하고 있었다. ❼ 그 발상은 선택이 어느 정도는 문제들이 언급되는 방식에 달려있다는 것이다.

정답 전략 ③ 주어진 문장의 such rules는 rules that forbade

their retailers from charging different prices to cash and credit card customers를 말하고 있고, ③ 뒤에 오는 문장의 내용이 주어진 문장의 language를 설명하고 있다.

지 문 한 눈 에 보 기

1

❶ Research [from the Harwood Institute for Public Innovation in the USA] shows / that people feel / that
　　　　　전치사구 수식　　　　　　　　　　　　　　　　　　　　　　　　　　　　　　　목적절을 이끄는 접속사

'materialism' somehow comes / between them and the satisfaction of their social needs. ❷ A report [entitled
　　which is 생략

Yearning for Balance], / [based on a nationwide survey of Americans], / concluded / that they were 'deeply
　　　　　　　　　　　　　A report를 수식　　　　　　　　　　　　　　A report가 주어

ambivalent about wealth and material gain'. ❸ A large majority of people wanted society / to 'move away from

greed and excess / toward a way of life [more centred on values, community, and family]'. ❹ But they also felt
　　　　　　　　　　　　　　　　　　　　　　　　　　과거분사구가 뒤에서 수식　　　　　　　　　　　　　삽입절

/ that these priorities were not shared / by most of their fellow Americans, / who, they believed, had become
　　　　　　　　　　　　　　　　　　　　　　　　　　　　　　　　　　　their fellow Americans를 보충 설명하는 주격 관계대명사절

'increasingly atomized, selfish, and irresponsible'. ❺ As a result / they often felt isolated. ❻ However, / the report

says, / that when brought together in focus groups / to discuss these issues, / people were 'surprised and excited
　　　　　시간의 부사절에서 「주어+be동사(people were)」의 생략

/ to find that others share[d] their views'. ❼ Rather than uniting us with others / in a common cause, / the unease
　부사적 용법: ~해서(감정의 원인)

[we feel about the loss of social values and the way we are drawn into the pursuit of material gain] is often
　　　　　　the loss와 the way가 and로 연결되어 about의 목적어 역할을 함　　　　　　　　　　　　　　　　　is의 주어는 the unease

experienced / as if it were a purely private ambivalence / [which cuts us off from others]. → ❽ Many Americans,
　　　　　　　주절과 같은 시점의 반대를 가정　　　　　　　　　　　　　　ambivalence를 수식하는 주격 관계대명사절

/ believing that materialism keeps them from (A)**pursuing** social values, / feel detached from most others, / but
　주어와 동사 사이에 삽입된 분사구문(부연 설명)　　　　　　　　　　　　　　　　　　feel의 주어는 Many Americans

this is actually a fairly (B)**common** concern.
　앞 절을 가리킴

해석 ❶ 미국 Harwood 공공혁신기관의 연구는 사람들이 '물질주의'가 왠지 그들과 그들의 사회적 욕구의 만족 사이에 끼어든다고 느낀다는 것을 보여준다. ❷ 미국인에 대한 전국적인 조사를 토대로 한, Yearning for Balance(균형에 대한 갈망)라는 제목의 보고서는 그들이 '부와 물질적 이익에 대해 매우 양면 가치적'이라는 결론을 내렸다. ❸ 대다수의 사람들은 사회가 '탐욕과 과잉에서 벗어나 가치, 공동체, 가족에 더 중심을 두는 삶의 방식으로 향하기'를 원했다. ❹ 그러나 그들은 이러한 우선순위가 그들이 믿기에 '점점 더 개별화되고, 이기적이며, 무책임해진' 대다수의 동료 미국인에 의해 공유되지 않는다고 느끼기도 했다. ❺ 그 결과, 그들은 종종 소외된 기분이 들었다. ❻ 그러나 보고서에 따르면, 이러한 문제를 논의하기 위해 초점집단으로 모였을 때, 사람들은 '다른 사람들이 그들의 견해를 공유한다[했다]는 것을 알게 되어 놀라고 흥분'했다. ❼ 사회적 가치의 상실과 물질적 이익의 추구로 끌려 들어가는 방식에 대해 우리가 느끼는 불안감은, 다른 사람들과 우리를 공동의 대의로 결속하기보다는 마치 우리를 다른 사람들과 단절시키는 순전히 개인적 양면 가치인 것처럼 흔히 경험된다. → ❽ 많은 미국인들이 물질주의가 자신들이 사회적 가치를 추구하는 것을 막는다고 믿으며 대부분의 다른 사람들로부터 동떨어진 기분을 느끼지만, 이것은 실제로 상당히 공통적인 우려이다.

정답 전략 ② 대다수의 미국인은 물질주의를 벗어나 사회적 가치를 '지향하기'를 바라면서도 다른 사람들은 자신과 다른 생각일 거라 믿고 소외감을 느꼈지만, 실제로 초점집단으로 모인 사람들은 그러한 견해를 '공유했다'고 했다. 따라서 요약문의 빈칸 (A)와 (B)에 각각 들어갈 말로 가장 적절한 것은 ② '추구하는 – 공통적인'이다. ① 추구하는 – 불필요한 ③ 지니는 – 개인적인 ④ 부정하는 – 윤리적인 ⑤ 부정하는 – 주된

지 문 한 눈 에 보 기

2

❶ [How the bandwagon effect occurs] / is demonstrated / by the history of measurements of the speed of
　　주어인 명사절

light. ❷ Because this speed is the basis of the theory of relativity, / it's one of the most frequently and carefully
　　　　　　　　　　　　　　　　　　　　　　　　　　　　　　the speed of light를 가리킴

measured ①quantities / in science. ❸ As far as we know, / the speed hasn't changed over time. ❹ However, / from 1870 to 1900, / all the experiments found / speeds [that were too high]. ❺ Then, / from 1900 to 1950, / the

_{speeds를 선행사로 하는 주격 관계대명사}

②opposite happened / — all the experiments found / speeds [that were too low]! ❻ This kind of error, / where

_{speeds를 선행사로 하는 주격 관계대명사}   _{error를 선행사로 하는 관계부사절}

results are always on one side of the real value, / is called "bias." ❼ It probably happened / because over time, experimenters subconsciously adjusted their results / to ③match / what they expected to find. ❽ If a result fit /

_{부사적 용법(목적)}   _{동사 fit의 과거형}

what they expected, / they kept it. ❾ If a result didn't fit, / they threw it out. ❿ They weren't being intentionally dishonest, / just ④influenced by the conventional wisdom. ⓫ The pattern only changed / when someone

_{being이 생략된 수동의 분사구문}

⑤lacked(→ had) the courage / [to report what was actually measured / instead of what was expected].

_{the courage를 꾸미는 형용사적 용법}

해석 ❶ 편승 효과가 어떻게 일어나는지는 빛의 속력 측정의 역사로 입증된다. ❷ 이 속력은 상대성 이론의 기초이기 때문에, 과학에서 가장 빈번하고 면밀하게 측정된 물리량 중 하나이다. ❸ 우리가 아는 한, 빛의 속력은 시간이 흐르는 동안 아무런 변함이 없었다. ❹ 그러나 1870년부터 1900년까지 모든 실험은 너무 높은 속력을 발견했다. ❺ 그리고 나서, 1900년부터 1950년까지 그 반대 현상이 일어나, 모든 실험이 너무 낮은 속력을 발견했다! ❻ 결과가 항상 실제 값의 어느 한쪽에 있는 이런 형태의 오류는 '편향'이라고 불린다. ❼ 그것은 아마 시간이 흐르면서 실험자들이 자신들이 발견할 것이라 예상한 것과 일치하도록 잠재의식적으로 결과를 조정했기 때문에 일어났을 것이다. ❽ 결과가 그들이 예상한 것과 부합하면, 그들은 그것을 유지했다. ❾ 결과가 부합하지 않으면, 그들은 그것을 버

렸다. ❿ 그들이 의도적으로 부정직한 것은 아니었고, 단지 일반적인 통념에 의해 영향을 받았을 뿐이었다. ⓫ 그 패턴은 누군가가 예상된 것 대신 실제로 측정된 것을 보고할 용기가 부족했을(→ 있었을) 때에서야 바뀌었다.

정답 전략 ⑤ 편향의 오류는 예상한 것에 부합하는 결과만 남고 부합하지 않는 결과는 버려졌을 때 일어나는데, 이러한 패턴이 바뀌려면 누군가가 예상한 것이 아니라 실제로 측정된 수치를 보고할 용기가 '있어야' 할 것이다. 따라서 ⑤ lacked(부족했다)를 had(가지고 있었다)와 같은 낱말로 고쳐야 한다.

❶ In retrospect, / it might seem surprising / that something [as mundane as the desire to count sheep] / was the

_{가주어}   _{진주어 (that절)}   _{형용사구가 뒤에서 수식}   _{was의 주어는 something}

driving force for an advance / [as fundamental as written language]. ❷ But the desire for written records / has

_{형용사구가 뒤에서 수식}

always accompanied economic activity, / since transactions are meaningless / unless you can clearly keep track

_{= because}

/ of [who owns what]. ❸ As such, early human writing is dominated / by wheeling and dealing: / a collection of

_{of의 목적어인 간접의문문}   _{예시를 이끄는 콜론}

bets, bills, and contracts. ❹ Long before we had the writings of the prophets, / we had the writings of the profits.

❺ In fact, / many civilizations never got to the stage / of recording and leaving behind the kinds of great literary

_{전치사 to (~에)}   _{of의 목적어(병렬구조)}

works / [that we often associate with the history of culture]. ❻ [What survives these ancient societies] is, / for the

_{great literary works를 선행사로 하는 목적격 관계대명사}   _{선행사를 포함하는 관계대명사 what}

most part, / a pile of receipts. ❼ If it weren't for the commercial enterprises / that produced those records, / we

_{= Were it not for: ~가 없다면}

would know far, far less about the cultures / that they came from.

해석 ❶ 돌이켜보면 양의 수를 세고자 하는 욕구만큼 세속적인 것이 문자 언어처럼 근본적인 진보의 원동력이었다는 것은 놀라운 일로 보일지도 모른다. ❷ 그러나 문자 기록에 대한 욕구는 언제나 경제 활동을 수반해 왔는데, 그 이유는 누가 무엇을 소유하고 있는지 명확하게 정보를 얻어내지 못하는 한 거래는 무의미하기 때문이다. ❸ 따라서 초기의 인간의 글쓰기는 내기의 대상, 계산서, 계약서의 모음과 같이 술책을 부리는 것이 중요한 특징이 되었다. ❹ 우리는 예언자들의 기록을 갖기 훨씬 이전에 이익에 관한 기록을 가졌다. ❺ 사실, 많은 문명이 우리가 흔히 문화의 역사와 연관 짓는 그런 종류의 위대한 문학 작품을 기록하고 그것을 뒤에 남기는 단계에

결코 이르지 못했다. ❻ 이런 고대 사회에서 살아남은 것은 대부분 영수증 더미이다. ❼ 만약 그런 기록을 만들어내는 상업적 기업이 없다면 우리는 그런 기록이 생겨난 문화에 대해 아주 훨씬 더 적게 알 것이다.

정답 전략 ① 경제 활동이 고대 사회에서의 문자 언어 발전의 원동력이었다는 내용의 글이다.

---

4 지문 한눈에 보기

❶ Lawyers and scientists use / argument [to mean a summary of evidence and principles leading to a conclusion];
（argument를 꾸미는 형용사적 용법 / evidence and principles를 꾸미는 현재분사구）
/ ❷ however, / a scientific argument is different / from a legal argument. ❸ A prosecuting attorney constructs an argument / to persuade the judge or a jury / that the accused is guilty; / ❹ a defense attorney in the same
（persuade+목적어+that절: ~에게 …을 납득시키다）
trial constructs an argument / to persuade the same judge or jury / toward the opposite conclusion. ❺ Neither
（persuade+목적어+toward: ~을 …으로 설득하다）
prosecutor nor defender is obliged / to consider anything / [that weakens their respective cases]. ❻ On the
（동사의 수는 defender에 일치시켜 단수 / anything을 수식하는 주격 관계대명사절）
contrary, / scientists construct arguments / because they want to test their own ideas / and give an accurate
（to）
explanation of some aspect of nature. ❼ Scientists can include any evidence or hypothesis / [that supports
（any evidence or hypothesis를 수식하는 주격 관계대명사절）
their claim], / but they must observe / one fundamental rule of professional science. ❽ They must include / all of the known evidence and all of the hypotheses [previously proposed]. ❾ Unlike lawyers, / scientists must
（「주격 관계대명사+be동사」 생략됨）
explicitly account for / the possibility that they might be wrong. → ❿ Unlike lawyers, / who utilize information
（the possibility와 동격의 절을 이끄는 접속사 / lawyers를 보충 설명하는 관계대명사절）
(A) **selectively** to support their arguments, / scientists must include all information / even if some of it is unlikely
（양보의 접속사(~할 것 같더라도)）
to (B) **strengthen** their arguments.

해석 ❶ 변호사와 과학자는 어떤 결론으로 이어지는 증거와 원리의 요약을 의미하는 논거를 사용한다. ❷ 하지만 과학적 논거는 법적인 논거와 다르다. ❸ 기소 검사는 피고가 유죄라고 판사나 배심원을 설득하기 위한 논거를 구성하고, ❹ 동일한 재판의 피고 측 변호사는 동일한 판사나 배심원을 정반대의 결론으로 설득하기 위한 논거를 구성한다. ❺ 검찰관과 피고 측 변호사 중 그 어느 누구도 자신들 각자의 입장을 약화시키는 어떤 것도 고려해야 할 의무는 없다. ❻ 그와는 반대로, 과학자는 자기 자신의 생각을 검증해 보고 자연의 어떤 측면에 대해 정확한 설명을 하고 싶어 하기 때문에 논거를 구성한다. ❼ 과학자는 자신의 주장을 뒷받침하는 어떤 증거나 가설이든 포함시킬 수 있으나, 전문적인 과학의 한 가지 근본적인 규칙을 지켜야 한다. ❽ 그들은 모든 알려진 증거와 이전에 제시된

모든 가설들을 포함시켜야 한다. ❾ 변호사들과 달리 과학자들은 자신들이 틀릴 수도 있다는 가능성을 명시적으로 설명해야 한다. → ❿ 자신들의 논거를 뒷받침하기 위해 정보를 선택적으로 활용하는 변호사들과는 달리, 과학자들은 정보 중 일부가 자신들의 논거를 강화시키지 않을 것 같다 하더라도 모든 정보를 포함시켜야 한다.

정답 전략 ④ 검사나 피고 측 변호사는 자신들의 변론에 유리한 정보만을 선별적으로 선택하여 논거를 구성하지만 과학자는 자신의 가설이나 논거에 대한 유불리에 상관없이 모든 정보를 논거에 포함시켜야 한다는 내용의 글이므로, 요약문의 빈칸에 들어갈 말로 ④ '선택적으로 – 강화시키다'가 가장 적절하다. ① 객관적으로 – 약화시키다 ② 객관적으로 – 뒷받침하다 ③ 정확하게 – 분명하게 하다 ⑤ 선택적으로 – 반증하다

❶ There's a direct counterpart to pop music in the classical song, / more commonly called an "art song," / which
  <small>a direct counterpart를 보충 설명하는 분사구문</small>
does not focus on the development of melodic material. ❷ (B) Both the pop song and the art song / tend to
<small>a direct counterpart가 선행사이므로 단수 취급함</small>
follow tried-and-true structural patterns. ❸ And both will be published / in the same way / — with a vocal line
and a basic piano part [written out underneath]. ❹ (A) But the pop song will rarely be sung and played / exactly
  <small>a basic piano part를 뒤에서 수식하는 과거분사구</small>
as written / ❺ the singer is apt / to embellish that vocal line / to give it a "styling," / just as the accompanist will
  <small>부사적 용법(목적)</small>
fill out the piano part / to make it more interesting and personal. ❻ The performers might change the original
  <small>부사적 용법(목적)</small>
tempo and mood / completely. ❼ (C) You won't find / such extremes of approach / by the performers of songs
by Franz Schubert or Richard Strauss. ❽ These will be performed / note for note / because both the vocal and
  <small>= songs by Franz Schubert or Richard Strauss</small>
piano parts have been painstakingly written down / by the composer / with an ear for how each relates to the
other.

해석 ❶ 고전 성악에는 더 일반적으로는 '예술가곡'이라 불리는, 대중음악에 직접 상응하는 음악이 있는데, 그것은 멜로디 내용의 전개에 초점을 맞추지 않는다. ❷ (B) 대중음악과 예술가곡 둘 다 유효성이 입증된 구조적 패턴을 따르는 경향이 있다. ❸ 그리고 둘 다 같은 방식으로, 즉 노래 파트와 그 아래쪽에 기본적인 피아노 파트가 세세하게 적힌 상태로 출판되기 마련이다. ❹ (A) 그러나 대중음악이 작곡된 대로 정확하게 노래로 불리거나 연주되는 경우는 드물 것이다. ❺ 반주자가 피아노 파트를 채워 넣어 그것을 더 흥미롭고 개인적인 특성을 갖게 하는 것과 마찬가지로 가수도 노래 부분을 꾸며서 그것에 '스타일'을 제공하는 경향이 있다. ❻ 그 공연자들이 본래의 박자와 분위기를 완전히 바꿀 수도 있을 것이다. ❼ (C)

Franz Schubert나 Richard Strauss가 작곡한 노래의 연주자에게서는 그러한 극단적인 접근법을 찾지 못할 것이다. ❽ 이런 곡들은 음표 하나하나가 정확히 연주되기 마련인데 그 이유는 작곡가가 노래 파트와 피아노 파트가 각자 서로에게 어떻게 관련을 맺는지를 이해하는 귀를 가지고 두 파트를 고심하여 작곡했기 때문이다.

정답 전략 ② 대중음악과 예술가곡이라는 두 부류의 음악에 관해 언급한 주어진 글 다음에 이들 둘의 일반적 특징에 관해 설명하는 (B)가 이어지고, 대중음악의 개별적 특징을 언급한 (A)가 오며, 대중음악과는 다른 예술가곡의 특징을 비교하여 언급한 (C)가 이어져야 자연스럽다.

❶ Parents are quick / to inform friends and relatives / as soon as their infant holds her head up, reaches for
  <small>their infant의 동사(병렬구조) 1 동사 2</small>
objects, sits by herself, and walks alone. ❷ Parental enthusiasm for these motor accomplishments / is not at all
  <small>동사 3</small> <small>these motor accomplishments</small>
misplaced, / for they are, indeed, milestones of development. ❸ With each additional skill, / babies gain control
  <small>= because</small> <small>~에 대한 통제력</small>
over their bodies and the environment / in a new way. ❹ Infants / [who are able to sit alone] / are granted /
  <small>Infants를 수식하는 주격 관계대명사절</small>
an entirely different perspective on the world / than are those [who spend much of their day on their backs
  <small>than 뒤에서 길이가 긴 주어가 동사와 도치된 구조</small>
or stomachs]. ❺ Coordinated reaching opens up / a whole new avenue for exploration of objects, / and when
  <small>과거분사로 수식된 동명사 주어</small>
babies can move about, / their opportunities for independent exploration and manipulation / are multiplied.
  <small>are의 주어는 their opportunities</small>

❻ No longer / are they restricted / to their immediate locale and to objects [that others place before them].
_{부정어구가 앞에 오면서 주어와 동사가 도치됨}　　　　　　　　　　　　　　　　　　　　　　_{objects를 수식하는 목적격 관계대명사절}

❼ As new ways [of controlling the environment] are achieved, / motor development provides the infant / with
　　　　　　_{전치사구의 수식(~에 관한)}　　　　　　　　　　　　　　　　　　　　　　　　_{provide A with B: A에게 B를 주다}

a growing sense of competence and mastery, / and it contributes in important ways / to the infant's perceptual
　　　　　　　　　　　　　　　　　_{= a growing sense of competence and mastery}

and cognitive understanding of the world.

해석 ❶ 부모는 자신들의 유아가 머리를 가누고 물건을 집으러 손을 뻗고 스스로 앉고 혼자서 걷자마자 친구와 친척들에게 재빨리 알린다. ❷ 이러한 운동기능의 성취에 대한 부모의 열성은 전혀 잘 못된 것이 아닌데, 왜냐하면 그것들은 실제로 발달의 중요한 단계들이기 때문이다. ❸ 각각의 추가적인 기술로 아기들은 새로운 방식으로 자신들의 신체와 환경에 대한 통제력을 얻는다. ❹ 혼자서 앉을 수 있는 유아는 하루의 많은 부분을 눕거나 엎드려 보내는 유아들에 비해 세상에 대한 완전히 다른 시각을 부여받게 된다. ❺ 근육의 공동작용에 의한 손 뻗기는 사물의 탐구에 대한 온전히 새로운 길을 열어주며, 아기들이 돌아다닐 수 있을 때 독립적인 탐구와 조작을 위한 기회는 크게 증가된다. ❻ 그들은 이제 더 이상 자신들에게 가까운 장소와 다른 사람들이 그들의 앞에 놓아두는 물건들에만 제한되어 있지 않다. ❼ 환경을 조절하는 새로운 방식이 성취되면서 운동능력의 발달은 유아에게 능력과 숙달에 대한 증가하는 인식을 제공하고, 그것은 세상에 대한 유아의 지각 및 인지적 이해에 중요한 방식으로 기여한다.

정답 전략 ① 유아의 운동 능력의 발달은 주변 세상에 대한 완전히 새로운 시각을 제공하고 환경을 조절할 수 있게 해주어 세상에 대한 지각 및 인지적 이해에 기여한다는 내용이다.

---

❶ Some natural resource-rich developing countries / tend to create an excessive dependence / on their

natural resources, / which generates a lower productive diversification and a lower rate of growth. ❷ Resource
　　　　　　　_{앞 절 전체가 선행사 역할}

abundance in itself / need not do any harm: / ❸ many countries have abundant natural resources / and have
　　　　　　　　　　_{조동사로 쓰였으며, 부정형은 '~하지 않아도 된다'라는 의미}

managed to outgrow their dependence on them / by diversifying their economic activity. ❹ That is the case of
_{manage to: 간신히 ~하다, 그럭저럭 ~하다}

Canada, Australia, or the US, / to name the most important ones. ❺ But some developing countries are trapped

/ in their dependence on their large natural resources. ❻ They suffer from a series of problems / since a heavy
　　_{= because}

dependence on natural capital tends to exclude other types of capital / and thereby ^(to)interfere with economic
　　　　　　　　　　　　　　　　　　　　　　　　　　　　　　　　　　　_{to exclude와 병렬구조}

growth. → ❼ [Relying on rich natural resources / without (A)**varying** economic activities] / can be a (B)**barrier** to
　　　　　　_{동명사구 주어}

economic growth.

해석 ❶ 천연자원이 풍부한 일부 개발도상국들은 자국의 천연자원에 대해 지나치게 의존하는 경향이 있으며, 이는 더 낮은 생산적 다양화와 더 낮은 성장률을 초래한다. ❷ 자원의 풍요가 그 자체로 해가 되어야 하는 것은 아닌데, ❸ 많은 나라들이 풍부한 천연자원을 가지고 있으며 자국의 경제활동을 다양화함으로써 그것(풍부한 천연자원)에 대한 의존에서 겨우 벗어났다. ❹ 가장 중요한 나라들을 꼽자면 캐나다, 호주, 또는 미국의 경우가 그러하다. ❺ 하지만 일부 개발도상국들은 자국의 많은 천연자원에 대한 의존에 갇혀 있다. ❻ 자연 자본에 대한 과도한 의존은 다른 형태의 자본을 배제하고 그로 인해 경제 성장을 저해하는 경향이 있기 때문에 그 국가들은 일련의 문제를 겪고 있다. → ❼ 경제활동을 다양화하지 않은 채 풍부한 천연자원에 의존하는 것은 경제 성장에 장애가 될 수 있다.

정답 전략 천연자원에 대한 지나친 의존으로 인해 경제 성장이 저하된다는 것이 주된 내용이므로, 빈칸에 들어갈 말로 가장 적절한 것은 ① '다양화하지 – 장애'이다.
② 다양화하지 – 지름길 ③ 제한하지 – 난제 ④ 제한하지 – 장애 ⑤ 연결하지 – 지름길

❶ We create a picture of the world / using the examples [that most easily come to mind]. ❷ This is foolish, /
分사구문　　　　　　　　　　the examples를 꾸미는 주격 관계대명사절

of course, / because / in reality, / things don't happen more frequently / just because we can imagine them
not ~ just because ...: 단지 …하다고 ~하지는 않다

more easily. ❸ Thanks to this prejudice, / we travel through life / with an incorrect risk map in our heads. ❹

Thus, / we overestimate / the risk of being the victims / of a plane crash, a car accident, or a murder. ❺ And we

underestimate / the risk of dying from less spectacular means, / such as diabetes or stomach cancer. ❻ The
~와 같은(예시를 이끎)

chances of bomb attacks are much rarer / than we think, / and the chances of suffering depression are much

higher. ❼ We attach too much likelihood / to spectacular, flashy, or loud outcomes. ❽ Anything silent or invisible
attach A to B: A를 B에 부여하다　　　　　　　　　　　　　　　　　　　　　동사의 목적어를 강조하기 위해 문장 맨 앞에 둔 구조

/ we downgrade / in our minds. ❾ Our brains imagine / impressive outcomes / more readily / than ordinary

ones.
= outcomes

해석 ❶ 우리는 가장 쉽게 떠오르는 예시를 사용하여 세상에 대한 그림을 만들어낸다. ❷ 물론, 이것은 어리석은데, 왜냐하면 현실에서 사건들은 단지 우리가 더 쉽게 상상할 수 있다는 이유로 더 자주 발생하지는 않기 때문이다. ❸ 이 편견 때문에, 우리는 우리의 머릿속에 있는 부정확한 위험 지도를 가지고 삶을 헤쳐나간다. ❹ 따라서, 우리는 우리가 비행기 추락, 자동차 사고, 또는 살인의 희생자가 될 위험성을 과대평가한다. ❺ 그리고 우리는 당뇨병 또는 위암과 같은 덜 극적인 방법으로 죽을 위험성은 과소평가한다. ❻ 폭탄 공격의 가능성은 우리가 생각하는 것보다 훨씬 희박하고, 우울증으로 고통받을 가능성은 훨씬 더 높다. ❼ 우리는 극적이고, 눈에 띄고, 요란한 결과에 지나치게 많은 가능성을 부여한다. ❽ 우리는 조용하거나 보이지 않는 것을 우리의 마음속에서 평가절하한다. ❾ 우

리의 뇌는 평범한 것보다 인상적인 결과를 더 쉽게 상상한다.

정답 전략 ① 극적이지 않은 것은 과소평가하고 요란한 것에 더 많은 가능성을 부여한다는 내용이므로 ① '우리는 극적인 것들에 더 무게를 둔다!'가 제목으로 알맞다. ② 두뇌는 논리적인 사고를 하지, 감정적인 사고를 하지 않는다 ③ 긍정적인 이미지를 선호하는 우리의 두뇌 ④ 사람들이 편견을 어떻게 극복할 수 있는가? ⑤ 위험 분석의 오류를 줄이는 방법

창의·융합·코딩 | 전략　　　　　　　　　　　　　　　　　　　　　| 30~33쪽

1 underestimated, Unfold, misguiding, incomplete
2 Down 1 adjust 2 immigrate 3 disapprove 4 mislead 7 unlock
　Across 3 detach 5 outlaw 6 interpersonal 8 undermine
3 (1) (위에서 아래로) disapprove, disregard, ×, disclose, disprove　　　(2) ◇ = i ■ = n ★ = l ♠ = m
4 (1) The family immigrated to the United States.　　　(2) Nobody disapproved of them.
　(3) Allocate your income into separate accounts.　　　(4) Those children were illiterate in English.

---

1 해석

나 이것 좀 도와줘!

몇 분 전에는 내 기술을 과소평가했으면서, 그런데 이제는 나에게 도움을 요청하고 있다니!

이 부분을 어떻게 해야 할지 모르겠어.

 오, 그 모서리들을 접으면 안돼. 그것들을 펼쳐.

 확실해? 너 나를 잘못 이끌고 있는 것 같아.

 왜 이렇게 의심해?

 미안해. 도와줘서 고마워.

 아직 미완성이야. 계속 하자.

2 해석

Down
1 새로운 환경에 적응하다
2 영구적으로 살기 위해 다른 나라에 오다
3 그는 내가 운동을 하지 않는 것을 못마땅해 한다.
4 잘못된 방식으로 이끌다
7 자물쇠를 풀다

Across
3 무언가를 원래 자리에서 떼어 놓다
5 반의어: 합법화하다
6 그녀는 다른 사람들과 효과적으로 의사소통한다. 그녀는 훌륭한 대인관계 기술을 가졌다.
8 무언가를 약화시키거나 망가뜨리기 위해 행동하다
   동의어: 고의로 망치다

1 개념 돌파 전략 ① CHECK | 36~39쪽

1 pre- 2 fore- 3 ① 4 ② 5 sur- 6 re- 7 ① 8 ② 9 ③

1 개념 돌파 전략 ② | 40~41쪽

A prehistoric **B** replace **C** overloads **D** ①

A 해석 출생 당시 기대 수명의 주요 결정 요인은 아동 사망률인데, 이것은 고대에 극히 높았고, 이 사실은 35세라는 <u>선사 시대</u> 사람들의 기대 수명을 왜곡한다. 우리는 이 사실이 이 당시에 살았던 보통 사람이 35세에 죽었다는 것을 의미하지 않는다는 것을 알 수 있다. 오히려, 그 것은 유아기에 죽은 아이 한 명 당 또 다른 사람이 70세까지 살았을지도 모른다는 것을 의미한다.

끊어 읽기로 보는 구문

출생 당시 기대 수명의 주요 결정 요인은   아동 사망률이다   고대에

A major determinant of life expectancy at birth / is the child mortality rate / [which, / in our ancient past,
                                                     the child mortality rate를 선행사로 하는 주격 관계대명사

극히 높았던   그리고 이것은 왜곡한다   선사 시대 사람들의 기대 수명을   35세라는

was extremely high], / and this skews / the life expectancy for prehistoric humans, / which is 35 years.
                  this는 앞 절의 내용을 지칭함   선행사는 the life expectancy
                                                              for prehistoric humans

B 해석 연구는 카페인이 두통을 치료하기 위해 진통제와 함께 사용될 때 효과적이라는 것을 일관적으로 보여주었다. 또한 카페인 섭취와 하 루 종일 각성된 상태로 있는 것 사이에는 양(陽)의 상관관계가 잘 확립되어 있다. 60mg(일반적으로 차 한 잔에 든 분량)만큼의 적은 분량으 로도 반응 시간이 빨라질 수 있다. 하지만, 각성과 정신적 수행 능력을 향상시키기 위해 카페인을 사용하는 것은 숙면을 취하는 것을 <u>대체</u> <u>하지</u> 못한다.

끊어 읽기로 보는 구문

연구는 일관적으로 보여주었다   카페인이 효과적이라는 것을   진통제와 함께 사용될 때

Studies have consistently shown / caffeine to be effective / when used together with a pain reliever
                      show A + to부정사: A가 ~하다는 것을 보여주다   when과 used 사이에 「주어+be동사(caffeine is)」 생략됨

두통을 치료하기 위해

/ to treat headaches.
   부사적 용법(목적)

C 해석 어떤 회사에 투자해야 할지 여부를 결정할 때, 주식 중개인들은 다른 정보들 중에서 실권을 가진 사람들, 그 회사가 가진 시장의 현재 규모와 잠재적 규모, 순수익, 그 회사의 과거, 현재 및 미래의 주식 가격 등을 고려할 수 있다. 이 요인들을 모두 저울질하는 것은 작동 기억 의 너무 많은 부분을 차지할 수 있기에 그것은 압도당하게 된다. 정보가 이런 식으로 작동 기억에 <u>과부하가 걸리게</u> 하면, 주식 중개인들은 그 모든 전략과 분석을 버리고 감정적인, 즉 직감적인 결정을 하게 될 수도 있다.

끊어 읽기로 보는 구문

정보가 이런 식으로 작동 기억에 과부하가 걸리게 하면   그것은 주식 중개인들이 버리게 만들 수 있다
When information overloads working memory this way, / it can make brokers scrap /
                                                                        make+목적어+원형부정사: ~가 …하게 하다

그 모든 전략과 분석을   그리고 감정적인, 즉 직감적인 결정을 하게
all the strategizing and analyses / and go for emotional, or gut, decisions.
                    scrap과 접속사 and로 연결된 원형부정사(병렬구조)

© Ti_ser / shutterstock

D [해석] 300여 년 전에 La Rochefoucauld는 "완벽한 용기는 당신이 모든 사람 앞에서 할 수 있어야 하는 것을 아무도 보지 않을 때 하는 것이다"라고 말했다. 도덕적 용기를 가장하는(→ 보여주는) 것은 쉽지 않다. 그러나 대담하게 진실을 위해 진심 어린 입장을 취하는 사람들은 종종 그들의 기대를 넘어서는 결과를 성취한다. 반면, 냉담한 사람들은 그것이 그들의 행복과 관계가 있을 때조차 거의 용기에서 차이를 보이지 않는다. 모든 상황에서 용감한 것은 강한 결단을 요구한다.

[정답 전략] ① 진실을 위해 진심 어린 입장을 취하는 것, 모든 상황에서 용감한 것이 쉽지 않다는 내용의 글이므로, 도덕적 용기를 '가장하는 (fake)' 것이 아니라 '보여주는(show)' 것이 쉽지 않다고 해야 자연스럽다.

[끊어 읽기로 보는 구문]

그러나 진실을 위해 대담하게 진심 어린 입장을 취하는 사람들은   종종 결과를 성취한다
But persons [who are daring in taking a wholehearted stand for truth] / often achieve results /
              persons를 선행사로 하는 주격 관계대명사

그들의 기대를 넘어서는
[that surpass their expectations].
results를 선행사로 하는 주격 관계대명사

DAY 2 필수 체크 전략 ①, ② | 42~47쪽

[대표 어휘 포함 지문]	**1** ②	**1-1** superior	**2** ⑤		
	1 ⑤	**2** ②	**3** ④	**4** ②	

[대표 어휘 포함 지문 **1**]   지 문 한 눈 에 보 기

❶ People sometimes make downward social ①comparisons / — comparing themselves to inferior or worse-
                                                              compare A to B: A를 B와 비교하다
off others — / to feel better about themselves. ❷ This is self-enhancement / at work. ❸ But what happens /
          부사적 용법(목적)   at work: 작용하여
when the only available ②comforting(→ comparing) target [we have] is superior or better off / than we are?
                                                        목적격 관계대명사가 생략됨
❹ Can self-enhancement motives still be served / in such situations? ❺ Yes, they can, / as captured by the self-
                                                                                      접속사(~처럼)
evaluation maintenance model. ❻ According to this theory, / we shift between two processes — reflection

and comparison — / in a way / [that lets us ③maintain favorable self-views]. ❼ In areas [that are not especially
                              a way를 선행사로 하는 주격 관계대명사   areas를 선행사로 하는 주격 관계대명사
relevant / to our self-definition], / we engage in ④reflection, / whereby we flatter ourselves / by association with
                                                              = by which
others' accomplishments. ❽ Suppose / you care very little about your own athletic skills, / ❾ but when your

friend scores the winning goal during a critical soccer match, / you beam with pride, / ⑤experience a boost to
                                                              주절의 주어
your self-esteem, / and take delight in her victory celebrations / as if, / by association, / it were your victory too.
         주절의 동사 beam, experience, take가 등위접속사 and로 연결됨   as if 가정법 과거: 주절과 같은 시점의 반대 사실을 가정

❶ 사람들은 자신에 대해 더 좋게 느끼기 위해 때때로 아래로 향하는 사회적 비교, 즉 자신을 열등하거나 상황이 더 나쁜 다른 사람들과 비교하는 일을 한다. **❷** 이것은 자기 고양감이 작동하는 것이다. **❸** 그러나 우리가 가진 유일하게 이용할 수 있는 격려(→ 비교) 대상이 우리보다 우월하거나 상황이 더 나을 때는 어떤 일이 생기는가? **❹** 그런 상황에서도 자기 고양감의 동기가 여전히 도움이 될까? **❺** 그렇다, 자기 평가 유지 모델에 의해 표현된 대로 그럴 수 있다. **❻** 이 이론에 따르면 우리는 유리한 자기관을 유지시켜 주는 방식으로 반영과 비교라는 두 가지 과정 사이에서 이동한다. **❼** 자기 인식에 특별히 관련되지 '않은' 곳에서는, 우리는 '반영'을 하고, 그럼으로써 다른 사람들의 성취와 관련지어서 자신을 치켜세운다.

❽ 여러분이 자신의 운동 기술에 신경을 거의 쓰지 않는다고 하자. **❾** 그러나 여러분의 친구가 중요한 축구 시합에서 결승골을 넣을 때 여러분은 자랑스럽게 활짝 웃고, 여러분의 자부심을 높이는 힘을 경험하고, 그리고 연상에 의해 마치 그것이 여러분의 승리인 것처럼 그녀의 승리 축하에 기뻐한다.

정답 전략 ② 앞에서 자신에 대해 더 좋게 느끼려고 열등한 상대와 비교한다고 했으며, 반대로 이 문장에서는 '비교' 가능한 유일한 상대가 자신보다 우월한 경우에 대해 말하려고 하고 있다. '격려가 되는'이라는 뜻의 comforting이 아니라 '비교하는'의 comparing이 되어야 한다.

[대표 어휘 포함 지문 2]   지 문 한 눈 에 보 기

❶ Since the beginning of time, / dreams have been regarded / as prophetic communications [which, / when properly decoded, / would enable us to foretell the future].
prophetic communications를 선행사로 하는 주격 관계대명사
시간 부사절에서 「주어+be동사」가 생략됨   enable ~ to부정사: ~가 …할 수 있게 하다
❷ There is, however, absolutely no scientific evidence / for this theory. **❸** To prove the existence of premonitory dreams, / scientific evidence must be obtained. **❹** We would need / to do studies / in which individuals are sampled in terms of their dream life / and judges are asked
= where (관계사절 속에 and로 연결된 두 개의 절을 포함함)   A problem을 선행사로 하는 주격 관계대명사
to make correspondences / between these dream events and events [that occurred in real life]. **❺** A problem [that
individuals를 선행사로 하는 주격 관계대명사   바로 앞의 events를 선행사로 하는 주격 관계대명사
arises here] is / that individuals [who believe in premonitory dreams] may give / one or two striking examples
문장의 보어를 이끄는 접속사로 but으로 연결된 두 개의 절을 포함함
of 'hits,' / but they never tell you / how many of their premonitory dreams 'missed.' **❻** To do a scientific study of
부사적 용법(목적)
dream prophecy, / we would need / to establish some base / of how commonly coincidental correspondences
목적어 역할을 하는 간접의문문, 「의문사+주어+동사」의 어순
occur / between dream and waking reality. **❼** Until we have that evidence, / it is better / to believe / that the
가주어   진주어
assumption is false.

해석 **❶** 태초부터 꿈은 적절하게 해석되면 우리가 미래를 예언할 수 있게 하는 예언적인 소통으로 간주되어 왔다. **❷** 그러나 이 이론에 대한 과학적인 증거는 전혀 없다. **❸** 예고하는 꿈의 존재를 증명하기 위해서는 과학적인 증거가 확보되어야 한다. **❹** 꿈 생활(꿈 이야기)에 관해 개인들이 표본이 되고 전문가들이 이런 꿈속 사건들과 현실에서 일어난 사건들을 일치시키도록 요구되는 연구를 할 필요가 있다. **❺** 여기서 일어나는 문제점은 예고의 꿈을 믿는 개인들이 한두 개의 눈에 띄는 '적중' 사례를 제공할 수 있지만 그들의 예고하는 꿈 중 얼마나 많은 사건들이 '빗나갔는'지는 절대 말하지 않는다는 것이다. **❻** 꿈 예언에 대한 과학적인 연구를 하려면 우리는 꿈과 깨어있는 현실 사이에 얼마나 흔하게 우연의 일치가 발생하는

지에 대한 토대를 확립할 필요가 있다. **❼** 그 증거를 갖기 전까지, 그 가정이 틀렸다고 믿는 것이 낫다.

정답 전략 ⑤ 꿈이 미래를 예언할 수 있다고 증명하려면 과학적 연구가 필요하며, 그것이 쉽지 않은 일임을 설명하고 있다. 따라서 '꿈은 미래를 예언할 수 있는가?'가 제목으로 적절하다. ① 사람들은 왜 꿈을 꾸는가? ② 꿈을 해석하는 방법 ③ 예언하는 꿈의 기원 ④ 꿈에 대한 과학적인 역사

---

1   지 문 한 눈 에 보 기

❶ Because elephant groups break up and reunite very frequently / — for instance, / in response / to variation in food availability / — reunions are more important in elephant society / than among primates. ❷ And the species has evolved elaborate greeting behaviors, / the form of which reflects the strength of the social bond / between

elaborate greeting behaviors를 보충 설명하는 관계대명사

the individuals (much like / how you might merely shake hands with a long-standing acquaintance / but hug a close friend [you have not seen in a while], and maybe even tear up). ❸ Elephants may greet each other / simply

목적격 관계대명사 생략

by reaching their trunks into each other's mouths, / possibly equivalent to a human peck on the cheek. ❹ However, / after long absences, / members of family and bond groups / greet one another / with incredibly theatrical displays. ❺ The fact [that the intensity reflects the duration of the separation / as well as the level of

The fact = that절(동격)

intimacy] suggests / that elephants have a sense of time as well. ❻ To human eyes, / these greetings strike a

주어는 The fact

familiar chord. ❼ I'm reminded of the joyous reunions / [so visible in the arrivals area of an international airport

「주격 관계대명사 + be동사」가 생략됨

terminal]. → ❽ The evolved greeting behaviors of elephants can serve / as an indicator / of how much they are

두 개의 간접의문문이 of의 목적어로 쓰임

socially (A) **tied** and / how long they have been (B) **parted**.

해석 ❶ 코끼리 집단은, 예컨대 먹이의 이용 가능성의 변화에 대응하여, 매우 자주 헤어지고 재결합하기 때문에 코끼리 사회에서는 영장류들 사이에서보다 재결합이 더 중요하다. ❷ 그래서 이 종은 정교한 인사 행동을 진화시켜 왔는데, 그 형태는 개체들 사이의 사회적 유대감의 강도를 반영한다(마치 여러분이 오래전부터 알고 지내온 지인들과는 단지 악수만 하지만 한동안 보지 못했던 친한 친구는 껴안고, 어쩌면 눈물까지 흘릴 수도 있는 것처럼). ❸ 코끼리는 단순히 코를 서로의 입안으로 갖다 대면서 인사를 할 수도 있는데, 이것은 아마도 사람들이 뺨에 가볍게 입 맞추는 것과 같을 것이다. ❹ 그러나 오랜 공백 후에는 가족이나 친밀 집단의 구성원은 믿을 수 없을 정도로 극적인 모습을 보이며 서로에게 인사한다. ❺ 강

렬함이 친밀도뿐만 아니라 떨어져 있었던 시간의 길이도 반영한다는 사실은 코끼리들에게도 시간 감각이 있다는 것을 암시한다. ❻ 사람들의 눈에 이런 인사 행위는 공감을 불러일으킨다. ❼ 나는 국제공항 터미널 도착 구역에서 잘 볼 수 있는 환희의 상봉 장면을 생각해 내게 된다. → ❽ 코끼리의 진화된 인사 행동은 그들이 얼마나 사회적으로 결부되어 있으며 얼마나 오랫동안 헤어져 있었는지를 보여주는 지표가 될 수 있다.

정답 전략 ⑤ 코끼리들이 재결합할 때 친밀도와 떨어져 있던 시간에 따라 인사 행동을 다르게 한다는 내용의 글이다. 따라서 ⑤ '결부된 – 헤어진'이 적절하다.

2

❶ Traditionally, / Kuhn claims, / the primary goal of historians of science was / 'to clarify and deepen an

보어로 쓰인 to부정사

understanding of *contemporary* scientific methods or concepts / by displaying their evolution'. ❷ (B) This

= contemporary scientific methods or concepts

entailed / relating the progressive accumulation of breakthroughs and discoveries. ❸ Only that [which survived

선행사가 that인 주격 관계대명사

in some form in the present] / was considered relevant. ❹ In the mid-1950s, / however, / a number of faults in

5형식의 수동태

this view of history / became apparent. ❺ Closer analysis of scientific discoveries, / for instance, / led historians to ask / [whether the dates of discoveries and their discoverers can be identified precisely]. ❻ (A) Some

'~인지 아닌지'의 의미로 쓰인 명사절을 이끄는 접속사

discoveries seem to entail / numerous phases and discoverers, / none of which can be identified as definitive. ❼

선행사가 numerous ~ discoverers인 주격 관계대명사

Furthermore, / the evaluation of past discoveries and discoverers / according to present-day standards / does

주어

not allow us to see / how significant they may have been in their own day. ❽ (C) Nor does the traditional view

동사 *목적어 역할을 하는 간접의문문, 의문사(how significant)+주어(they)+동사(may have been)* *부정어 nor가 문장 맨 앞에 오면서 주어와 동사가 도치됨*

recognise / the role [that non-intellectual factors, / especially institutional and socio-economic ones, / play in

the role을 선행사로 하는 목적격 관계대명사

scientific developments]. ❾ Most importantly, / however, / the traditional historian of science seems / blind to the fact / that the concepts, questions and standards [that they use to frame the past] are themselves subject to historical change.

the fact = that절(동격) / *목적격 관계대명사* / *부사적 용법(목적)* / *재귀대명사의 강조 용법*

해석 ❶ Kuhn이 주장하기를, 전통적으로 과학 사학자의 주요 목표는 '당대의 과학적 방법이나 개념의 발전을 보여줌으로써 그것에 대한 이해를 분명히 하고, 깊게 하는 것'이다. ❷ (B) 이것은 획기적인 발전과 발견의 점진적인 축적을 거론하는 것을 수반했다. ❸ 현재에 어떤 형태로든 살아남은 것만이 유의미한 것으로 여겨졌다. ❹ 하지만 1950년대 중반에, 역사에 대한 이러한 관점에서 많은 결함이 분명해졌다. ❺ 예를 들어, 과학적 발견에 대한 더 면밀한 분석은 역사가들로 하여금 발견 시기와 그러한 발견을 한 사람들이 정확하게 확인될 수 있는지를 묻게 했다. ❻ (A) 몇몇 발견은 무수한 단계와 발견자들을 수반하는 것처럼 보이는데 그중에서 어느 것도 확정적인 것으로 확인될 수 없다. ❼ 게다가, 현재의 기준에 따라 과거의 발견과 발견자들을 평가하는 것은 그것이 당시에 얼마나 중요했을

지를 우리가 알 수 없게 한다. ❽ (C) 또한 전통적인 관점은 비지성적인 요인들, 특히 제도적 요인과 사회경제적 요인이 과학 발전에서 하는 역할을 인식하지 못한다. ❾ 하지만 가장 중요한 것은, 전통적인 과학 사학자가 과거를 구상하기 위해 자신이 사용하는 개념, 질문, 기준 자체가 역사적 변화의 영향 하에 있다는 사실을 알지 못하는 것처럼 보인다는 것이다.

정답 전략 ② 과거 과학 사학자의 주요 목표에 대해 설명하는 주어진 글 뒤에 (B) 과거의 과학 사학자의 관점에 대해 문제를 제기하는 내용이 오는 것이 자연스럽다. 이어서 (A) 제기한 문제점을 설명하는 내용이 오고 (C) 과학 사학자의 관점의 다른 결함들을 설명하는 내용이 오는 것이 적절하다.

---

3 지 문 한 눈 에 보 기

❶ At a time [when concerns about overpopulation and famine were reaching their highest peak], / Garrett Hardin did not blame these problems / on human ①ignorance — / a failure to take note of dwindling per capita food supplies, / for example. ❷ Instead, / his explanation focused on / the discrepancy / between the ②interests of individual households and those of society as a whole. ❸ To understand excessive reproduction / as a tragedy of the commons, / bear in mind / that a typical household stands to gain from bringing another child into the world / — in terms of the net contributions he or she makes to ③household earnings, / for example. ❹ But / while parents can be counted on / to assess / how the well-being of their household is affected by additional offspring, / they ④overvalue(→ underestimate) their impacts of population growth, / such as diminished per capita food supplies for other people. ❺ In other words, / the costs of reproduction are largely ⑤shared, / rather than being shouldered entirely by individual households. ❻ As a result, / reproduction is excessive.

a time이 선행사인 관계부사 / *blame A on B: A를 B의 탓으로 돌리다* / *= the interests* / *공유지의 비극* / *명령문* / *명사절 접속사* / *목적격 관계대명사 생략* / *he or she는 another child를 가리킴* / *양보의 부사절을 이끄는 접속사* / *목적어 역할을 하는 간접의문문 어순: how+주어+동사* / *a tragedy of the commons를 보여주는 예시*

해석 ❶ 인구 과잉과 기근에 대한 우려가 최고조에 달하고 있던 시기에 Garrett Hardin은 이러한 문제들을, 예를 들어, 줄어드는 1인당 식량 공급을 주목하지 못한 것과 같은, 인간의 무지 탓으로 돌리지 않았다. ❷ 대신, 그의 설명은 개별 가구의 이익과 사회 전체의 이익 간의 불일치에 초점을 두었다. ❸ 과도한 번식을 공유지의 비극으로 이해하려면, 예를 들어 아이가 가정 수익에 가져오는 순기여도 측면에서, 전형적인 가정은 또 하나의 아이를 세상에 낳음으로써 이익을 얻을 것이라는 점을 기억하라. ❹ 하지만 부모들은 비록 그들 가정의 행복이 추가된 자식에 의해 어떻게 영향을 받는지 평가

할 것으로 기대되겠지만, 그들은 다른 사람들의 1인당 식량 공급 감소와 같은 인구 증가에 대한 영향을 과대평가한다(→ 간과한다). ❺ 다시 말해, 번식에 드는 비용은 개별 가구에게 전적으로 떠맡겨지는 것이 아니라 대부분 공유된다. ❻ 그 결과 지나친 번식이 일어난다.

정답 전략 ④ 개별 가구의 이익과 사회 전체 이익의 불일치를 설명하는 글이다. 한 가정에서 아이가 태어나면 그 가정에는 도움이 되겠지만 다른 사람들의 식량 공급은 감소한다는 인구 증가의 영향을 '과대평가하는(overvalue)' 것이 아니라 '간과하여(underestimate)' 지나친 번식이 일어나게 된다고 하는 것이 자연스럽다.

❶ The role of science / can sometimes be overstated, / with its advocates slipping into scientism. ❷ Scientism
동시동작을 나타내는 with+독립 분사구문(주어가 주절의 주어와 다름)

is the view / that the scientific description of reality is the only truth [there is]. ❸ With the advance of science,
the view = that절(동격)   there is 앞에서 주격 관계대명사가 생략됨

/ there has been a tendency / to slip into scientism, and assume / that any factual claim can be authenticated
to slip과 (to) assume이 병렬구조를 이룸   assume의 목적어인 명사절을 이끄는 that

/ if and only if the term 'scientific' can correctly be ascribed to it. ❹ The consequence is / that non-scientific
조건의 부사절   = any factual claim

approaches to reality / — and that can include all the arts, religion, and personal, emotional and value-laden
                                                            as 뒤에 merely subjective와 of little account가 병렬구조로 이어짐

ways of encountering the world — / may become labelled / as merely subjective, / and therefore of little
                                    may become의 주어는 non-scientific approaches

account in terms of describing the way [the world is]. ❺ The philosophy of science seeks / to avoid crude
                    관계부사 how가 생략된 구조로, the way와 how는 둘 중 하나만 씀
        (to)
scientism and / get a balanced view / on what the scientific method can and cannot achieve.
to avoid와 (to) get이 병렬구조를 이룸   on의 목적어인 관계사절을 이끄는 what

해석 ❶ 과학의 역할은 때로로 과장될 수 있고, 그것의 옹호자들은 과학만능주의에 빠져든다. ❷ 과학만능주의는 현실에 대한 과학적 기술만이 존재하는 유일한 진실이라는 견해이다. ❸ 과학의 발전과 함께, 과학만능주의에 빠져들어 '과학적'이라는 용어가 정확하게 그것에 속하는 것으로 생각될 수 있는 경우에, 그리고 오직 그런 경우에만 사실에 입각한 어떤 주장이든 진짜로 입증될 수 있다고 가정하는 경향이 있어 왔다. ❹ 그 결과, 현실에 대한 비과학적 접근 방식은 — 그것에는 모든 예술, 종교, 그리고 세상을 접하는 개인적, 감정적, 가치 판단적인 방식이 포함될 수 있다 — 주관적인 것에 불과하고, 따라서 세상이 존재하는 방식을 기술하는 것의 관점에서 거

의 중요하지 않은 것으로 분류될지도 모른다. ❺ 과학 철학은 투박한 과학만능주의를 피하고 과학적 방법이 성취할 수 있는 것과 성취할 수 없는 것에 대한 균형 잡힌 시각을 가지려고 노력한다.

정답 전략 ② 과학만능주의에서는 현실에 대한 과학적 설명만이 유일한 진실이라고 여기면서 현실에 대한 비과학적인 접근은 주관적인 것에 불과하고, 따라서 '중요하지' 않은 것으로 분류하려 한다는 내용이다. ① 의문 ③ 논쟁 ④ 변화 ⑤ 편견

[대표 어휘 포함 지문] **1** ②　　**2** ②　　**2-1** chilly

　　　　　　　　　　1 ①　　**2** ⑤　　**3** ③　　**4** ⑤

[대표 어휘 포함 지문] **1**　　　　　　　　　　　　　　　　지문 한눈에 보기

The debates between social and cultural anthropologists / concern / not the differences between the
                                                          주어는 The debates

concepts / but the analytical priority: / which should come first, / the social chicken or the cultural egg? British
not A but B: A가 아니라 B

anthropology / emphasizes / the social. It assumes / that social institutions determine culture / and / that
                                  = British anthropology   두 개의 that절이 and로 연결되어 assumes의 목적어 역할

universal domains of society (such as kinship, economy, politics, and religion) are represented / by specific

institutions (such as the family, subsistence farming, the British Parliament, and the Church of England) / which

can be compared cross-culturally. American anthropology / emphasizes / the cultural. It assumes / that culture
                                                                                    = American anthropology

shapes social institutions / by providing the shared beliefs, the core values, the communicative tools, and so on

/ that make social life possible. It does not assume / that there are universal social domains, / preferring instead
the shared beliefs, ~ so on을 선행사로 하는 관계대명사   분사구문을 이끄는 현재분사 / prefer to: ~하기를 선호하다

to discover domains empirically / as aspects of each society's own classificatory schemes / — in other words, its culture. And it rejects the notion / that any social institution can be understood / **in isolation from its own**

　　　　　　　　　　the notion = that절

context.

해석　사회 인류학자와 문화 인류학자 사이의 논쟁은 개념들 간의 차이에 관한 것이 아니라 분석의 우선순위에 관한 것으로, 즉 사회적인 닭이 먼저냐, 문화적인 달걀이 먼저냐 하는 것이다. 영국의 인류학은 사회적인 것을 강조한다. 그것은 사회 제도가 문화를 결정하고 사회의 보편적인 영역(친족 관계, 경제, 정치, 그리고 종교와 같은)이 비교문화적으로 비교될 수 있는 구체적인 제도(가족, 자급 농업, 영국 의회, 그리고 영국 국교회와 같은)에 의해 표현된다고 가정한다. 미국의 인류학은 문화적인 것을 강조한다. 그것은 문화가 사회생활을 가능하게 하는 공유된 신념, 핵심 가치관, 의사소통 도구 등등을 제공함으로써 사회 제도를 형성한다고 가정한다. 그것은 보편적인 사회적 영역이 있다고 가정하지 않으며, 대신 각 사회 나름의 분류안, 다른 말로 하면 그것의 문화의 측면으로서의 영역들을 경험적으로 발견하는 것을 선호한다. 그리고 그것은 어떤 사회 제도

가 그것 자체의 상황으로부터 분리되어 이해될 수 있다는 개념을 거부한다.

정답 전략　② 빈칸이 있는 문장의 주어 it은 미국의 인류학(American anthropology)를 가리키며, 접속사 and로 앞 문장과 이어지므로 앞에서 설명된 미국의 인류학의 특징과 같은 맥락의 내용이 되어야 한다. 미국의 인류학은 문화적인 것을 강조하며, 보편적인 사회적 영역이 있다고 가정하지 않는다고 했으므로, 사회 제도란 각 사회 나름의 상황과 밀접한 관련이 있다고 본다는 내용으로 이어지는 것이 자연스럽다. 따라서 ② '그것 자체의 상황으로부터 분리되어'가 빈칸에 들어가는 것이 가장 적절하다. ① 그것의 문화적 기원과 관련하여 ③ 개인적인 선호와 상관없이 ④ 그것의 경제적 뿌리를 고려하지 않고서 ⑤ 영국과 미국 사이의 관계를 기반으로

[대표 어휘 포함 지문 **2**]　지 문　한 눈 에　보 기

❶ Humans are / champion long-distance runners. ❷ As soon as a person and a chimp start running / they both

　　　　　　　　　　　　　　　　　　　　　　　　　　　 ～하자마자

get hot. ❸ Chimps quickly overheat; / humans do not, / because they are much better at shedding body heat. ❹

　　　　　　　　　　　　　　　　　　　　　　　　　　= humans

According to one leading theory, / ancestral humans lost their hair / over successive generations / because less

hair meant cooler, more effective long-distance running. ❺ That ability let our ancestors / outmaneuver and

　　　　　　　　　　　　　　　　　　　　　　　　 outmaneuver와 outrun이 병렬구조로 연결되어 목적격 보어 역할을 함

outrun prey. ❻ Try wearing a couple of extra jackets / — or better yet, fur coats — / on a hot humid day / and

run a mile. ❼ Now, / take those jackets off / and try it again. ❽ You'll see / what a difference **a lack of fur** makes.

해석　❶ 인간들은 최고의 장거리 달리기 선수들이다. ❷ 한 사람과 침팬지가 달리기를 시작하자마자 그들은 둘 다 열이 오른다. ❸ 침팬지는 빠르게 과열되지만, 인간들은 그렇지 않은데, 그들은 신체 열을 떨어뜨리는 것을 훨씬 더 잘하기 때문이다. ❹ 유력한 어떤 이론에 따르면, 털이 더 적으면 더 시원하고 장거리 달리기에 더 효과적인 것을 의미하기 때문에 선조들은 잇따른 세대에 걸쳐서 털을 잃었다. ❺ 그런 능력은 우리 조상들이 먹잇감을 이기고 앞질러서 달리게 했다. ❻ 덥고 습한 날에 여분의 재킷 두 벌을 — 혹은 더 좋

게는, 털코트를 — 입는 것을 시도하고 1마일을 뛰어 보아라. ❼ 이제, 그 재킷을 벗고 다시 시도하라. ❽ 당신은 털의 부족이 만드는 차이점이 무엇인지 알게 될 것이다.

정답 전략　② 침팬지와 달리 털이 없는 인간들이 열을 훨씬 잘 떨어뜨린다는 내용이다. 바로 앞에 나온 '털코트를 입고 달리기를 하는 것과 입지 않고 달리기를 하는 것'은 털의 유무에 대한 비유이므로 빈칸에는 '털의 부족'이 들어가야 알맞다. ① 더운 날씨 ③ 근육의 힘 ④ 지나친 운동 ⑤ 종의 다양성

1　지 문　한 눈 에　보 기

❶ For a long time, / tourism was seen / as a huge monster invading the areas of indigenous peoples, /

　　　　　　　　　　　　　　　　　　　　　　　　a huge monster를 수식하는 현재분사구

introducing them to the evils of the modern world. ❷ However, / research has shown / that this is not the correct

분사구문　　= indigenous peoples

way [to perceive it]. ❸ In most places, / tourists are welcome / and indigenous people see tourism / as a path to

　　 ↳ way를 꾸미는 형용사적 용법

modernity and economic development. ❹ But / such development is always a two-edged sword. ❺ Tourism can

mean progress, / but most often also means the loss of traditions and cultural uniqueness. ❻ And, / of course,
means의 주어는 tourism
/ there are examples / of 'cultural pollution', 'vulgarization' and 'phony-folk-cultures'. ❼ The background for such

characteristics is often / more or less romantic / and the normative ideas of a former or prevailing authenticity.
주격 보어 1 *주격 보어 2*
❽ Ideally (to some) / there should exist ancient cultures / [for modern consumers to gaze at, / or even step into
to부정사의 의미상의 주어 *(to)* *to gaze와 (to) step이 병렬구조로 연결됨(형용사적 용법)*
for a while, / while traveling or on holiday]. ❾ This is a cage model / [that is difficult to defend / in a global world
a cage model을 선행사로 하는 주격 관계대명사
/ where we all, indigenous or not, are part of the same social fabric].
a global world가 선행사인 관계부사

해석 ❶ 오랫동안 관광은 토착 민족의 영역을 침범하여 그들을 현대 세계의 악으로 이끌어 들인 거대한 괴물로 여겨졌다. ❷ 그러나 연구에 따르면 이것은 관광을 인식하는 올바른 방법이 아니다. ❸ 대부분의 지역에서 관광객은 환영받고 토착민은 관광을 현대적인 것과 경제 발전으로 향하는 길로 여긴다. ❹ 그러나 그러한 발전은 항상 양날의 칼이다. ❺ 관광은 발전을 의미할 수 있지만, 대체로 전통과 문화적 독특성의 상실을 의미하기도 한다. ❻ 그리고 물론 '문화적 오염', '상스럽게 함', '가짜 민속 문화'와 같은 예들이 있다. ❼ 그러한 특징들의 배경은 흔히 다소 낭만적이고, 이전의 혹은 지배적인 진정성에 대한 규범적 관념이다. ❽ 이상적으로 (일부 사람들에게는) 요즘의 소비자들이 여행하면서 혹은 휴일에 지켜보거나 혹은

심지어 잠시라도 들어가 볼 수 있는 옛 문화가 존재해야 한다. ❾ 이것은 토착민이든 아니든 우리 모두가 같은 사회 구조의 일부인 지구촌 세계에서 방어하기 어려운 우리 모델이다.

정답 전략 ① 밑줄 친 부분 바로 앞에서 소비자들의 체험을 위해 옛 문화가 보존되기를 바라는 일부의 견해가 언급되었고, 이를 'a cage model'로 가리키고 있다. 따라서 a cage model이 의미하는 바는 ① '소비를 위해 옛 문화를 원래의 형태로 보존함'이 알맞다. ② 오랫동안 방치되어 있던 지역 문화유산을 복원함 ③ 보존을 위해 선사시대 유적에 대한 일반인의 접근을 제한함 ④ 여행 연구를 진정한 문화적 전통에 국한시킴 ⑤ 문화 정책과 규제를 위한 예산을 유지함

❶ What we need in education / is not measurement, accountability, or standards. ❷ While these can be useful
선행사를 포함하는 관계대명사 *양보의 절을 이끄는 접속사(~하지만)*
tools for improvement, / they should hardly occupy center stage. ❸ Our focus should instead be / on making

sure / we are giving our youth an education [that is going to arm them to save humanity]. ❹ We are faced /
접속사 that 생략 *an education을 선행사로 하는 주격 관계대명사*
with unprecedented perils, / and these perils are multiplying and pushing at our collective gates. ❺ We should

be bolstering curriculum [that helps young people mature / into ethical adults who feel a responsibility to the
curriculum을 선행사로 하는 주격 관계대명사 *ethical adults를 선행사로 하는 주격 관계대명사*
global community]. ❻ Without this sense of responsibility / we have seen / that many talented individuals give

in to their greed and pride, / and this destroys economies, ecosystems, and entire species. ❼ While we certainly
앞 절의 내용을 가리킴 *양보의 절을 이끄는 접속사(~하지만)*
should not abandon efforts / to develop standards in different content areas, / and also strengthen the STEM

subjects, / we need to take seriously our need / for an education [centered on global responsibility]. ❽ If we
an education을 꾸미는 과거분사구
don't, / we risk extinction.

해석 ❶ 교육에서 우리가 필요한 것은 측정, 책무성, 또는 표준이 아니다. ❷ 이러한 것들은 향상을 위한 유용한 도구가 될 수는 있지만, 이러한 것들이 중심적인 위치를 차지해서는 안 된다. ❸ 그 대신에 우리는 우리의 아이들에게 인류를 지키도록 그들을 준비시킬 교육을 반드시 제공하는 것에 초점을 맞추어야 한다. ❹ 우리는 전례 없는 위기에 직면해 있고 이 위기들은 증가하고 있으며 우리 공동체의 문을 밀어붙이고 있다. ❺ 우리는 우리의 아이들이 지구 공동

체에 책임감을 느끼는 도덕적인 인간으로 성숙해지는 것에 도움을 주는 교육과정을 강화해야 한다. ❻ 우리는 많은 재능이 있는 개인들이 이러한 책임감 없이 그들의 탐욕과 자만심에 굴복하는 것, 그리고 이것이 경제, 생태계, 그리고 전체 종을 파괴하는 것을 보아왔다. ❼ 다양한 내용 영역에서 기준을 개발하고 STEM 과목들을 강화하려는 노력을 단념해서는 분명 안 되지만, 우리는 지구 공동체 책임감에 중점을 둔 교육에 대한 우리의 필요성을 진지하게 받아들

여야 한다. ❽ 그렇지 않으면, 우리는 멸종을 각오해야 한다.

정답 전략 ⑤ 아이들을 어떻게 교육시켜야 하는지에 대한 내용을 담

고 있으며, 지문의 마지막에서 주장을 종합적으로 정리하고 있다.

3　지 문 한 눈 에 보 기

❶ When people try to control situations [that are essentially uncontrollable], / they are inclined / to experience
　　　　　　　　　　　　　　　　situations를 선행사로 하는 주격 관계대명사

high levels of stress. ❷ Thus, / [suggesting / that they need to take active control] / is bad advice in those
　　　　　　　　　　　　　동명사 주어(that절은 동명사의 목적어)

situations. ❸ What they need to do / is to accept / that some things are beyond their control. ❹ Similarly, /
　　　유사한 내용을 이끄는 접속부사

teaching people to accept a situation [that could readily be changed] / could be bad advice; / sometimes / the
동명사 주어　　　　　　선행사를 포함하는 관계대명사　　a situation을 선행사로 하는 주격 관계대명사

only way [to get [what you want]] is / to take active control. ❺ Research has shown / that when people [who feel
　　　　　　way를 수식하는 형용사적 용법

helpless] fail to take control, / they experience negative emotional states / such as anxiety and depression. ❻

Like stress, / these negative emotions can damage / the immune response. ❼ We can see / from this / that health
　　　　　　　　　　　　　　　　　　　　　　　　　　　　　　　　　　　see의 목적어인 that절 앞에 부사구가 온 구조

is not linearly related to control. ❽ For optimum health, / people should be encouraged / to take control to a
　　　　　　　　　　　　　　　　　　　　　　　　　　　　　　　　　　　　　　　to take와 to recognize가 but으로 연결된 병렬구조

point / **but to recognize** / **when further control is impossible**.

해석 ❶ 사람들이 본질적으로 통제할 수 없는 상황을 통제하려 할 때 그들은 높은 수준의 스트레스를 경험하는 경향이 있다. ❷ 따라서 적극적 통제를 취할 필요가 있다고 제안하는 것은 그러한 상황에서 잘못된 충고이다. ❸ 그들이 할 필요가 있는 것은 어떤 일은 그들의 통제 밖에 있음을 인정하는 것이다. ❹ 마찬가지로 사람들에게 손쉽게 바뀔 수 있는 상황을 받아들이라고 가르치는 것은 잘못된 충고가 될 수 있는데, 때때로 원하는 것을 얻는 유일한 방법은 적극적인 통제를 하는 것이기 때문이다. ❺ 연구는 무력함을 느끼는 사람들이 통제하는 데 실패할 때 불안과 우울증과 같은 부정적인 감정 상태를 경험한다는 것을 보여주었다. ❻ 이런 부정적인 감정은 스트레스처럼 면역 반응을 손상시킬 수 있다. ❼ 이것으로부

터 우리는 건강이 통제와 곧장 연결되어 있지 않다는 것을 알 수 있다. ❽ 최적의 건강을 위해, 사람들은 어느 정도까지 통제하지만, 더 이상의 통제가 불가능한 때를 인식하도록 권장되어야 한다.

정답 전략 ③ 스트레스와 부정적인 감정이 면역 반응을 손상시키지 않도록 최적의 건강 상태를 유지하기 위해서는 상황을 통제하되 어떤 일은 통제 밖에 있음을 인정할 수 있어야 한다는 내용으로 ③ '더 이상의 통제가 불가능할 때를 인식하도록'이 알맞다. ① 통제되고 있는 상황에 따르도록 ② 스트레스를 받을 때 면역 반응을 무시하도록 ④ 통제될 수 없는 상황과 지속해서 싸우도록 ⑤ 통제될 수 없는 스트레스 상황을 정복하려고 더 열심히 노력하도록

4　지 문 한 눈 에 보 기

❶ These days, / electric scooters have quickly become a campus staple. ❷ Their rapid rise to popularity / is

thanks to the convenience [they bring], / but it isn't without problems. ❸ Scooter companies provide safety
　　　　　　　　　　　　　　목적격 관계대명사가 생략됨

regulations, / but the regulations aren't always followed / by the riders. ❹ Students can be reckless / while they

ride, / some even having two people on one scooter at a time. ❺ Universities already have certain regulations, /
　　　　　　　　주절과 주어가 다른 분사구문(주어는 some)

such as walk-only zones, / to restrict motorized modes of transportation. ❻ However, / they need to do more /
　　　　　　　　　　　　　부사적 용법(목적)

to target motorized scooters specifically. ❼ To ensure the safety of students [who use electric scooters], / as well
　　　　　　　　　　　　　　　　　　　　　　　　　　　　　　　　　　　　　students를 선행사로 하는 주격 관계대명사

as those around them, / officials should look into / reinforcing stricter regulations, / such as having traffic guards
　　= 사람들　　　　　　　　　　　　　　　　　　　　　　　　　　　　　　　　　　　　예시를 이끔

/ flagging down students / and giving them warning / when they violate the regulations.
traffic guards를 수식하는 현재분사구

24 수능전략 • 영어 영역 어휘

해석 ❶ 요즘 들어 전동 스쿠터가 빠르게 캠퍼스의 주요한 것이 되고 있다. ❷ 그것들의 급격한 인기도 상승은 스쿠터가 가져다주는 편리함 덕분이지만, 문제가 없는 것은 아니다. ❸ 스쿠터 회사는 안전 규정을 제공하고 있지만 탑승자들에 의해 이 규정들이 항상 지켜지는 것은 아니다. ❹ 학생들은 탑승하는 동안 무모할 수 있고, 일부는 한 대의 스쿠터에 두 명이 한꺼번에 탑승하기도 한다. ❺ 대학들은 이미 전동 교통수단을 제한하기 위해 보행자 전용 구역과 같은 특정한 규정들을 두고 있다. ❻ 그러나 그들은 특히 전동 스쿠터

를 대상으로 더 많은 규정을 두어야 한다. ❼ 전동 스쿠터를 이용하는 학생들과 그들 주변의 사람들의 안전을 지키기 위하여 관계자들은 학생들에게 정지 신호를 주고 규정을 위반할 때 경고하는 교통 정리원을 두는 등 더 엄격한 규정을 강화할 것을 검토해야 한다.

정답 전략 ⑤ 조동사 should가 쓰인 마지막 문장에 필자가 주장하는 바가 드러나 있다. 즉, 대학 내 전동 스쿠터 이용 규정 강화 필요성에 대해 말하고 있다.

---

1 ②　　2 ①　　3 ⑤　　4 ③

1　지 문 한 눈 에 보 기

❶ Why / do you go / to the library? ❷ For books, / yes — / and you like books / because they tell stories. ❸ You hope / **to get** lost in a story / or **be** transported into someone else's life.
to get과 (to) be가 접속사 or로 연결된 병렬구조
❹ At one type of library, / you can do just that / — even though there's not a single book. ❺ At a Human Library, / people [with unique life stories] /
전치사구 수식
volunteer to be the "books." ❻ For a certain amount of time, / you can ask them questions / and listen to their stories, / **which** are as fascinating and inspiring / as any you can find in a book. ❼ Many of the stories / **have to do**
선행사 their stories를 보충 설명함　　목적격 관계대명사가 생략됨　　have to do with: ~와 관련이 있다
with some kind of stereotype. ❽ You can speak / with a refugee, a soldier [**suffering** from PTSD], and a homeless
a soldier를 꾸미는 현재분사구
person. ❾ The Human Library encourages people / to challenge their own existing notions / — to truly get to
know와 learn from의 목적어
know, and learn from, **someone** [**they** might otherwise make quick judgements about].
they(= people) 앞에 목적격 관계대명사 생략됨

해석 ❶ 당신은 왜 도서관에 가는가? ❷ 그렇다, 책 때문이다 — 그리고 당신은 그 책들이 이야기를 들려주기 때문에 책을 좋아한다. ❸ 당신은 이야기에 몰입하거나 다른 사람의 삶 속으로 들어가 보기를 바란다. ❹ 한 형태의 도서관에서, 비록 그곳에는 책이 한 권도 없지만 당신은 그렇게 할 수 있다. ❺ Human Library(사람 도서관)에서는, 특별한 인생 이야기를 가진 사람들이 자원해서 "책"이 된다. ❻ 정해진 시간 동안, 당신은 그들에게 질문할 수 있고 그들의 이야기를 들을 수 있는데, 이것은 당신이 책에서 발견할 수 있는 것만큼 매력적이고 감동적이다. ❼ 그 이야기들 중 많은 것들은 어떤 종류의 고정관념과 관련이 있다. ❽ 당신은 피난민, 외상 후 스트레

스 장애를 갖고 있는 군인, 또는 노숙자와 이야기할 수 있다. ❾ Human Library는 사람들이 자신이 가진 기존의 관념에 도전하도록 하는데, 그렇지 않았다면 섣부른 판단을 내렸을 누군가에 대해 진정으로 알고, 그 사람으로부터 배울 수 있도록 해 준다.

정답 전략 ② 도서관에서 책을 읽는 것처럼 다른 사람들의 이야기를 직접 듣고 대화하며 영감을 받는 Human Library(사람 도서관)에 관한 내용이므로 이 글의 제목으로는 ② '사람들이 책인 장소'가 알맞다. ① 언어 학습에 유용한 도서들 ③ 도서관: 당신의 학문 연구의 출발지 ④ Human Library에서 사람을 선택하는 방법 ⑤ 얼마나 감동적인 애서가의 이야기인지!

2　지 문 한 눈 에 보 기

❶ **Although** the property of brain plasticity is most obvious / during development, / the brain **remains**
양보의 부사절을 이끄는 접속사(비록 ~할지라도)　　remain+형용사: ~한 상태로 남다
changeable / throughout the life span. ❷ **It** is evident / **that** we can learn and remember information / long after
가주어　　진주어인 명사절을 이끄는 접속사

maturation. ❸ Furthermore, / although it is not as obvious, / the adult brain retains its capacity [to be influenced
／ 형용사적 용법
/ by "general" experience]. ❹ (A) **For example**, / [being exposed to fine wine or Pavarotti] / changes one's later
주어로 쓰인 동명사구
appreciation of wine and music, / even if encountered in late adulthood. ❺ The adult brain is plastic / in other
양보의 부사절에서 「주어+be동사」가 생략됨
ways, too. ❻ For instance, / one of the characteristics of normal aging / is that neurons die and are not replaced.
die와 are의 주어는 neurons
❼ This process begins / in adolescence, / yet most of us will not suffer any significant cognitive loss / for decades
그럼에도 불구하고
/ because the brain compensates for the slow neuron loss / by changing its structure. ❽ (B) **Similarly**, / although
complete restoration of function is not possible, / the brain has the capacity to change / in response to injury /
형용사적 용법
in order to at least partly compensate for the damage.

해석 ❶ 뇌 가소성이라는 특성이 (뇌의) 발달 과정 동안 가장 뚜렷
하긴 하지만, 뇌는 평생에 걸쳐 변화할 수 있는 상태로 남아 있다.
❷ 우리가 성인이 된 훨씬 이후에도 정보를 학습하고 기억할 수 있
다는 것은 분명하다. ❸ 게다가, 그만큼 분명하지는 않지만 성인의
뇌는 '일반적인' 경험에 의해 영향을 받을 수 있는 능력을 보유한다.
❹ 예를 들면, 고급 포도주나 Pavarotti에 노출되는 것은, 비록 늦
은 성인기에 접하더라도 한 사람의 와인과 음악에 대한 이후의 이
해를 변화시킨다. ❺ 성인의 뇌는 다른 방식으로도 가소성이 있다.
❻ 예를 들면, 일반적인 노화의 특징 중 하나는 신경세포들이 죽고
대체되지 않는다는 것이다. ❼ 이러한 과정은 청소년기에 시작되지

만, 뇌가 그 구조를 변화시킴으로써 느린 신경세포의 손실을 보충하
기 때문에 우리 대부분은 수십 년 동안 그 어떤 중대한 인지적 손상
을 겪지 않을 것이다. ❽ 마찬가지로, 기능의 완전한 회복이 가능하
지는 않지만, 뇌는 손상을 적어도 부분적으로 보충하기 위해 부상에
대응하여 변화할 수 있는 능력을 가지고 있다.

정답 전략 ① (A) 고급 포도주와 Pavarotti를 접하고 그것들에 대한
이해가 변하는 것은 앞 문장의 '일반적인 경험'에 영향을 받는다는
것에 대한 예시이므로 For example이 와야 한다. 그리고 (B)를 포함
한 문장은 성인의 뇌가 가진 또 다른 가소성의 측면에 대한 앞 부분
의 설명에 추가되는 내용이므로 Similarly가 들어가는 것이 알맞다.

3   지 문 한 눈 에 보 기

❶ Twin sirens hide / in the sea of history, / tempting those [seeking to understand and appreciate the past] /
분사구문   ╰┄ those를 꾸미는 현재분사구
onto the reefs of misunderstanding and misinterpretation. ❷ These twin dangers are / temporocentrism and
ethnocentrism. ❸ Temporocentrism is the belief / that your times are the best of all possible times. ❹ All other
the belief = that절(동격)
times are thus / inferior. ❺ Ethnocentrism is the belief / that your culture is the best of all possible cultures. ❻
the belief = that절(동격)
All other cultures are thus / inferior. ❼ Temporocentrism and ethnocentrism unite / to cause individuals and
cause A to: A가 …하도록 만들다/유발하다
cultures / to judge all other individuals and cultures / by the "superior" standards of their current culture. ❽
This leads / to a total lack of perspective / when dealing with past and/or foreign cultures / and a resultant
to의 목적어 1
misunderstanding and misappreciation of them. ❾ Temporocentrism and ethnocentrism tempt moderns / into
to의 목적어 2
unjustified criticisms of the peoples of the past.

해석 ❶ 역사의 바다에는 쌍둥이 사이렌이 숨어 있는데, 그것들은
과거를 이해하고 제대로 인식하려고 하는 사람들을 유혹해 오해와
오역의 암초 위에 올려놓는다. ❷ 이 서로 닮은 두 가지 위험은 자
기 시대 중심주의와 자기 민족 중심주의이다. ❸ 자기 시대 중심주
의는 자신의 시대가 모든 가능한 시대 중에 최고라는 믿음이다. ❹
모든 다른 시대는 그리하여 열등하다. ❺ 자기 민족 중심주의는 자

신의 문화가 모든 가능한 문화 중에 최고라는 믿음이다. ❻ 모든 다
른 문화는 그리하여 열등하다. ❼ 자기 시대 중심주의와 자기 민족
중심주의는 결합하여 모든 다른 개인과 문화를 자신들의 현재 문화
의 "우월한" 기준에 의해 판단하는 개인과 문화를 만들어 낸다. ❽
이것은 과거와 / 과거나 외국의 문화를 다룰 때 총체적인 관점의 결
핍과 그에 따라서 그 문화들에 대한 오해와 잘못된 평가를 초래

한다. ❾ 자기 시대 중심주의와 자기 민족 중심주의는 현대인들을 유혹해 과거의 민족들에 대한 정당하지 않은 비판에 빠지게 한다.

정답 전략 ⑤ 자기 시대 중심주의와 자기 민족 중심주의라는 잘못된 믿음으로 인해 역사를 잘못 해석하는 결과를 초래하게 된다는 내용

이므로 주제는 '과거에 대한 편향된 해석을 야기하는 믿음'이 알맞다. ① 역사를 기록하는 방법들의 뚜렷한 차이점 ② 서로 다른 문화에서 발견되는 보편적인 특징 ③ 자신들의 문화를 지지하려는 역사가들의 노력 ④ 두 비교문화적 관점에 대한 찬반 양론

❶ 'Leisure' as a distinct non-work time, / whether in the form of the holiday, weekend, or evening, / was a result
　　　　　　　　　　　　　　　　　「주어+be동사」가 생략됨
　　　　　　　　　　　　　　　양보의 부사구를 이끄는 접속사(~이든지)
/ of the disciplined and bounded work time / [created by capitalist production]. ❷ Workers then wanted more

leisure / and leisure time was enlarged / by union campaigns, / which first started in the cotton industry, / and
　　　　　　　　　　　　　　　　　　　　　　　　　　　　　　앞 절의 내용을 보충 설명하는 관계대명사절을 이끎
eventually new laws were passed / [that limited the hours of work and gave workers holiday entitlements]. ❸
　　　　　　　　　　　　new laws가 선행사인 관계대명사절이 짧은 서술부의 뒤에 쓰임
Leisure was also the creation of capitalism / in another sense, / through the commercialization of leisure. ❹

This no longer meant / participation in traditional sports and pastimes. ❺ Workers began to pay / for leisure

activities [organized by capitalist enterprises]. ❻ Mass travel to spectator sports, / especially football and horse-
　　　　　　　leisure activities를 꾸미는 과거분사구
racing, / where people could be charged for entry, / was now possible. ❼ The importance of this / can hardly be
　　　　　선행사는 spectator sports　　　　　　　　　주어는 Mass travel　　　　the leisure market을 보충 설명하는 관계대명사절을 이끎
exaggerated, / for whole new industries were emerging / to exploit and develop the leisure market, / which was
　　　　　　　　이유를 나타내는 접속사　　　　　　　　　　　　　　부사적 용법(결과)
to become a huge source / of consumer demand, employment, and profit.

해석 ❶ 휴일이나 주말, 혹은 저녁이라는 형태든 간에, 일하지 않는 별도의 기간으로서의 '여가'는 자본주의 생산에 의해 만들어진 통제되고 제한된 근로 시간의 결과였다. ❷ 그러자 노동자들은 더 많은 여가를 원했고, 여가 시간은 노동조합 운동에 의해 확대됐는데, 이 일은 면직업에서 맨 처음 시작됐고, 결국 노동 시간을 제한하고 노동자들에게 휴가의 권리를 주는 새로운 법이 통과됐다. ❸ 다른 의미에서 여가는 또한 여가의 상업화를 통한 자본주의의 창조물이었다. ❹ 이것은 더 이상 전통적인 스포츠와 여가 활동에의 참여를 의미하지 않았다. ❺ 노동자들은 자본주의 기업이 조직한 여가 활동에 돈을 지불하기 시작했다. ❻ 사람들에게 입장료를 받을 수 있는 관중 스포츠, 특히 축구와 경마로의 대중의 이동이 이제 가능했다.

❼ 이것의 중요성은 아무리 강조해도 지나치지 않는데, 왜냐하면 완전히 새로운 산업이 출현해 레저 시장을 개발하고 발전시키고 있었기 때문이었으며, 그 시장은 나중에 소비자의 수요, 고용, 그리고 이익의 거대한 원천이 되게 되었다.

정답 전략 ③ 자본주의 체제에서 근로 시간의 통제를 통해 '여가'의 개념이 만들어졌고, 여가가 점점 확대되면서 또 다른 거대한 시장이 만들어졌다는 내용의 글이므로, '자본주의에서의 여가의 탄생과 진화'가 제목으로 알맞다. ① 노동자를 만족시키기 위해 필요한 것 ② 왜 노동자들은 더 많은 여가를 위해 투쟁해 왔는가 ④ 일과 여가 사이의 균형을 유지하는 법 ⑤ 현대 레저 산업의 밝은 면과 어두운 면

| 창의·융합·코딩 | 전략 | | 58~61쪽 |

1 antiques, contemporary, encourage, enlighten
2 **Down** 1 reproduction 2 foresee 4 enlighten 5 overstate 7 compare
　Across 3 prevailing 6 multifaceted 8 replace
3 (1) Being healthy is the foremost thing. (2) You can't replace health with anything.
　(3) Work overload is bad for your health. (4) Taking a rest will enable you to be healthy.
4 (1) conform (2) multitasking (3) replace (4) coexist

1 해석

안녕! 몇 주 만이네! 너 보니까 정말 좋다.

나도 좋아! 표 사러 가자. 무슨 전시 보고 싶어?

나는 골동품에 관심이 있어. 오래된 것들은 항상 아름답거든. 그래서 이것?

저 전시는 내년에 끝나는데 현대 미술에 관한 이 전시는 이번 달에 끝나.

나는 새롭거나 현대적인 예술에 대해 아무것도 몰라.

이 전시를 통해 배우면 돼! 나는 네가 한 번 시도해 보기를 권장해. 재미있을 거야!

알겠어. 우리 최신 예술에 대해 이해해 보자.

좋아. 한번 가 보자.

2 해석

Down

1 식물이나 동물이 후손을 태어나게 하는 행동
2 나는 그것의 잠재력을 예견할 수 있었기 때문에 내 돈을 투자했다.
4 동의어: 알리다, 가르치다
5 반의어: 깎아내리다
7 무엇이 비슷하거나 다른지 찾기 위해 두 개 이상의 것을 보다

Across

3 그것이 드레스를 입는 유행하는 방식이었다. 그 당시에는 모두가 똑같은 드레스를 입었다.
6 여러 측면이 있는
8 동의어: 대체하다

3 정답 전략 (1) foremost: 가장 중요한, most: 가장 많은 (2) replace: 대체하다, place: 놓다, 두다 (3) overload; 과부하, load: 짐을 싣다 (4) enable: ~할 수 있게 하다, able: ~할 수 있는

4 해석 (1) 사람들은 그들의 집단에 순응해야 하는 압박감을 느낀다. (2) 그녀는 멀티태스킹에 능하다. 그녀는 동시에 여러 가지 일을 한다. (3) 몇 년 안에 전기차가 휘발유차를 대체할까? (4) 인간은 다른 사람들과 공존하는 법을 배워야 한다.

신유형·신경향 전략

64~67쪽

1 ③	2 ③	3 ④	4 ②

1 지문 한 눈에 보기

❶ The importance of science has led people / to think / that 'objectivity' is the best way to see the world — /
lead ~ to: ~으로 하여금 …하도록 유도하다
❷ to see the facts / without any feelings. ❸ However, / from a human point of view, / objectivity is just another attitude. ❹ It is an interpretation / [that deliberately ignores our feelings].
an interpretation을 선행사로 하는 주격 관계대명사
❺ It is very useful to (A) **ensure** / that
가주어 ... 진주어
scientific measurements are taken accurately and so on, / but as far as life is concerned, / it is a bit like turning
객관성이 세상을 바라보는 최선의 방법이라고 생각하는 것
the color off on your TV / so that you see everything in black and white / and then saying / that is more truthful.
~하도록 ... turning과 saying이 접속사 and로 연결된 병렬구조 ... = you see everything in black and white

❻ It is not more truthful; / ❼ it is just a filter / [that (B) **reduces** the richness of life]. ❽ When you turn down the

a filter를 선행사로 하는 주격 관계대명사

feelings, / you also turn down / the possibility of enjoyment.

해석 ❶ 과학의 중요성은 사람들이 '객관성'이 세상을 바라보는 최선의 방법이라고 생각하게 만들었다. ❷ 즉, 어떤 감정도 없이 사물을 보게 만들었다. ❸ 그러나 인간의 관점에서 볼 때, 객관성은 단지 또 하나의 태도일 뿐이다. ❹ 그것은 고의적으로 우리의 감정을 무시하는 해석이다. ❺ 과학적 측정이 정확하게 이루어지게 하는 것 등을 확실하게 하는 것은 매우 유용하지만, 삶에 관한 한 그것은 여러분이 모든 것을 흑백으로 보려고 TV에서 색상을 차단하고는 그것이 더 진실한 것이라고 말하는 것과 같다. ❻ 그것이 더 진실한 것은 아니며, ❼ 그것은 단지 삶의 풍부함을 줄이는 필터일 뿐이다. ❽ 감정을 거부할 때 여러분은 또한 즐거움의 가능성을 거부하는

것이다.

정답 전략 ③ (A) but 뒤에 이어지는 절의 내용으로 보아 빈칸이 있는 절은 '객관성'의 장점과 관련된 내용이므로, 과학적 측정을 '확실하게 하는' 것이 유용하다고 하는 것이 자연스럽다. (B) 흐름상 빈칸이 있는 절은 바로 앞의 절(It is not more truthful)과 비슷한 의미를 담으며, 'TV에서 색상을 차단해 버리고 그것을 더 진실한 것이라고 하는 것'과 같은 맥락이다. 따라서 삶의 풍부함을 '줄이는, 걸러내는' 필터와 같다고 해야 한다. 관계대명사의 선행사인 a filter가 '무언가를 거르는' 역할을 하는 도구인 점도 고려한다.

지 문 한 눈 에 보 기

2

❶ In the context of SNS, / media literacy has been argued / to be especially important / "**in order to make** the

in order to make ~, and also (in order to) help

users aware of their rights / when using SNS tools, / and also **help** them **acquire** or **reinforce** human rights values

help them acquire or reinforce ~ and (help them) develop

and / **develop** the behaviour / [necessary to respect other people's rights and freedoms]." ❷ With regard to peer-

「주격 관계대명사+be동사」 생략

to-peer risks / such as bullying, / this last element is / of particular importance. ❸ **This** relates / to a basic principle

= this last element

/ [**that** children are taught in the offline world as well]: / 'do not do to others / [**what** you would not want others

a basic principle을 선행사로 하는 목적격 관계대명사   선행사를 포함하는 관계대명사

to do to you].' ❹ This should also be a golden rule / with regard to SNS, / but for children and young people

/ **it** is much more difficult / **to underestimate**(→ estimate) the consequences and potential serious impact of

가주어   진주어

their actions / in this environment. ❺ Hence, / [**raising** awareness of children / from a very early age / about the

동명사구 주어

particular characteristics of SNS / and the potential long-term impact of a seemingly trivial act] **is** crucial.

동사

해석 ❶ SNS의 맥락에서는, 'SNS 도구들을 사용할 때 사용자들이 자신들의 권리를 의식하게 하기 위해, 그리고 또한 그들이 인권이라는 가치를 배우거나 강화하고 타인의 권리와 자유를 존중하기 위해 필요한 태도를 기르도록 돕기 위해' 미디어 정보 해독력이 특히 중요하다고 주장되어 왔다. ❷ 약자 괴롭히기와 같은 사용자 간 위험과 관련하여, 이 마지막 요소는 특히 중요하다. ❸ 이것은 아이들에게 오프라인 세계에서도 가르치는 기본 원칙인 '남들이 여러분에게 하지 않았으면 하는 일을 남들에게 하지 말라'와 관련되어 있다. ❹ 이것은 SNS와 관련해서도 황금률이어야 하는데, 다만 아이들과 젊은이들에게는 이 환경에서의 자신들의 행동 결과와 잠재적인 중대

한 영향을 과소평가하는(→ 추정하는) 것이 훨씬 더 어렵다. ❺ 이런 이유로, 아주 어린 나이일 때부터 SNS의 특수한 특성과 겉보기에는 사소한 행동의 잠재적인 장기적 영향에 대한 아이들의 의식을 높이는 것이 필수적이다.

정답 전략 ③ 어린이나 젊은이들이 SNS 환경에서 자신들의 행동의 결과의 잠재적인 영향을 '과소평가하는(underestimate)' 것이 어려운 것이 아니라 '추정(판단)하는(estimate)' 것이 어려운 일이고, 따라서 아주 어릴 때부터 그러한 의식을 높여야 한다고 하는 것이 이 글의 흐름상 자연스럽다. ① 따르다 ② 무시하다 ④ ~에 수반시키다 ⑤ 지배하다

지 문 한 눈 에 보 기

3

not A but B: A가 아니라 B인

❶ Cinema is valuable / **not** for its ability to **make visible the hidden outlines of our reality**, / **but** for its ability to

make의 목적어인 the hidden outlines of our reality가 길이 때문에 목적격 보어 visible 뒤에 온 구조

reveal what reality itself veils / ▬ the dimension of fantasy. ❷ This is / **why**, / to a person, / the first great theorists

what절을 부연 설명하는 기능   이유를 나타내는 관계부사 why, 선행사 the reason이 생략됨

of film decried / the introduction of sound and other technical innovations (such as color) [that pushed film in
_{that의 선행사는 sound ~ innovations}
the direction of realism]. ❸ Since cinema was an entirely fantasmatic art, / these innovations were completely
_{이유의 부사절을 이끄는 접속사}
(A) **unnecessary**. ❹ And what's worse, / they could do nothing / but turn filmmakers and audiences away /
_{설상가상으로} _{do nothing but ~: ~할 뿐이다}
from the fantasmatic dimension of cinema, / potentially transforming film into a mere delivery device / for
_{분사구문}
representations of reality. ❺ As long as the irrealism of the silent black and white film (B) **predominated**, / one
_{~하는 한} _{주어는 the irrealism ~ film}
could not take filmic fantasies / for representations of reality. ❻ But sound and color threatened / to create just
_{take A for B: A를 B로 착각하다}
such an illusion, / thereby destroying the very essence of film art. ❼ As Rudolf Arnheim puts it, / "The creative
_{영화적 환상을 현실과 착각하는 것} _{분사구문(연결 동작)}
power of the artist can only come into play / [where reality and the medium of representation do not coincide]."
_{선행사(the place)가 생략된 관계부사로 부사절을 이끎}

해석 ❶ 영화는 우리 현실의 숨겨진 윤곽을 보이게 만드는 능력 때문이 아니라 현실 자체가 가리고 있는 것, 즉 환상의 차원을 드러내는 능력 때문에 가치가 있다. ❷ 이것이 최초의 위대한 영화 이론가들이 영화를 사실주의 방향으로 밀어 넣었던 소리와 (색채와 같은) 다른 기술 혁신의 도입을 이구동성으로 비난한 이유이다. ❸ 영화는 전적으로 환상적인 예술이었기 때문에 이러한 혁신은 완전히 불필요했다. ❹ 그리고 설상가상으로 그것들은 잠재적으로 영화를 현실의 묘사를 위한 단순한 전달 장치로 변형시키면서, 영화 제작자와 관객을 영화의 환상적인 차원에서 멀어지게 할 수 있을 뿐이었다. ❺ 무성 흑백 영화의 비현실주의가 지배하는 한, 영화적 환상을 현실에 대한 묘사로 착각할 수 없었다. ❻ 그러나 소리와 색채는 바로 그러한 착각을 만들겠다고 위협하여 영화 예술의 바로 그 본질을 파괴했다. ❼ Rudolf Arnheim이 표현한 것처럼 "예술가의 창의적

힘은 현실과 묘사의 매체가 일치하지 않는 곳에서만 발휘될 수 있다."
정답 전략 ④ (A) 빈칸이 있는 문장에서 '혁신(innovation)'은 영화에 소리나 색채 등을 입혀 현실에 가까운 모습을 구현하는 등의 기술을 의미한다. 최초의 영화 이론가들은 영화가 전적으로 환상적인, 즉 비현실성의 예술이었으므로 영화에 소리와 색을 입혀 현실에 더 가깝게 만드는 혁신이 '불필요'하다고 생각했기 때문에 이러한 혁신을 비난했다고 할 수 있다. (B) 빈칸이 있는 절 바로 다음에 단서가 있다. 영화적 환상을 현실에 대한 묘사로 착각하지 않으려면, 영화가 현실의 모습과 달라야 한다. 따라서 무성 흑백 영화의 비현실주의가 '지배해야' 이런 현상이 가능할 수 있다.

---

❶ Difficulties arise / when we do not think of people and machines as collaborative systems, / but assign
_{not A but B: A가 아니라 B인}
[whatever tasks can be automated] to the machines / and leave the rest to people. ❷ This ends up / requiring
_{assign의 목적어인 복합관계사절} _{end up ~ing: 결국 ~ 하다}
people to behave in machine-like fashion, / in ways [that differ from human capabilities]. ❸ We expect people
_{ways를 선행사로 하는 주격 관계대명사}
/ to monitor machines, / which means keeping alert for long periods, / something we are bad at. ❹ We require
_{which의 선행사는 '기계를 감시하는 것'을 가리킴} _{콤마에 의한 동격 표현(keeping ~ periods = something ~ at)}
people / to do repeated operations / with the extreme precision and accuracy [required by machines], / again
_{과거분사구가 뒤에서 수식}
something we are not good at. ❺ When we divide up the machine and human components of a task / in this
way, / we fail to take advantage of human strengths and capabilities / but instead rely upon areas / [where we
_{동사 1} _{동사 2} _{선행사가 areas인 관계부사}
are genetically, biologically unsuited]. ❻ Yet, / when people fail, / they are blamed. → ❼ issues / of **allocating**
unfit tasks to humans / in automated systems

해석 ❶ 사람과 기계를 협업 체계로 생각하지 않고, 자동화될 수 있는 작업은 무엇이든 기계에 할당하고 그 나머지를 사람들에게 맡길
때 어려움이 발생한다. ❷ 이것은 결국 사람들에게 기계와 같은 방식, 인간의 능력과는 다른 방식으로 행동할 것을 요구하게 된다.

❸ 우리는 사람들이 기계를 감시하기를 기대하는데, 이는 오랫동안 경계 태세를 유지하는 것을 의미하며, 그것은 우리가 잘하지 못하는 것이다. ❹ 우리는 사람들에게 기계에 의해 요구되는 극도의 정밀함과 정확성을 가지고 반복적인 작업을 할 것을 요구하는데, 이것 또한 우리가 잘하지 못하는 것이다. ❺ 우리가 이런 식으로 어떤 과제의 기계적 구성요소와 인간적 구성요소를 나눌 때, 우리는 인간의 강점과 능력을 이용하지 못하고, 그 대신 유전적으로, 생물학적으로 부적합한 영역에 의존하게 된다. ❻ 그런데도, 사람들이 실패할 때, 그들은 비난을 받는다. → ❼ 자동화 체계에서 인간에게 맞지 않는 과업을 할당하는 문제

정답 전략 ② 이 글의 중심 내용은 인간과 기계를 협업 관계로 생각하지 않고 자동화가 가능한 작업은 모두 기계에게 할당한 뒤 인간에게 나머지를 할당하는 방식을 택하면, 결국 인간이 잘하지 못하는 과업을 할당하게 되어 문제가 생긴다는 것이다. 따라서 빈칸에 들어갈 말은 '할당하다, 맡기다, 주다' 등의 의미를 가진 낱말이다. 선택지 중 가장 가까운 것은 '할당하다'라는 의미의 allocating이다. ① 허락하기 ③ 가르치기 ④ 잠그기 ⑤ ~의 것으로 여기기

---

1   지문 한 눈에 보기

❶ The title of Thomas Friedman's 2005 book, / *The World Is Flat*, / was based on the belief / that globalization

the belief =that절(동격)
would inevitably bring us closer together. ❷ It has done that, / but it has also inspired us / **to build barriers**. ❸

'세계화가 우리를 더 가깝게 만들었다'
When faced with perceived threats / — the financial crisis, terrorism, violent conflict, refugees and immigration,

시간의 부사절에서 「주절의 주어+be동사(people are)」가 생략됨
the increasing gap between rich and poor — / people cling more tightly / to their groups. ❹ One founder of a
famous social media company / believed social media would unite us. ❺ In some respects / it has, / but it has

접속사 that이 생략됨   it = social media, has 뒤에 united us가 생략됨
simultaneously given voice and organizational ability / to new cyber tribes, / some of whom spend their time

whom의 선행사는 new cyber tribes, some of whom이 관계대명사절의 주어로 쓰임
/ spreading blame and division across the World Wide Web. ❻ There seem now / to be as many tribes, and as

= It seems that there are now ~
much conflict between them, / as there have ever been. ❼ Is it possible for these tribes / to coexist in a world /

가주어   진주어
where the concept of "us and them" remains?

선행사가 a world인 관계부사

해석 ❶ Thomas Friedman의 2005년 저서의 제목인 'The World Is Flat'은 세계화가 필연적으로 우리를 더 가깝게 만들 것이라는 믿음에 근거하였다. ❷ 그것은 그렇게 해왔지만 또한 우리가 장벽을 쌓도록 만들어 왔다. ❸ 금융 위기, 테러 행위, 폭력적 분쟁, 난민과 이민자, 증가하는 빈부 격차 같은 인지된 위협들에 직면할 때, 사람들은 자신의 집단에 더 단단히 달라붙는다. ❹ 한 유명 소셜 미디어 회사 설립자는 소셜 미디어가 우리를 결합시킬 것이라고 믿었다. ❺ 어떤 면에서는 그래 왔지만, 동시에 그것은 새로운 사이버 부족들에게 목소리와 조직력을 부여해 왔고, 이들 중 일부는 자신의 시간을 월드 와이드 웹(World Wide Web)에서 비난과 분열을 퍼뜨리는 데 보낸다. ❻ 지금까지 그래 온 만큼이나 현재 많은 부족들,

그리고 그들 사이의 많은 분쟁이 존재하는 것처럼 보인다. ❼ '우리와 그들'이라는 개념이 남아 있는 세계에서 이러한 부족들이 공존하는 것이 가능할까?

정답 전략 ① 빈칸이 있는 문장에서 빈칸 앞의 'It has done that'은 바로 앞 문장의 긍정적인 내용과 연관이 있으며, but에 이어지는 빈칸이 있는 부분은 뒤에 나오는 부정적인 내용과 관련이 있다. 여러 위협에 직면할 때 사람들이 자신의 집단에 더 단단히 달라붙는다고 했으므로 집단별로 '장벽을 쌓는다'고 볼 수 있다. ② 평등을 쟁취하다 ③ 전통을 버리다 ④ 개인주의를 가치 있게 여기다 ⑤ 기술을 발전시키다

❶ When we remark with surprise / that someone "looks young" for his or her chronological age, / we are observing / that we all age biologically at different rates. ❷ Scientists have good evidence / that this apparent
<small>good evidence = that절(동격)</small>
difference is real. ❸ It is likely / that age changes begin in different parts of the body at different times / and that
<small>It은 가주어, 두 개의 that절이 진주어</small>
the rate of annual change varies among various cells, tissues, and organs, / as well as from person to person. ❹
Unlike the passage of time, / biological aging resists easy measurement. ❺ [What we would like to have] / is one
<small>문장의 주어로 쓰인 관계대명사절</small>
or a few measurable biological changes [that mirror all other biological age changes / without reference to the
<small>one or ~ changes가 선행사인 주격 관계대명사   someone을 선행사로 하는 주격 관계대명사</small>
passage of time], / so that we could say, / for example, / that someone [who is chronologically eighty years old]
<small>콤마 뒤에 나온 so that은 '그래서'라는 결과를 나타냄</small>
is / biologically sixty years old. ❻ This kind of measurement would help explain / [why one eighty-year-old has
<small>선행사 the reason이 생략됨</small>
so many more youthful qualities / than does another eighty-year-old, / [who may be biologically eighty or even
<small>선행사는 another eighty-year-old</small>
ninety years old].

해석 ❶ 우리가 어떤 사람이 그의 실제 연령에 비해 '젊어 보인다'고 놀라면서 말할 때, 우리는 우리 모두가 생물학적으로 서로 다른 속도로 나이가 든다는 것을 관찰하는 것이다. ❷ 과학자들은 이 겉으로 보이는 차이가 진짜라는 좋은 증거를 갖고 있다. ❸ 나이 변화는 서로 다른 때에 신체의 서로 다른 부위에서 시작되며, 매년의 변화 속도는 사람마다 다를 뿐 아니라 다양한 세포, 조직, 그리고 기관마다 다를 가능성이 있다. ❹ 시간의 경과와 달리 생물학적 노화는 쉽게 측정되지 않는다. ❺ 우리가 갖고 싶은 것은 시간의 경과와 관계없이 다른 모든 생물학적 나이 변화를 반영하는 하나 또는 몇 개의 측정 가능한 생물학적 변화이며, 그래서 우리는 예를 들자면, 실제 연령으로 80세인 어떤 사람이 생물학적으로 60세라고 말할 수 있을 것이다. ❻ 이런 종류의 측정은 80세인 어떤 사람이 생물학적으로 80세 혹은 심지어 90세인 또 다른 80세의 사람보다 훨씬 더 많은 젊음의 특징을 가진 이유를 설명하는 데 도움을 줄 것이다.

정답 전략 ① 이 글의 중심 내용은 쉽게 측정되지 않은 생물학적 노화의 특성과, 생물학적 변화 측정의 필요성이다. 이를 함축한 제목으로 가장 적절한 것은 '생물학적 노화를 반영하는 거울을 찾아서'라고 할 수 있다. ② 현대의 느린 노화의 이유 ③ 실제 연령을 짐작할 수 있는 몇 가지 비결 ④ 밝혀진 생물학적 노화의 비밀들 ⑤ 젊음의 샘을 찾아서

❶ An Egyptian executive, / after entertaining his Canadian guest, / offered him joint partnership / in a
new business venture. ❷ The Canadian, / delighted with the offer, / suggested / that they meet again the
<small>원인, 이유를 나타내는 수동의 분사구문</small>
next morning with their ①respective lawyers / to finalize the details. ❸ The Egyptian never showed up. ❹
<small>부사적 용법(목적)</small>
The surprised and disappointed Canadian tried / to understand what had gone wrong: ❺ Did Egyptians
<small>understand의 목적어로 쓰인 간접의문문</small>
②lack punctuality? ❻ Was the Egyptian expecting a counter-offer? ❼ Were lawyers unavailable / in Cairo? ❽
None of these explanations proved / to be correct; / ❾ rather, / the problem was ③caused / by the different
meaning / [Canadians and Egyptians attach to inviting lawyers]. ❿ The Canadian regarded the lawyers'
<small>목적격 관계대명사 생략 / the different meaning을 꾸미는 관계대명사절</small>
④absence(→ presence) / as facilitating the successful completion of the negotiation; / the Egyptian interpreted
it / as signaling the Canadian's mistrust of his verbal commitment. ⓫ Canadians often use the impersonal
<small>= the lawyer's presence</small>
formality of a lawyer's services / to finalize ⑤agreements. ⓬ Egyptians, / by contrast, / more frequently depend /
<small>부사적 용법(목적)</small>
on the personal relationship between bargaining partners / to accomplish the same purpose.
<small>부사적 용법(목적)</small>

해석 ❶ 한 이집트인 중역이 캐나다인 손님을 접대한 후에 그에게 새로운 벤처 사업에서의 합작 제휴를 제의했다. ❷ 그 제의에 기뻐서, 캐나다인은 세부 사항을 마무리하기 위해 다음 날 아침에 각자의 변호사와 함께 다시 만날 것을 제안했다. ❸ 이집트인은 결코 나타나지 않았다. ❹ 놀라고 실망한 캐나다인은 무엇이 잘못되었는지 이해하려고 했다. ❺ 이집트인들은 시간 엄수 관념이 없었는가? ❻ 그 이집트인이 수정 제안을 기대하고 있었는가? ❼ 카이로에서는 변호사를 구할 수 없었는가? ❽ 이 설명 중 어느 것도 맞는 것으로 판명되지 않았다. ❾ 오히려 문제는 캐나다인과 이집트인이 변호사를 불러들이는 것에 두는 서로 다른 의미에 의해 야기되었다. ❿ 그 캐나다인은 변호사의 <u>부재(→ 입회)</u>를 협상의 성공적인 마무리를 용

이하게 하는 것으로 여겼고, 그 이집트인은 그것을 캐나다인이 그의 구두 약속을 불신하는 것을 암시하는 것이라고 해석했다. ⓫ 캐나다인은 흔히 합의를 끝내기 위해 변호사의 도움을 받는, 개인적인 것에 치우치지 않는 형식상의 절차를 이용한다. ⓬ 이와 대조적으로 이집트인은 같은 목적을 완수하기 위해 거래 상대자 간의 개인적인 관계에 더 자주 의존한다.

정답 전략 ④ 캐나다인이 이집트인에게 각자의 변호사와 함께 다시 만나자고 했으므로, 그는 변호사가 '있는' 상태에서 협상을 마무리하는 것이 협상을 성공시키는 데 도움이 된다고 생각했을 것이다. 따라서 ④ absence(부재)를 presence(입회) 등의 단어로 고쳐 써야 한다.

4

지 문 한 눈 에 보 기

❶ <u>The most normal and competent child</u> encounters / what seem like insurmountable problems / in living. ❷
= Even the most normal and competent child (양보의 의미로 쓰인 최상급 주어)

But by playing them out, / he may become able to cope with them / in a step-by-step process. ❸ He often does

<u>so</u> / in symbolic ways [<u>that</u> are hard for even him to understand], / as he is reacting to inner processes [<u>whose</u>
앞 문장의 내용   symbolic ways가 선행사인 주격 관계대명사   inner processes를 수식하는 소유격 관계대명사절

origin may be buried deep in his unconscious]. ❹ This may result / in play [<u>that</u> makes little sense to us at the
play를 수식하는 주격 관계대명사절

moment], / <u>since</u> we do not know the purposes [it serves]. ❺ When there is no immediate danger, / <u>it</u> is usually
이유를 나타내는 접속사   목적격 관계대명사가 생략됨   가주어   양보의 접속사

best / <u>to approve</u> of the child's play without interfering. ❻ Efforts to assist him in his struggles, / <u>while</u> well
진주어   efforts are가 생략됨

intentioned, / may divert him / from <u>seeking</u> and eventually <u>finding</u> the solution [<u>that</u> will serve him best].
seeking과 finding은 from의 목적어(병렬구조)   the solution을 수식하는 주격 관계대명사절

해석 ❶ 가장 정상적이고 유능한 아이라도 삶에서 극복할 수 없는 문제들처럼 보이는 것을 만난다. ❷ 하지만 그것들을 놀이로 해 봄으로써 아이는 점진적인 과정을 통해 그것들에 대처할 수 있게 될 수도 있다. ❸ 그는 흔히 자기조차 이해하기 힘든 상징적인 방식으로 그렇게 하는데, 이는 그 기원이 자신의 무의식 안에 깊이 숨겨져 있을지도 모를 내부의 과정에 반응하고 있기 때문이다. ❹ 이것은 그 순간에는 우리가 거의 이해하기 어려운 놀이가 될 수도 있는데, 우리는 그것이 기여하는 목적을 모르기 때문이다. ❺ 당면한 위험이 없을 때에는 간섭하지 말고 아이의 놀이를 인정해 주는 것이 대개는 최선이다. ❻ 좋은 의도였다 해도, 그 아이가 곤란을 겪고 있을

때 도와주려고 애쓰는 것은, 그가 자신에게 가장 도움이 될 해결책을 탐색하고 마침내 찾아내는 것을 방해할 수 있다.

정답 전략 ③ 이 글의 중심 내용은 아이는 놀이를 통하여 어려운 문제들에 대처하는 방법을 배우게 되므로, 위험에 직면하지 않는 한 놀이에 간섭하지 말라는 것이다. 따라서 이 글의 주제로 '최소의 간섭이 동반되는 문제 해결로서의 아이들의 놀이'가 가장 적절하다. ① 폭력적인 게임을 하는 것이 정신 건강에 미치는 위험 ② 어린 시절에 밖에서 노는 것의 유익한 영향 ④ 형제자매 사이의 논쟁에 간섭할 필요성 ⑤ 아이들의 신체 발달에 있어서 부모의 역할

1·2등급 확보 전략 2회

72~75쪽

| 1 ④ | 2 ① | 3 ③ | 4 ③ |

1

지 문 한 눈 에 보 기

❶ To modern man / disease is a biological phenomenon [<u>that</u> concerns him only as an individual] and has no
a biological phenomenon이 선행사인 주격 관계대명사

moral implications. ❷ When he contracts influenza, / he never <u>attributes</u> this event / <u>to</u> his behavior toward the
attribute A to B: A를 B 탓으로 돌리다

tax collector or his mother-in-law. ❸ (C) Among primitives, / because of their supernaturalistic theories, / the prevailing moral point of view / gives a deeper meaning / to disease. ❹ The gods [who send disease] are usually

angered / by the moral offences of the individual. ❺ (A) Sometimes / they may **not** strike / the guilty person

himself, / **but** rather one of his relatives or tribesmen, / to **whom** responsibility is extended. ❻ Disease, action [**that**

might produce disease], and recovery from disease **are**, / therefore, / of vital concern / to the whole primitive

community. ❼ (B) Disease, / as a sanction against social misbehavior, / becomes one of the most important pillars of order / in such societies. ❽ **It** takes over, / in many cases, / the role [**played** by policemen, judges, and

priests in modern society].

해석 ❶ 현대인에게 질병은 오직 개인으로서의 그 사람에게 관련 있는 생물학적 현상이고, 도덕적 함의를 지니지 않는다. ❷ 인플루엔자에 걸릴 때, 그는 이 사건을 결코 세금 징수원이나 자신의 장모에 대한 자신의 행동 탓으로 돌리지 않는다. ❸ (C) 원시인들 사이에서는, 그들의 초자연적인 생각 때문에 지배적인 도덕적 관점이 질병에 더 깊은 의미를 부여한다. ❹ 질병을 주는 신들은 대체로 개인의 도덕적 범죄에 분노하는 것이다. ❺ (A) 때때로 그들은 죄가 있는 사람 그 자신이 아니라, 오히려 그의 친척이나 부족민 중의 한 명을 공격하여 그 사람에게 책임이 확장될지도 모른다. ❻ 따라서 질병, 질병을 일으켰을지도 모르는 행동, 그리고 질병으로부터의 회복은 원시 사회 전체에 매우 중요하다. ❼ (B) 사회적 부정행위에 대한 제

재로서의 질병은 그와 같은 사회에서 질서의 가장 중요한 부분 중의 하나가 되었다. ❽ 많은 경우에 그것은 현대 사회의 경찰관, 재판관, 그리고 사제가 행하는 역할을 떠안는다.

정답 전략 ④ 주어진 글의 내용은 현대인에게 질병이 갖는 의미를 설명하는 것이다. 이것과 대조하여 원시인들에게 있어 질병의 의미를 설명하며 그것이 신의 분노로 인한 것이라 생각했다는 내용의 (C)가 주어진 글 뒤에 이어지고, 그 뒤에는 신의 분노가 주변의 다른 사람에게 갈 수도 있기 때문에 사회 전체에서 질병이 매우 중요하게 다루어졌다는 내용인 (A)가 온다. 그런 다음 원시 사회에서의 질병의 사회적 의미에 대한 총평을 내리는 내용의 (B)가 마지막으로 오는 순서가 적절하다.

---

❶ Externalization is the foundation / [from **which** many narrative conversations are built]. ❷ This requires / a

particular shift / in the use of language. ❸ Often externalizing conversations involve / tracing **the influence of**

the problem / in a child's life over time / and **how the problem has disempowered the child** / by limiting his

ability [to see things in a different light]. ❹ The counsellor helps the child / to change / **by deconstructing** old

stories and **reconstructing** preferred stories / about himself and his life. ❺ **To help** the child / to develop a new

story, / the counsellor and child **search** for times / [**when** the problem has not influenced the child or the child's

life] and / **focus** on the different **ways** [the child thought, felt and behaved]. ❻ These **exceptions to the problem**

story help the child / create a new and preferred story. ❼ **As** a new and preferred story begins to emerge, / **it** is

important / **to assist** the child / to hold on to, / or stay connected to, the new story.

해석 ❶ 외재화(사람에게 내재화되어 있는 문제를 대상화하여 문제와 사람을 분리시키는 것)는 이야기 형태의 많은 대화가 이루어지는 토대이다. ❷ 이것은 언어의 사용에 있어 특별한 전환을 요구한다. ❸ 외재화하는 대화에는 시간이 흐르는 동안 아이의 인생에서

문제가 미친 영향과, 어떻게 그 문제가 다른 관점에서 상황을 보는 아이의 능력을 제한하여 아이의 영향력을 빼앗았는지 추적하는 것이 자주 포함된다. ❹ 상담사는 아이가 자신과 자신의 삶에 관한 옛 이야기를 해체하고, 선호되는 이야기를 재구성함으로써 아이가 변

화하도록 돕는다. ❺ 아이가 새로운 이야기를 발전시키는 것을 돕기 위해, 상담사와 아이는 그 문제가 아이 자신이나 아이의 삶에 영향을 미치지 않았던 시간을 탐색하며 아이가 생각하고, 느끼고, 행동했던 다른 방식에 초점을 둔다. ❻ 이러한 <u>문제 이야기에 대한 예외들</u>은 아이가 새로운, 선호되는 이야기를 만들어 내는 데 도움을 준다. ❼ 새롭고 선호되는 이야기가 나오기 시작할 때, 아이가 그 새로운 이야기에 매달리도록, 즉 새로운 이야기와 연결된 상태를 유지하도록 도와주는 것이 중요하다.

정답 전략 ① 빈칸 앞 문장에서 아이가 옛이야기를 해체하여 새로운 이야기를 재구성할 때, 문제가 아이 자신이나 아이의 삶에 영향을

미치지 않았던 시간을 탐색하며, 아이가 생각하고 느끼고 행동한 다른 방식에 초점을 둔다고 했다. 이 방식을 요약하면 ① '문제 이야기에 대한 예외들'이 아이가 새롭고 선호되는 이야기를 만드는 데 도움을 준다고 할 수 있다. ② 대안적 이야기로부터의 거리 ③ 상담사로부터 비롯된 문제들 ④ 옛 경험과 새 경험을 결합하려는 노력 ⑤ 아이의 이야기를 다른 사람의 것과 연결하는 방법들

---

❶ The Atitlán Giant Grebe was / a large, flightless bird [**that** had evolved / from the much more widespread
<small>a large, flightless bird가 선행사인 주격 관계대명사</small>
and smaller Pied-billed Grebe]. ❷ By 1965 / there were only around 80 birds [**left** on Lake Atitlán]. ❸ One
<small>birds를 꾸미는 과거분사구</small>
immediate reason was easy / enough **to spot**: ❹ the local human population was cutting down the reed beds
<small>주어가 의미상의 목적어임</small>
/ at a furious rate. ❺ This (A) boxed[accommodation / **destruction**] / was driven by the needs / of a fast growing
mat-making industry. ❻ But there were other problems. ❼ An American airline was intent / on developing
the lake / as a tourist destination for fishermen. ❽ However, / there was a major problem / with this idea: /
the lake (B) boxed[**lacked** / supported] / any suitable sporting fish! ❾ To compensate for this rather obvious defect,
<small>↳ a major problem의 내용</small> 　　　　　　　　　　　　　　　　　　　　 <small>부사적 용법(목적)</small>
/ a specially selected species of fish [**called** the Large-mouthed Bass] / was introduced. ❿ The introduced
<small>a ~ fish를 수식하는 과거분사구</small>
individuals immediately turned their attentions / to the crabs and small fish [**that** lived in the lake, / thus
<small>the crabs and small fish를 선행사로 하는 주격 관계대명사</small>
(C) boxed[**competing** / cooperating] with the few remaining grebes / for food. ⓫ There is also little doubt / that they
<small>분사구문을 이끄는 현재분사로 쓰임</small> 　　　　　　　　　　　　　　　　　　　　　 <small>doubt = that절(동격)</small>
sometimes gobbled up / the zebra-striped Atitlán Giant Grebe's chicks.

해석 ❶ Atitlán Giant Grebe는 훨씬 더 널리 퍼져 있던 더 작은 Pied-billed Grebe(얼룩부리논병아리)에서 진화한 커다란 날지 못하는 새였다. ❷ 1965년에는 Atitlán 호수에 약 80마리만이 남아 있었다. ❸ 한 가지 직접적인 원인은 알아내기 매우 쉬웠는데, ❹ 그 지역의 사람들이 맹렬한 속도로 갈대밭을 베어 넘어뜨리는 것이었다. ❺ 이런 <u>파괴</u>는 빠르게 성장하는 매트 제조 산업의 필요에 의해 추진되었다. ❻ 그러나 다른 문제들도 있었다. ❼ 한 미국 항공사가 그 호수를 낚시꾼들을 위한 관광지로 개발하는 데 크게 관심을 보인 것이다. ❽ 하지만 이 생각에는 큰 문제가 있었는데, 그 호수에는 적절한 스포츠용 물고기가 전혀 없었다! ❾ 이런 상당히 명백한 결함을 보충하기 위해 Large-mouthed Bass(큰입농어)라 불리는 특별히 선택된 어종을 들여왔다. ❿ 그 들여온 개체는 즉각 그 호수에 사는 게와 작은 물고기에게 관심을 돌렸고, 이리하여 얼마 안 남은 논병아리와 먹이를 놓고 경쟁하였다. ⓫ 때로는 그들이 얼룩말 줄무늬가 있는 Atitlán Giant Grebe 새끼들을 게걸스럽게 먹어치웠다

는 데에도 의심의 여지가 거의 없다.

정답 전략 ③ (A) 네모 안의 표현은 인간들이 맹렬한 속도로 갈대밭을 베어 넘어뜨리는 행위를 가리켜야 하므로, '파괴'라는 의미의 destruction이 적절하다. accommodation: 적응, 화해 (B) 낚시꾼들을 위한 관광지를 개발하려고 했고, 뒤에 호수의 명백한 결점을 보충하기 위해 Large-mouthed Bass를 들여왔다고 했으므로 호수에 스포츠용 물고기가 '없었다'는 것을 알 수 있다. 따라서 lacked가 적절하다. support: 지지하다 (C) 새로 들여온 Large-mouthed Bass가 먹이를 두고 Atitlán Giant Grebe와 '경쟁'했을 뿐 아니라 그 새끼까지 먹어치웠기 때문에 Atitlán Giant Grebe의 수가 얼마 남지 않게 되었다고 할 수 있다. 따라서 competing이 적절하다. cooperate: 협력하다

❶ While genetic advancements are often reported / as environmentally dependent or modest in effect size /
대조의 접속사 (~하는 반면)

in academic publications, / these are often translated to the public / in deterministic language / through the

media. ❷ Sociologists of genetics argue / that media portrayals of genetic influences on health have increased
주어는 media portrayals (of ~ on health) ↵

considerably / over time, / becoming part of the public discourse / [through which individuals understand
분사구문   선행사가 the public discourse인 관계대명사

symptoms, / make help-seeking decisions, / and form views of people with particular traits or conditions]. ❸
understand, make, form이 병렬 구조로 연결됨

The media is / the primary source of information / about genetic advances and their applications, / but it does
= the media

not provide / a neutral discourse. ❹ Rather, / information is / selectively included or ignored, / and scientific

and clinical implications of genetic discoveries are / often inaccurate or overstated. ❺ This "genetic optimism"

has influenced public opinion, / and research suggests / [that ordinary people are largely accepting of genetic
that절이 suggests의 목적어   동사 1

explanations / for health and behavior / and tend to overestimate the heritability of common diseases / for
동사 2

biological relatives].

해석 ❶ 유전학의 발전이 학술 간행물에서는 자주 환경 의존적이거나 영향을 미치는 규모에 있어 별로 크지 않은 것으로 발표되는 반면, 이것은 자주 대중 매체를 통해 대중에게 결정론적 언어로 번역된다. ❷ 유전학 사회학자들은 건강에 미치는 유전적 영향에 대한 대중 매체의 묘사가 시간이 갈수록 상당히 증가했고, 개인이 증상을 이해하고, 도움을 구하는 결정을 내리고, 특정한 특성이나 조건을 가진 사람들에 대한 견해를 형성하는 공개적 담론의 일부가 되었다고 주장한다. ❸ 대중 매체는 유전학의 발전과 그것의 적용에 관한 정보의 주요 원천이지만, 그것이 중립적 담론을 제공하지는 않는다. ❹ 오히려 정보는 선택적으로 포함되거나 무시되며, 유전적 발견의 과학적, 임상적 함의는 자주 부정확하거나 과장된다. ❺ 이 '유전적 낙관주의'는 여론에 영향을 미쳤으며, 연구에 따르면 일반적인 사람들은 건강과 행동에 대한 유전적 설명을 대체로 받아들이고 있고, 생물학적 친족에 대한 일반적 질병의 유전 가능성을 과대평가하는 경향이 있다.

정답 전략 ③ 유전학의 발전이 종종 대중 매체를 통해 대중에게 결정론적인 언어로 번역되어 전달되는데, 대중 매체는 중립적 담론을 제공하지 않기 때문에 대중은 이러한 대중 매체에 의해 전해지는 부정확하고 과장된 정보를 통해 유전학 정보를 받아들이게 된다고 했다.

DAY 1 개념 돌파 전략 ① CHECK | 8~11쪽

1 cess   2 gress   3 ①   4 vent   5 spect   6 view, vis   8 ②   9 ①

DAY 1 개념 돌파 전략 ② | 12~13쪽

A (1) provides (2) prevent   B ①   C ③   D ③

A 해석 계단을 오르는 것은 좋은 운동을 제공하고, 이동 수단으로 걷거나 자전거를 타는 사람들은 대개 신체적 활동에 대한 필요를 충족시킨다. 하지만 많은 사람들이 그들의 환경 속에서 그러한 선택을 막는 장벽에 맞닥뜨린다. 안전한 인도가 없거나, 차량이 빠르게 지나가거나, 또는 공기가 오염된 도로에서 걷거나 자전거를 타는 것을 선택하는 사람은 거의 없을 것이다.

끊어 읽기로 보는 구문

계단을 오르는 것은　　　좋은 운동을 제공한다　　　　　그리고 사람들은　　　걷거나 자전거를 타는
Climbing stairs / provides a good workout, / and people / who walk or ride a bicycle /
　주어　　　　　　　동사　　　　　　　　　　　　　　　　　　　　　　　people을 선행사로 하는 주격 관계대명사

이동 수단으로　　　　　대개　　　　그들의 필요를 충족시킨다　신체적 활동에 대한
for transportation / most often / meet their needs / for physical activity.
　　　　　　　　　　　　　　　　　people이 주어인 동사

B 해석 Patricia Bath는 Howard 의과 대학을 1968년에 졸업했다. 경력이 발전하면서 Bath는 의과 대학에서 학생들을 가르쳤고 다른 의사들을 훈련시켰다. 그녀는 미국 시각장애 예방 협회(AiPB)를 공동 설립했다. Bath는 눈 치료에서의 레이저 사용을 연구하기 시작했다. 그녀의 연구는 그녀를 의료 장비 특허를 받은 최초의 아프리카계 미국 여성 의사가 되는 데 이르게 했다.

끊어 읽기로 보는 구문

그녀의 연구는　　　　　이르게 했다　그녀가 최초의 아프리카계 미국 여성 의사가 되는 데
Her research / led to / her becoming the first African-American female doctor /
　　　　　　　　　　　동명사의 의미상 주어를 소유격으로 나타냄

의료 장비로 특허를 받은
to receive a patent for a medical device.
the first ~ doctor를 꾸미는 형용사적 용법

C 해석 심해의 유기체들은 먹을 수 있는 드문 음식을 찾는 것이 많은 에너지를 소비하기 때문에 오랜 기간 동안 음식 없이 생존하기 위해 그들의 신진대사를 낮춘다. 심해의 많은 포식성 물고기는 거대한 입과 날카로운 이빨을 갖고 있는데 그것들로 먹이를 붙잡고 제압할 수 있다. 바다의 잔광 구역에서 먹이를 잡는 일부 포식자들은 뛰어난 청력(→ 시력)을 갖고 있고 반면에 나머지 포식자들은 먹잇감이나 짝을 끌어들이기 위해 자신의 빛을 만들어 낼 수 있다.

끊어 읽기로 보는 구문

일부 포식자들은   바다의 잔광 구역에서 먹이를 잡는   뛰어난 시력을 갖고 있다   반면에
Some predators / hunting in the residual light zone of the ocean / have excellent visual capabilities / while
       predators를 꾸미는 현재분사   대조의 접속사

다른 포식자들은 자신의 빛을 만들어낼 수 있다   먹잇감이나 짝을 끌어들이기 위해
others are able to create their own light / to attract prey or a mating partner.
       be able to: ~할 수 있다   부사적 용법(목적)

D 해석 Reese 씨에게,

며칠 전에 저는 제 2회 연례 DC Metro 요리 대회에 지원서와 요리법을 제출했습니다. 하지만, 가능하다면 제 요리법을 바꾸고 싶습니다. 저는 이제 막 훌륭한 새로운 요리법을 만들었는데, 사람들이 이미 제가 제출한 것보다 이것을 더 싫어할(→ 좋아할) 것이라고 믿습니다. 제가 제출한 요리법을 바꿀 수 있는지 저에게 알려 주십시오. 귀하의 응답을 고대하고 있겠습니다.

Sophia Walker 드림

끊어 읽기로 보는 구문

나는 이제 막 훌륭한 새로운 요리법을 만들었다   그리고 나는 믿는다   사람들이 이것을 더 좋아할 것이다
I have just created a great new recipe, / and I believe / people will like this more /
                                              believe의 목적어로 쓰인 절에서 접속사 that이 생략됨

내가 이미 제출한 것보다
than the one I have already submitted.
       목적격 관계대명사가 생략됨

[대표 어휘 포함 지문]   **1** ③   **1-1** scribbled   **2** ①   **2-1** process
                      1 ①   **2** ①   **3** ⑤   **4** ③

[대표 어휘 포함 지문 **1**]   지 문 한 눈 에 보 기

❶ Recording an interview / is easier and more thorough, / and can be less unnerving to an interviewee / than
                       동사 1   동사 2   less ~ than: …보다 덜 ~한

seeing someone scribbling in a notebook. ❷ But using a recorder / has some disadvantages / and is not always
                                         동사 1   동사 2

the best solution. ❸ If the interview lasts a while, / [listening to it again / to select the quotes / you wish to use] /
                               동명사구 주어   부사적 용법(목적)   목적격 관계대명사 생략됨

can be time-consuming, / especially if you are working to a tight deadline. ❹ It is often more efficient to develop
동사   가주어   진주어

the technique / (using a recorder as backup if you wish) / of selective note-taking. ❺ This involves / writing

down the key answers from an interview / so that they can be transcribed easily afterwards. ❻ It is sensible to
                              so that ... can ~: ~할 수 있도록(목적)   가주어

take down more / than you think you'll need, / but try to get into the habit of editing out the material / you are
진주어   명령문   목적격 관계대명사 생략됨

not going to need / as the interview proceeds. ❼ It makes the material / much easier and quicker / to handle
                                     = the habit of ~ proceeds

afterwards.

❶ 인터뷰를 녹음하는 것은 더 쉽고 더 면밀하며, 인터뷰 대상에게는 누군가가 수첩에 글을 휘갈겨 적는 것을 보는 것보다 덜 불안해지는 것일 수 있다. ❷ 그러나 녹음기를 사용하는 것은 몇 가지 단점이 있으며 항상 최고의 해결책은 아니다. ❸ 인터뷰가 어느 정도 길어진다면, 여러분이 사용하고자 하는 인용구를 고르기 위해 인터뷰를 다시 듣는 것은 시간이 많이 걸릴 수 있고, 빠듯한 마감 시간에 맞추어야 한다면 특히 그렇다. ❹ (원한다면 예비로 녹음기를 사용하며) 선별적 필기 기술을 발달시키는 것이 흔히 더 효율적이다. ❺ 이 기술은 인터뷰 이후 쉽게 옮겨 쓰이도록 인터뷰에서 핵심 답변을 적는 것을 포함한다. ❻ 여러분이 필요할 것이라고 생각하는 것 이상을 적는 것이 합리적이지만, 인터뷰가 진행되는 동안 필요하지 않은 자료를 걸러내는 습관을 들이도록 노력하라. ❼ 이 방법은 인터뷰 이후에 자료를 훨씬 더 쉽고 빠르게 다루게 한다.

③ 인터뷰를 진행할 때 녹음을 하는 것이 최고의 방법은 아니며 선별적인 필기 기술을 발전시키는 것이 더 효과적이라고 말하고 있으므로 글의 요지로 '선별적인 메모하기가 녹음보다 더 효과적이다.'가 알맞다. ① 인터뷰를 어떻게 할 것인지는 미리 논의되어야 한다. ② 인터뷰용 질문은 겹치면 안 된다. ④ 인터뷰 대상에 대한 객관적인 시각이 중요하다. ⑤ 불안해하는 인터뷰 대상자를 안정시키는 것이 좋다.

[대표 어휘 포함 지문 2]

❶ Research and development for seed improvement / has long been a public domain and government activity / for the common good. ❷ However, private capital / started to flow into seed production / and took it over as _{동사 1} _{동사 2} a sector of the economy, / creating an artificial split / between the two aspects of the seed's nature: / its role _{분사구문(연결동작)} as means of production / and its role as product. ❸ This process gained pace / after the invention of hybrid breeding of maize / in the late 1920s. ❹ Today most maize seed cultivated / are hybrids. ❺ The companies [that _{과거분사가 뒤에서 수식} _{The companies를 수식하는 주격 관계대명사절} sell them] / are able to keep the distinct parent lines from farmers, / and the grain [that they produce] / is not _{the grain을 수식하는 목적격 관계대명사절} suited / for seed saving and replanting. ❻ The combination / guarantees / [that farmers will have to **buy more** _{앞 문장의 두 절의 내용들} _{guarantees의 목적어 역할을 하는 that절} **seed** / **from the company** / **each season**]. ❼ In the 1990s / the extension of patent laws [as the only intellectual _{the extension ~ into A: A로의 확장} _{patent laws를 수식하는 전치사구(자격)} property rights tool] into the area of seed varieties / started to create a growing market / for private seed _{주어 the extension ~ varieties의 동사} companies.

❶ 종자 개량을 위한 연구 개발은 오랫동안 공익을 위한 공공 영역이자 정부의 활동이었다. ❷ 그러나 개인 자본이 종자 생산으로 흘러들어오기 시작했고 경제의 한 부문으로서 그것(종자 생산)을 인수하여, 종자의 특성의 두 가지 측면, 즉 생산의 수단으로서의 종자의 역할과 생산물로서의 종자의 역할의 사이를 인위적으로 나누게 되었다. ❸ 이 과정은 1920년대 말에 옥수수의 잡종 품종 개량 발명 이후 속도를 내었다. ❹ 오늘날 재배되는 대부분의 옥수수 종자는 잡종이다. ❺ 그것들을 파는 회사들은 농부들과 다른 부모 계통을 유지할 수 있으며, 그들이 생산하는 곡물은 종자용으로 보관했다가 다시 심기에는 적절하지 못하다. ❻ 그 결합은 농부들이 계절마다 그 회사로부터 종자를 더 사야 하도록 보장해 준다. ❼ 1990년대에 유일한 지적 재산권 도구인 특허법이 종자 변종의 영역까지 확장되면서 개인 종자 회사를 위한 더 큰 시장이 만들어지기 시작했다.

① 농부들이 종자 회사가 판매하는 종자로 농사를 짓게 되면, 수확한 곡물을 씨앗으로 사용할 수 없으므로 또다시 회사로부터 종자를 구매해야 한다. 따라서 빈칸에는 '계절마다 그 회사로부터 종자를 더 사도록'이 알맞다. ② 이전보다 더 많은 화학비료를 사용하도록 ③ 자신들의 식품을 위한 시장을 개척하도록 ④ 식품 생산의 효율성을 높이도록 ⑤ 시골 공동체 유지 방안을 찾아보도록

1

❶ Minorities / tend not to have much power or status / and may even be dismissed / as troublemakers, extremists _{동사 1} _{동사 2} or simply 'weirdos'. ❷ How, then, do they ever have any influence / over the majority? ❸ The social psychologist _{그렇다면} Serge Moscovici / claims / [that the answer lies in their *behavioural style*, / i.e. the *way* **the minority gets its** _{claims의 목적어 (명사절)} _즉 _{how가 생략된 관계부사절}

point across]. ❹ The crucial factor / [in the success of the suffragette movement] / was [that its supporters
　　　　　　　　　　주어를 수식하는 전치사구　　　　　　　　　　　　　　　　　　　　　주격 보어인 명사절을 이끄는 접속사
were *consistent* in their views], / and this created a considerable degree of social influence. ❺ Minorities / [that
　　　　　　　　　　　　　　　앞의 that절의 내용을 가리킴　　　　　　　　　　　　　　　　　　Minorities가 선행사인 주격 관계대명사 1
are active and organised], [who support and defend their position *consistently*], / can create social conflict,
　　　　　　　　　　　　　Minorities가 선행사인 주격 관계대명사 2
doubt and uncertainty / among members of the majority, / and ultimately this may lead to social change. ❻
　　　　　　　　　　　　　　　　　　　　　　　　　　　　　　　　　　　and 앞 절의 내용
Such change has often occurred / because a minority has converted others to its point of view. ❼ Without the
　　　　　　　　　　　　　　　　　　　　　　　convert A to B: A를 B로 바꾸다　　　　　　　　가정의 의미 (~이 없다면)
influence of minorities, / we would have no innovation, no social change. ❽ Many of [what we now regard as
　　　　　　　　　　　　　　가정법 과거　　　　　　　　　　　　　　　　　　　　　　　　선행사를 포함한 관계대명사
'major' social movements / (e.g. Christianity, trade unionism or feminism)] / were originally due to the influence
/ of an outspoken minority.

해석 ❶ 소수 집단은 많은 힘이나 지위를 가지고 있지 않는 경향이 있고 심지어 말썽꾼, 극단주의자, 또는 단순히 '별난 사람'으로 일축될 수도 있다. ❷ 그렇다면 대체 그들은 어떻게 다수 집단에 대한 영향력을 행사하는가? ❸ 사회 심리학자 Serge Moscovici는 그 답이 그들의 '행동 양식', 즉 소수 집단이 자기네 의견을 이해시키는 '방식'에 있다고 주장한다. ❹ 여성 참정권 운동이 성공을 거둔 중대한 요인은 지지자들이 자신들의 관점에서 '일관적'이었다는 것이었는데, 이것이 상당한 정도의 사회적 영향력을 만들어냈다. ❺ 활동적이고 조직적인 소수 집단이 자신들의 입장을 '일관되게' 옹호하고 방어함으로써 다수 집단의 구성원 사이에 사회적 갈등, 의심, 그리고 불확신을 만들어 낼 수 있고, 궁극적으로 이것이 사회 변화를 가져올 수도 있다. ❻ 그러한 변화가 흔히 일어난 까닭은 소수 집단이 다른 사람들을 자신의 관점으로 바꿔 놓았기 때문이다. ❼ 소수 집

단의 영향 없이는 우리에게 어떤 혁신, 어떤 사회 변화도 없을 것이다. ❽ 우리가 현재 '주요' 사회 운동(예를 들어, 기독교 사상, 노동조합 운동, 또는 여권 확장 운동)으로 여기는 많은 것이 본래는 거침없이 말하는 소수 집단의 영향력 때문에 생겨났다.

정답 전략 ① 소수 집단의 사람들이 자신들이 갖고 있는 생각을 어떻게 다수 집단의 사람들에게 일관되게 주장하고 설득하는지에 관한 내용이 빈칸 뒤에 이어지고 있으므로, 빈칸에는 '소수 집단이 자기네 의견을 이해시키는'이 알맞다. ② 소수 집단이 자신의 목소리를 낮추는 ③ 다수 집단이 소수 집단을 양성하는 ④ 다수 집단이 사회 변화를 가져오는 ⑤ 소수 집단이 다수 집단과 협동하는

---

❶ Life is / hectic. ❷ Our days are filled / with so many of the "have tos" / that we feel / there's no time left for the
　　　　　　　　　　　　　　　　　　　so ~ that: 매우 ~해서 …하다　　　　접속사 that 생략
"want tos." ❸ Further, / [spending all our time with others] / doesn't give us / the ability to hit the reset button
　　　　　　　　　　　주어로 쓰인 동명사구　　　　　　　　　　　　　　　　　　　the ability를 수식하는 형용사적 용법
and relax. ❹ [Leaving little to no time for ourselves / or for the things / that are important to us] / can lead / to
　　　　　　　주어로 쓰인 동명사구　　　　　　A to B: A에서 B까지　　　　the things를 선행사로 하는 관계대명사
unmanaged stress, frustration, fatigue, resentment, or worse, health issues. ❺ Building in regular "you time," /
however, / can provide numerous benefits, / all of which help to make / life / a little bit sweeter and a little bit
　　　　　　　　　　　　　　　　　　　　　benefits를 보충 설명하는 관계대명사
more manageable. ❻ Unfortunately, / many individuals struggle / with reaching goals / due to an inability / [to
　　　　　　　　　　　　　　　　　　　　　　　　　　　　　　　　　　　　　　~ 때문에
prioritize their own needs]. ❼ Alone time, / however, / forces you / to take a break / from everyday responsibilities
an inability를 수식하는 형용사적 용법
and the requirements of others / so you can dedicate time / to move forward with your own goals, / meet your
　　　　　　　　　　　　　　　　　　　　　　　　　　　to move, (to) meet, (to) explore가 접속사 and로 병렬 연결됨
own personal needs, / and further explore your personal dreams.

해석 ❶ 삶은 매우 바쁘다. ❷ 우리의 하루는 너무 많은 '해야 하는 것들'로 가득 차서 우리는 '하고 싶어 하는 것들'을 할 시간이 없다고 느낀다. ❸ 게다가, 다른 사람들과 함께 우리의 모든 시간을 보내

는 것은 우리에게 리셋 버튼을 누르고 쉴 수 있는 능력을 주지 않는다. ❹ 우리 자신이나 우리에게 중요한 것들을 위해 시간을 거의 또는 전혀 남겨놓지 않는 것은 관리되지 않는 스트레스, 좌절감, 피로,

분노, 또는 더 나쁘게는 건강 문제로 이어질 수 있다. ❺ 그러나 규칙적인 '여러분의 시간'을 구축하는 것은 많은 이득을 줄 수 있는데, 이 모든 것들이 삶을 조금 더 달콤하고 조금 더 관리하기 쉽게 하는 데 도움을 준다. ❻ 불행히도 많은 사람들이 자신만의 필요 사항에 우선순위를 매기지 못하기 때문에 목표에 도달하는 것에 고난을 겪는다. ❼ 그러나 혼자만의 시간은 일상적인 책임과 다른 사람들의 요구 사항으로부터 강제로라도 잠시 휴식을 취할 수 있게 하고, 그래서 여러분은 자신만의 목표를 가지고 나아가며, 스스로의 개인적

욕구를 충족시키고, 나아가 여러분의 개인적인 꿈을 탐색하는 데에 시간을 바칠 수 있다.

정답 전략 ① 글의 마지막에 필자의 주장이 잘 드러나 있다. 즉, 아무리 바빠도 규칙적으로 자신만의 시간을 가지면서 휴식을 취하며 스스로가 원하는 것들을 추구해야 한다고 했으므로, 필자의 주장으로 가장 적절한 것은 ①이다.

---

3 지문 한눈에 보기

❶ Movies may be said / to support the dominant culture / and to serve as a means for its reproduction over
접속사 and로 연결된 to부정사
time. ❷ (C) But one may ask / why audiences would find such movies enjoyable / if [all they do] is / give cultural
목적어 역할을 하는 간접의문문 · 조건을 나타내는 부사절을 이끄는 접속사 / 부사절의 주어 / 주격 보어로 쓰인 원형부정사
directives and prescriptions for proper living. ❸ Most of us / would likely grow tired of such didactic movies /
동사 1
and would probably come to see them as propaganda, / similar to the cultural artwork / [that was common in
동사 2 주격 관계대명사
the Soviet Union and other autocratic societies]. ❹ (B) The simple answer to this question / is / [that movies do
보어절을 이끄는 접속사
more than present two-hour civics lessons or editorials on responsible behavior]. ❺ They also tell stories / [that,
stories를 선행사로 하는 목적격 관계대명사
/ in the end, / we find satisfying]. ❻ (A) The bad guys are usually punished; / the romantic couple almost always
find each other / despite the obstacles and difficulties / [they encounter on the path to true love]; / and the way
= in spite of (~에도 불구하고) 목적격 관계대명사 생략됨 관계부사 how가 생략됨
we wish the world to be / is / [how, in the movies, it more often than not winds up being]. ❼ No doubt it is this
대개 의심할 바 없이 it ~ that 강조구문
utopian aspect of movies / that accounts for [why we enjoy them so much].
목적어 역할을 하는 간접의문문

해석 ❶ 영화는 지배적인 문화를 지지하고 시간이 지남에 따라 그것을 재생산하는 수단의 역할을 한다고 이야기될 수도 있다. ❷ (C) 그러나 영화가 하는 일의 전부가 적절한 삶에 대한 문화적 지시와 처방을 전달하는 것뿐이라면 관객들이 왜 그런 영화가 즐겁다고 느끼는지에 대한 질문이 제기될 수 있다. ❸ 우리 중 대부분은 그러한 교훈적인 영화에 싫증이 나게 될 것이고, 아마도 그것들을 소련 그리고 다른 독재 사회에서 흔했던, 문화적 예술 작품과 유사한 선전으로 보게 될 것이다. ❹ (B) 이 질문에 대한 간단한 답은 영화가 책임 있는 행동에 관한 두 시간짜리 국민 윤리 교육이나 사설을 제시하는 것 이상을 한다는 것이다. ❺ 그것들은 또한, 우리가 결국엔 만족스럽다고 느끼는 이야기를 한다. ❻ (A) 나쁜 사람들은 보통 벌을 받고, 낭만적인 커플은 진정한 사랑에 이르는 길에서 만나는 장애물과 어려움에도 불구하고 거의 항상 서로를 만나게 되며, 우리가 소

망하는 세상의 모습이 결국 영화 속에서 대개 세상의 모습으로 끝나게 된다. ❼ 우리가 왜 그렇게 많이 영화를 즐기는지를 설명해 주는 것은 바로 영화의 이 이상적인 측면임이 틀림없다.

정답 전략 ⑤ 영화가 지배적인 문화를 지지하며 그것의 재생산의 수단이 될 수 있다는 내용인 주어진 글 다음에, (C) 영화의 교훈적인 면 외에 우리가 영화를 즐기는 이유에 대한 질문이 제기될 수 있다는 내용이 오는 것이 자연스럽다. 그리고 (B) 질문에 대한 답으로 우리가 만족스럽게 느끼는 이야기를 해 주기 때문에 영화를 즐긴다는 내용이 오고, 그다음에는 (A) 그 답변에 대한 예시를 들어 부연 설명하는 내용이 오는 것이 알맞다.

---

4 지문 한눈에 보기

❶ Although commonsense knowledge may have merit, / it also has weaknesses, / not the least of which is that it
양보의 접속사 (비록 ~하지만) 계속적 용법의 관계대명사
often contradicts itself. ❷ For example, / we hear / that people [who are similar] will like one another / ("Birds of
hear의 목적어 역할을 하는 that절 1

a feather / flock together") / but also that persons [who are dissimilar] will like each other / ("Opposites attract").
_{hear의 목적어 역할을 하는 that절 2}

❸ ① We are told / that groups are wiser and smarter than individuals / ("Two heads are better than one") / but
_{명사절을 이끄는 접속사 that}

also that group work inevitably produces poor results / ("Too many cooks spoil the broth"). ❹ ② Each of these
_{명사절을 이끄는 접속사 that}
_{간접의문문}

contradictory statements may hold true / under particular conditions, / but without a clear statement of when
_{간접의문문}   _{of의 목적어 1}

they apply and when they do not, / aphorisms provide little insight / into relations among people. ❺ (③ That is /
_{of의 목적어 2}

[why we heavily depend on aphorisms / whenever we face difficulties and challenges / in the long journey
_{보어 역할을 하는 간접의문문}

of our lives].) ❻ ④ They provide even less guidance / in situations [where we must make decisions]. ❼ ⑤ For
_{situations를 꾸미는 관계부사절}

example, / when facing a choice that entails risk, / which guideline should we use / — "Nothing ventured,
_{접속사+분사구문 = when we face ~}

nothing gained" / or "Better safe than sorry"?

해석 ❶ 상식적인 지식에 장점이 있을 수 있지만, 그것에는 약점도 있는데, 그것에서 중요한 점은 그것이 모순되는 경우가 많다는 것이다. ❷ 예를 들어, 우리는 비슷한 사람들이 서로 좋아하기 마련이라는 말("같은 깃털을 가진 새들끼리 모인다")을 듣지만, 닮지 않은 사람들이 서로 좋아하기 마련이라는 말("정반대의 사람들은 서로에게 끌린다")도 듣는다. ❸ 우리는 집단이 개인보다 더 현명하고 더 똑똑하다는 말("두 사람의 지혜가 한 사람의 지혜보다 낫다")을 듣지만, 집단 작업이 불가피하게 좋지 않은 결과를 만든다는 말("요리사가 너무 많으면 수프를 망친다")도 듣는다. ❹ 이런 모순된 말들 각각은 특정한 상황에서는 사실일 수 있지만, 그것이 언제 적용되는지와 언제 적용되지 않는지에 관한 명확한 진술이 없으면 격언은 사람들 사이의 관계에 대한 통찰력을 거의 제공하지 못한다. ❺ (그것이 우리가 삶의 긴 여정에서 어려움과 도전에 직면할 때마다 격언

에 매우 의존하는 이유이다.) ❻ 그것들은 우리가 결정을 내려야 하는 상황에서는 그야말로 거의 아무런 지침도 제공하지 못한다. ❼ 예를 들어, 위험을 수반하는 선택에 직면할 때, "모험하지 않으면 아무것도 얻을 수 없다" 또는 "후회하는 것보다 조심하는 것이 낫다" 중에서 우리는 어느 지침을 이용해야 하는가?

정답 전략 ③ 상식적인 지식이 담긴 격언에는 모순되는 것이 많아 어떤 상황에서 어떤 격언이 적용되는지에 관한 명확한 설명이 없으면 아무런 도움이 되지 않는다는 것이 이 글의 요지이다. 따라서 삶의 여정에서 어려움과 도전에 직면할 때마다 격언에 의존하게 된다는 문장 ③은 글의 전체 흐름과 관계없다.

DAY 3 필수 체크 전략 ①, ②

20~25쪽

[대표 어휘 포함 지문] 1 ③   1-1 progress   2 ②   2-1 admits
            1 ①   2 ①   3 ④   4 ①

[대표 어휘 포함 지문] 1   지 문 한 눈 에 보 기

❶ Many successful people / tend to keep a good bedtime routine. ❷ They take the time / just before bed / to

reflect on or write down three things / [that they are (A) regretful / **thankful** for] / [that happened during the
_{(to) 두 개의 to부정사가 접속사 or로 연결됨}   _{things를 수식하는 관계대명사절 1}   _{things를 수식하는 관계대명사절 2}

day]. ❸ Keeping a diary of things [that they appreciate] / reminds them of the progress / [they made that day] /
_{things를 수식하는 관계대명사절}   _{목적격 관계대명사의 생략}

in any aspect of their lives. ❹ It serves / as a key way [to stay motivated], / especially when they experience a (B)
_{a key way를 수식하는 형용사적 용법}

hardship / success . ❺ In such case, / many people fall easily / into the trap of replaying negative situations / from

a hard day. ❻ But regardless / of how badly their day went, / successful people typically (C) **avoid** / employ /

that trap of negative self-talk. ❼ That is / because they know / it will only create more stress.
_{그것은 ~이기 때문이다}

해석 ❶ 많은 성공한 사람들은 취침 전에 하는 좋은 습관을 가지는 경향이 있다. ❷ 그들은 잠자리에 들기 직전에, 그날 일어났던 고마운 세 가지 일들에 대해 돌아보거나 적어 보는 시간을 가진다. ❸ 감사하는 일들에 대해 일기를 쓰는 것은 삶의 어떠한 측면에서든 그들이 그날 이룬 발전을 떠올리게 한다. ❹ 그것은 특히 그들이 어려움을 겪을 때 동기를 유지하도록 해 주는 핵심적인 역할을 한다. ❺ 그러한 경우, 많은 사람들은 힘든 하루로부터 오는 부정적인 장면들을 되풀이해 떠올리는 덫에 쉽게 빠진다. ❻ 그러나 그날 하루가 얼마나 힘들었는지에 관계없이, 성공한 사람들은 대개 부정적인 자기 대화의 덫을 <u>피한다</u>. ❼ 왜냐하면 그것이 더 많은 스트레스를 유발할 뿐이라는 것을 그들이 알기 때문이다.

정답 전략 ③ 감사하는 일들에 대해 일기를 쓰는 것은 삶의 어떠한 측면에서든 그들이 그날 이룬 발전을 떠올리게 한다고 하였으므로 (A)에는 thankful이 들어가야 한다. 그리고 그렇게 하는 것이 다른 사람들과 다르게 어려움을 겪을 때 동기를 유지하도록 한다는 내용이 오는 것이 자연스러우므로 (B)에는 hardship이 알맞다. 성공한 사람들은 부정적인 장면들을 되풀이해 떠올리는 다른 사람들과 다르게 부정적인 자기 대화의 덫을 피한다는 것이 자연스러우므로 (C)에는 avoid를 써야 한다.

[대표 어휘 포함 지문 2]

❶ Every day in each of my classes / I randomly select two students / [who are given the title of "official
　　　　　　　　　　　　　　　　　　　　　　　　　　　　　　students를 선행사로 하는 주격 관계대명사
questioners."] ❷ These students / are assigned the responsibility / [to ask at least one question / during that
　　　　　　　　　　　　　　　　　　　　　　　　　　the responsibility를 수식하는 형용사적 용법
class]. ❸ (B) After being the day's official questioner, / one of my students, Carrie, / visited me in my office. ❹ Just
　　　　접속사+ 분사구문 (After she was ~)
to break the ice, / I asked in a lighthearted way, / "Did you feel honored / to be named one of the first 'official
　　　　　　　　　　　　　　　　　　　　　　　　　　　　　　　　부사적 용법(감정의 원인)
questioners' of the semester?" ❺ (A) In a serious tone, / she answered / [that she'd been extremely nervous / when
　　　　　　　　　　　　　　　　　　　　　　　　answered의 목적어 역할을 하는 that절
I appointed her / at the beginning of class]. ❻ But then, / during that class, / she felt differently / from [how she'd
　　　　　　　　　　　　　　　　　　　　　　　　　　　　　　　　　　　　　　from의 목적어 역할을 하는 명사절
felt during other lectures]. ❼ (C) It was a lecture just like the others, / but this time, / she said, / she was forced /
　　　　　　　　　　　　　= that class
to have a higher level of consciousness; / she was more aware of the content / of the lecture and discussion. ❽
　　　　　　　　　접속사의 기능을 하는 세미콜론(여기서는 so의 의미)
She also admitted / [that as a result she got more / out of that class].
　　　　admitted의 목적어 역할을 하는 that절

해석 ❶ 매일, 수업 시간마다 나는 무작위로 '공식 질문자'의 칭호를 부여받는 두 명의 학생을 정한다. ❷ 이 학생들에게는 그 수업 시간 동안 최소한 하나의 질문을 해야 하는 책임이 부여된다. ❸ (B) 나의 학생 중 한 명인 Carrie는 그날의 공식 질문자가 된 후 교무실로 나를 찾아왔다. ❹ 나는 그냥 서먹서먹한 분위기를 깨려고 쾌활하게 "이번 학기 첫 번째 '공식 질문자' 중 한 명으로 지명되어 영광이었니?"라고 물었다. ❺ (A) 그녀는 진지한 어조로, 수업이 시작될 때 내가 자기를 지명했을 때 매우 긴장했다고 말했다. ❻ 하지만 그 후 그 수업 동안에 그녀는 다른 강의에서 느꼈던 것과는 아주 다른 느낌이 들었다. ❼ (C) 그 강의는 다른 강의들과 비슷했지만, 그녀는 이번에 더욱 높은 의식 수준을 가져야 했고, 강의와 토론의 내용을 더 잘 알게 되었다고 말했다. ❽ 또한 결과적으로 자기가 그 수업으로부터 더 많은 것을 얻게 되었다고 인정했다.

정답 전략 ② 주어진 글 이후에 학생이 찾아와서 처음에는 긴장됐지만 수업에서 더 많은 것을 얻게 됐다고 인정하는 내용이 오는 것이 자연스럽다. 따라서 학생(Carrie)이 찾아오는 내용인 (B), 그녀가 (she) 처음엔 긴장됐다고 말하는 내용의 (A), 그리고 수업에서 더 많은 것을 얻었다고 말하는 내용의 (C)의 순서가 알맞다.

---

[1]

❶ Inappropriate precision / means giving information or figures / to a greater degree of apparent accuracy /
　　　　　　　　　　　　　　　　　　　　　　　　　　　　　더 큰 정도로
than suits the context. ❷ For example, / advertisers often use the results of surveys / to prove [what they say
　　　　　　　　　　　　　　　　　　　　　　　　　　　　　　　　　부사적 용법(목적) 선행사를 포함하는 관계대명사
about their products]. ❸ Sometimes / they claim a level of precision / [not based reliably on evidence]. ❹ So, /
　　　　　　　　　　　　　　　　　　　　　　　　　　「주격 관계대명사+ be동사」 생략

if a company [selling washing powder] claims / 95.45% of British adults agree / that this powder washes whiter
_{a company를 수식하는 현재분사구}   _{접속사 that의 생략}   _{claims의 목적어로 쓰인 명사절 안에 agree의 목적어로 쓰인 that절이 있음}

/ than any other, / then this level of precision is clearly inappropriate. ❺ It is unlikely that all British adults were
_{가주어}   _{진주어}

surveyed, / so the results are based / only on a sample and not the whole population. ❻ At best / the company

should be claiming / that over 95% of *those asked* agreed / that their powder washes whiter / than any other. ❼
_{「주격 관계대명사+be동사」가 생략됨}

Even if the whole population had been surveyed, / [to have given the result to two decimal points] / would have
_{양보의 접속사(가정의 의미가 있음)}   _{완료부정사(주어 역할을 하는 명사적 용법)}

been absurd. ❽ The effect is / [to propose a high degree of scientific precision in the research]. ❾ Frequently, /
_{보어 역할을 하는 명사적 용법}

however, / inappropriate precision is an attempt / [to mask the unscientific nature of a study]. → ❿ Advertisers
_{an attempt를 수식하는 형용사적 용법}

often give us information with an (A)**excessive** precision, / but it can be considered / as an intention [to conceal

the lack of (B)**reliability** of their research].
_{an intention을 수식하는 형용사적 용법}

해석 ❶ 부적합한 정밀성은 상황에 적절한 것보다 더욱 큰 정도의 명백한 정확성으로 정보나 수치를 제공하는 것을 의미한다. ❷ 예를 들면, 광고주들은 그들의 상품에 대해 그들이 말하는 것을 입증하기 위해 설문 조사 결과를 종종 이용한다. ❸ 때때로 그들은 확실하게 증거에 근거하지 않은 정밀도의 수준을 주장한다. ❹ 그러므로 만약 가루 세제를 판매하는 회사가 영국 성인의 95.45퍼센트가 이 세제가 다른 세제보다 더 하얗게 세탁해 준다는 것에 동의한다고 주장한다면, 이러한 정밀도의 수준은 분명히 부적합하다. ❺ 모든 영국 성인들이 설문에 응할 수는 없었을 것이며, 그러므로 그 결과들은 전체 인구가 아니라 단지 표본에 기반을 둔 것이다. ❻ 기껏해야 그 회사는 '질문을 받은 사람들' 중 95퍼센트가 넘게 그들의 세제가 다른 세제보다 더 하얗게 세탁하게 한다는 것에 동의했다고 주장해야 하는 것이다. ❼ 비록 전체 인구가 설문을 받았다고 할지

라도, 소수점 둘째 자리까지 그 결과를 준 것은 터무니없는 것일 것이다. ❽ 그 효과는 그 연구에 높은 수준의 과학적 정밀성을 의도하기 위함이다. ❾ 그러나 흔히 부적합한 정밀성은 연구의 비과학적 성격을 숨기기 위한 시도이다. → ❿ 광고주들은 흔히 과도한 정밀성을 가진 정보를 우리에게 주지만 그것은 그들의 연구의 신뢰성 부족을 숨기기 위한 의도로 간주될 수 있다.

정답 전략 ① 글의 마지막 문장에서 부적합한(= 상황에 벗어날 정도로 지나친) 정밀성이 연구의 비과학적 성격(= 신뢰성 부족)을 가리기 위한 시도라고 말하고 있다. 따라서 ① '과도한 – 신뢰성'이 알맞다. ② 과도한 – 인기 ③ 충분한 – 투자 ④ 타당한 – 진실성 ⑤ 타당한 – 유효성

---

❶ A term like *social drinker* / was itself [what we might call "socially constructed."] ❷ When a social drinker was
_{보어 역할을 하는 관계대명사절}

caught / driving drunk, / it was seen / as a single instance of bad judgment / in an otherwise exemplary life, / but
_{분사구문}   _{그 외에는}

this was rarely the case. ❸ Experts liked to point out / that persons caught driving drunk for the first time / had
_{「주격 관계대명사+be동사」 생략됨}

probably done so / dozens of times / before / without incident. ❹ The language [chosen to characterize these
_{과거분사구가 뒤에서 수식}   _{부사적 용법(목적)}

particular individuals], / however, / reflected the **forgiving** way [that society viewed them]. ❺ The same / could be
_{the forgiving way를 수식하는 관계부사절 / that이 관계부사로 쓰임}

said for the word *accident*, / which was the common term / used to describe automobile crashes well into the 1980s.
_{accident를 보충 설명하는 주격 관계대명사}

❻ An accident / implied an unfortunate act of God, / not something [that could — or should — be prevented].
_{~이 아니라}   _{something을 수식하는 주격 관계대명사절}

해석 ❶ '사교적 음주가'와 같은 말은 그 자체로 소위 '사회적으로 형성된' 것이었다. ❷ 사교적 음주가가 음주 운전을 하다가 잡혔을 때, 다른 면으로는 모범적인 삶을 살다가 단 한 번 나쁜 판단을 한 경우라고 여겨졌지만, 이것은 좀처럼 사실이 아니었다. ❸ 전문가들은 처음으로 음주 운전하다 잡힌 사람들은 아마도 이전에 별일 없

이 수십 번 그렇게 해왔을 것이라고 지적하길 좋아했다. ❹ 그러나 이 특정한 사람들을 특징짓기 위해 선택된 말은 사회가 그들을 보는 너그러운 방식을 반영했다. ❺ '사고'라는 단어에 대해서도 똑같이 말할 수 있는데, 그것은 1980년대까지도 자동차 충돌을 묘사하기 위해 사용되는 흔한 말이었다. ❻ 사고는 예방될 수 있거나 예방

되어야 하는 무언가가 아니라, 유감스러운 불가항력임을 암시했다.

정답 전략 ① 빈칸이 있는 문장에 '그러나'라는 의미의 however가 있으므로, 앞의 내용과는 상반되는 내용임을 짐작할 수 있다. 따라서 앞 문장에서는 전문가들은 음주 운전자가 이전에 이미 여러 번

음주 경험이 있을 것이라고 지적하나, 빈칸이 있는 문장에서 사회는 그들을 다른 방식, 즉 더 '너그러운(forgiving)' 방식으로 본다는 흐름이 되는 것이 자연스럽다. ② 객관적인 ③ 낮추는 ④ 반갑지 않은 ⑤ 칭찬할 만한

---

3 지 문 한 눈 에 보 기

❶ As a system / for transmitting specific factual information / without any distortion or ambiguity, / the sign
  자격을 나타내는 전치사(~로서)
system of honey-bees / would probably win easily over human language every time. ❷ However, / language
                      말하는 사람의 추측을 나타내는 조동사
offers something more valuable / than mere information exchange. ❸ Because the meanings of words are not
       -thing+형용사
invariable / and because understanding always involves interpretation, / the act of communicating / is always a
                                                                    「주격 관계대명사+be동사」가 생략됨
joint, creative effort. ❹ Words can carry meanings / beyond those [consciously intended by speakers or writers] /
                                                        = meanings   과거분사구가 뒤에서 수식
because listeners or readers bring their own perspectives / to the language [they encounter]. ❺ Ideas [expressed
                                                                      목적격 관계대명사가 생략됨
imprecisely] / may be more intellectually stimulating for listeners or readers / than simple facts. ❻ The fact / [that
                                                                                            The fact = that절
language is not always reliable / for causing precise meanings to be generated / in someone else's mind] / is a
reflection of its powerful strength / as a medium for creating new understanding. ❼ It is the inherent ambiguity
                                      자격을 나타내는 전치사(~로서)   It ~ that 강조구문
and adaptability of language / as a meaning-making system / that makes the relationship between language
                              자격을 나타내는 전치사(~로서)   동사   목적어
and thinking so special.
         목적격 보어

해석 ❶ 특정한 사실적 정보를 어떠한 왜곡이나 모호함이 없이 전달하는 체계로서, 꿀벌의 신호 체계는 아마 인간의 언어를 언제나 쉽게 이길 것이다. ❷ 그러나 언어는 단순한 정보의 교환보다 더 가치 있는 것을 제공한다. ❸ 단어들의 의미가 불변이 아니고, 이해는 언제나 해석을 포함하기 때문에, 의사소통 행위는 항상 공동의 창의적 노력이다. ❹ 단어는 화자나 필자에 의해 의식적으로 의도된 것 너머의 의미를 전달하는데, 그 이유는 청자나 독자들은 그들이 접하는 언어에 자신의 시각을 가져오기 때문이다. ❺ 부정확하게 표현된 개념은 단순한 사실보다 청자나 독자에게 더 지적으로 자극적일 수도 있다. ❻ 언어가 다른 어떤 사람의 정신 속에 정확한 의미가 형성되도록 하는 데 있어서 항상 신뢰할 만하지는 않다는 사실은

새로운 이해를 만들어 내는 수단으로서의 언어의 강력한 힘을 반영하는 것이다. ❼ 언어와 사고의 관계를 그렇게도 독특하게 만드는 것은, 의미를 만들어 내는 체계로서의 언어의 고유한 모호성과 적응성이다.

정답 전략 ④ 단어는 의미가 변할 수 있고, 듣거나 읽는 사람은 말이나 글을 자신의 시각에서 해석하기 때문에 언어가 다양한 해석을 만들어 낼 수 있다는 내용의 글이다. 따라서 이 글의 제목으로는 '언어에서 무엇이 다양한 이해를 만들어 내는가?'가 적절하다. ① 언어의 생산에 있어 모호성을 제거하라! ② 창의적이지 않고 단순하다: 언어가 운용되는 방식 ③ 언어 사용에서 보편적인 목표인 의사소통 ⑤ 언어: 아주 투명한 거울

---

4 지 문 한 눈 에 보 기

❶ Time / [spent on on-line interaction / with members of one's own, preselected community] / leaves less time /
         과거분사구가 뒤에서 수식
[available for actual encounters / with a wide variety of people]. ❷ If physicists, for example, / were to concentrate
형용사구가 뒤에서 수식   가정법 과거
on exchanging email and electronic preprints / with other physicists around the world / [working in the same
                                                          would의 생략   other ~ the world를 수식
specialized subject area], / they would likely devote less time, / and be less receptive to new ways of looking
at the world. ❸ [Facilitating the voluntary construction / of highly homogeneous social networks / of scientific
                동명사구 주어

정답과 해설 **45**

communication] / therefore allows individuals to filter / the potentially overwhelming flow of information. ❹

allow+목적어+to부정사: ~가 …하게 해 주다

But the result may be the tendency to overfilter it, / thus eliminating the diversity of the knowledge circulating /

information ↵   분사구문 1

and diminishing the frequency of radically new ideas. ❺ In this regard, / even a journey through the stacks of

분사구문 2

a real library / can be more fruitful / than a trip through today's distributed virtual archives, / because it seems

가주어

difficult to use the available "search engines" / to emulate efficiently the mixture of predictable and surprising

진주어

discoveries / [that typically result from a physical shelf-search of an extensive library collection]. → ❻ [Focusing

predictable ~ discoveries를 수식하는 주격 관계대명사절   동명사구 주어

on on-line interaction / with people [who are engaged in the same specialized area]] / can (A)limit potential

(can)   동사 1

sources of information / and thus make it less probable for (B)unexpected findings to happen.

동사 2

해석 ❶ 자신의 미리 정해진 공동체의 구성원들과 온라인 상호작용을 하는 데 소비되는 시간으로 인해 다양한 사람들과의 실제 만남을 위해 쓸 수 있는 시간이 더 줄어들게 된다. ❷ 예를 들어, 물리학자들이 같은 전문화된 주제 분야에서 연구하는 전 세계의 다른 물리학자들과 이메일과 전자 예고(豫稿)를 주고받는 일에 집중한다면, 그들은 세상을 보는 새로운 방식에 더 적은 시간을 쏟고 그것을 덜 받아들이려고 할 가능성이 크다. ❸ 과학 학술 커뮤니케이션에 있어서 대단히 동종의 사회적 네트워크를 자발적으로 구축하는 것을 촉진하는 것은 그리하여 개인들이 압도적일 가능성이 있는 정보의 흐름을 걸러낼 수 있게 한다. ❹ 하지만 그 결과는 그것을 과도하게 걸러내는 경향이 될 수 있고, 그래서 순환하는 지식의 다양성을 없애버리고 근본적으로 새로운 생각이 나타나는 빈도를 줄여 버릴 수 있다. ❺ 이러한 면에서, 심지어 실제 도서관의 서가를 훑고 다니는 것마저도 오늘날 퍼져 있는 가상의 기록 보관소를 뒤지는 것보다 더 유익할 수 있는데, 왜냐하면 도서관의 방대한 장서가 있는 실제

서가에서 찾다가 일반적으로 나오는 결과인 예측 가능한 발견과 놀라운 발견들이 섞여 있는 것을 효과적으로 따라 하려고 이용 가능한 '검색 엔진'을 사용하는 것이 어려워 보이기 때문이다. → ❻ 동일한 전문 분야에 종사하고 있는 사람들과 온라인 상호작용에 집중하는 것은 가능한 정보원을 제한할 수 있으며, 그래서 예기치 않은 발견이 이루어질 가능성을 더 줄어들게 할 수 있다.

정답 전략 ① 동일 전문 분야의 사람들과 온라인으로 교류하는 것은 압도적인 정보의 흐름을 과도하게 걸러내어 예기치 못한 정보나 놀라운 발견을 접할 가능성을 줄인다는 내용의 글이다. 따라서 ① '제한하다 – 예기치 않은'이 적절하다. ② 제한하다 – 왜곡된 ③ 다양화하다 – 오도하는 ④ 다양화하다 – 우연한 ⑤ 제공하다 – 참신한

© Rashad Ashur / shutterstock

누구나 합격 전략   26~29쪽

1 ④   2 ③   3 ④   4 ④

1   지 문 한 눈 에 보 기

❶ Public speaking is audience centered / because speakers "listen" to their audiences during speeches. ❷ They

= Speakers

monitor / audience feedback, / the verbal and nonverbal signals / [an audience gives a speaker]. ❸ ①Audience

목적격 관계대명사가 생략됨

feedback often indicates / [whether listeners understand, have interest in, and are ready to accept the speaker's

명사절을 이끄는 접속사   동사 1   동사 2   동사 3

ideas]. ❹ ②This feedback assists the speaker / in many ways. ❺ ③It helps the speaker know / when to slow

동사 helps의 목적격 보어로 쓰인 원형부정사 know

down, / explain something more carefully, / or even tell the audience / that she or he will return to an issue / in

to slow, (to) explain, (to) tell이 when에 이어짐

a question-and-answer session / at the close of the speech. ❻ (④It is important for the speaker to memorize his

가주어   진주어

or her script / to reduce on-stage anxiety.) ❼ ⑤Audience feedback / assists the speaker / in creating a respectful

connection with the audience.

❶ 연사들은 연설하는 동안 청중에게 '귀 기울이기' 때문에 대중 연설은 청중 중심이다. ❷ 그들은 청중의 피드백, 즉 청중이 연사에게 주는 언어적, 비언어적 신호를 주시한다. ❸ 청중의 피드백은 흔히 청중들이 연사의 생각을 이해하고, 관심을 갖고, 받아들일 준비가 되었는지를 보여 준다. ❹ 이 피드백은 연사를 여러모로 도와준다. ❺ 그것은 연사가 언제 속도를 늦출지, 언제 무언가를 더 주의해서 설명할지, 혹은 언제 연설의 끝에 있는 질의응답 시간에 어떤 주제로 되돌아갈 것이라고 청중에게 말할지까지도 파악하는 데 도움이 된다. ❻ (무대공포증을 줄이기 위해 연사가 자신의 원고를 암기하는 것이 중요하다.) ❼ 청중의 피드백은 연사가 청중과 존중하는 관계를 형성하는 것을 도와준다.

정답 전략 ④ 이 글은 대중 연설을 할 때 청중의 피드백의 중요성을 설명하는 글이다. 연사는 연설하는 동안 청중의 피드백에 주의를 기울이고, 그것에서 많은 도움과 정보를 얻는다고 했다. 따라서 무대공포증을 줄이는 방법을 설명한 ④는 글의 흐름과 어긋난다.

---

❶ Anne Mangen / at the University of Oslo / studied the performance / of readers of a computer screen / compared to readers of paper. ❷ Her investigation indicated / [that reading on a computer screen / involves various strategies / from browsing to simple word detection].
indicated의 목적어인 명사절
from A to B: A에서 B까지
❸ Those different strategies together / lead to poorer reading comprehension / in contrast to reading the same texts on paper. ❹ Moreover, / there is an additional feature of the screens: hypertext. ❺ Above all, / a hypertext connection is not one [that you have made yourself], / and it will not necessarily have a place / in your own unique conceptual framework.
one을 수식하는 목적격 관계대명사절
= the hypertext connection
❻ Therefore, / it may not help you / understand and digest what you're reading / at your own appropriate pace, / and it may even distract you.
목적격 보어로 쓰인 원형부정사

해석 ❶ Oslo 대학교의 Anne Mangen은 종이로 읽는 독자들과 비교해서 컴퓨터 스크린으로 읽는 독자들의 수행 능력에 관해 연구했다. ❷ 그녀의 연구는 컴퓨터 스크린으로 읽는 것이 훑어보기부터 간단한 단어 찾기까지 다양한 전략들을 포함한다는 것을 보여 주었다. ❸ 똑같은 텍스트를 종이로 읽는 것과는 대조적으로 그러한 여러 다른 전략들이 함께 모여 (오히려) 독해력을 더 떨어지게 한다. ❹ 게다가, 하이퍼텍스트라는 스크린의 부가적인 특징이 있다. ❺ 무엇보다도, 하이퍼텍스트 연결은 여러분 스스로가 만든 것이 아니라서 여러분 자신의 고유한 개념적 틀 속에 반드시 자리 잡고 있는 것은 아닐 것이다. ❻ 그러므로 그것은 자신에게 맞는 속도로 여러분이 읽고 있는 것을 이해하여 소화하는 데 도움이 되지 않을 수도 있고 심지어 여러분을 산만하게 만들 수도 있다.

정답 전략 ③ 종이로 읽는 것과 스크린으로 읽는 것의 차이에 대한 연구 결과를 나타낸 글이다. 종이로 읽는 것에 비해 다양한 독해 전략 장치를 갖춘 스크린으로 읽는 것이 오히려 독해력을 떨어지게 하고 산만하게 만들 수 있다는 것이 중심 내용이므로, 제목으로 가장 적절한 것은 ③ '스크린으로 읽는 것은 그렇게 효과적이지 않다'이다. ① 전자책은 여러분의 읽기 속도를 높인다 ② 독해 기술 가르치기의 중요성 ④ 어린 이들의 읽기 습관과 기술 사용 ⑤ 전자책: 종이 책의 경제적인 대안

---

thought and action이 선행사인 목적격 관계대명사절
❶ The creative team / exhibits / paradoxical characteristics. ❷ It shows tendencies of thought and action / [that we'd assume / to be mutually exclusive or contradictory]. ❸ For example, / to do its best work, / a team needs deep
부사적 용법(목적)
knowledge of subjects / relevant to the problem it's trying to solve, / and a mastery of the processes involved.
needs의 목적어 1
목적격 관계대명사가 생략됨
needs의 목적어 2
❹ But at the same time, / the team needs fresh perspectives / [that are unencumbered / by the prevailing wisdom or established ways of doing things].
fresh perspectives를 수식하는 주격 관계대명사절
❺ Often called a "beginner's mind," / this is the newcomers' perspective:
수동의 분사구문(being이 생략됨)

⊙ people [who are curious, even playful, and willing to ask anything] / — no matter how naive the question

　　　└ people을 수식하는 주격 관계대명사절　　　　　　　　　　　　　　　　　아무리 ~해도

may seem — / because they don't know [what they don't know]. **⊘** Thus, / [bringing together contradictory

　　　　　　　　　　　　　　　　know의 목적어인 간접의문문　　　　　　　　　　　　　　　주어로 쓰인 동명사구

characteristics] can accelerate / the process of new ideas.

<table>
<tr><td>

해석 **❶** 창의적인 팀은 역설적인 특징을 보인다. **❷** 그것은 우리가 상호 배타적이거나 모순된다고 가정하는 생각과 행동의 경향을 보여 준다. **❸** 예를 들어, 최고의 작업을 수행하기 위해서는 팀이 해결하려는 문제와 관련된 주제에 대한 깊은 지식과 수반되는 과정의 숙달이 필요하다. **❹** 그러나 동시에, 널리 퍼져 있는 지혜나 일을 하는 입증된 방법에 구애받지 않는 신선한 관점이 필요하다. **❺** 종종 "초심자의 마음"이라고 불리는 이것은 신참의 관점이다. **❻** 즉, 호기심 많고, 심지어 장난기 넘치고, 질문이 아무리 순진해 보이더라도 무엇이든 기꺼이 물어보는 사람들인데, 이것은 자신이 모르는 것이 무엇인지도 모르기 때문이다. **❼** 따라서 <u>모순되는 특징들을 한데 모으는 것</u>이 새로운 아이디어의 과정을 가속화할 수 있다.

</td><td>

정답 전략 ④ 작업을 수행할 때 창의적인 팀은 문제에 대한 깊은 지식과 과정에 수반되는 뛰어난 기술이 있으면서도 이미 입증된 방식에서 벗어나서 문제를 바라보는 신선한 관점이 있다고 했다. 그리고 신선함은 신참의 관점이라고 말하고 있으므로 밑줄 친 '모순되는 특징들을 한데 모으는 것'은 '전문가와 신참의 관점을 모두 활용하는 것'의 의미이다. ① 단기 목표와 장기 목표를 수립하는 것 ② 도전적이면서도 쉬운 업무를 수행하는 것 ③ 단기적이면서도 영구적인 해결 방안을 채택하는 것 ⑤ 과정과 결과를 동시에 고려하는 것

</td></tr>
</table>

4

❶ Sport can trigger an emotional response / in its consumers / of the kind [rarely brought forth by other

　　　　　　　　　　　　　　　　　　　　　　　　　　　↗ an emotional response에 이어짐　└ the kind를 수식하는 과거분사구

products]. **❷** Imagine / bank customers / [buying memorabilia to show loyalty to their bank], / or consumers /

　　　　　　　　　　　　　　　　　└ bank customers를 수식하는 현재분사구　부사적 용법(목적)

①[identifying so strongly with their car insurance company / that they get a tattoo with its logo. **❸** We know

　　consumers를 수식하는 현재분사구　　　　　　　　so ... that ~: 너무 …해서 ~하다

/ [that some sport followers are so ②passionate about players, teams and the sport itself / that their interest

　　know의 목적어인 명사절　　　　　　　so ... that ~: 너무 …해서 ~하다

borders on obsession]. **❹** This addiction provides the emotional glue [that binds fans to teams], / and maintains

　　　　　　　　　　　　　동사 1　　　　　　　└ the emotional glue를 수식하는 주격 관계대명사절　동사 2

loyalty / even in the face of on-field ③failure. **❺** While most managers can only dream / of having customers /

　　　　　　　　　　　　　　　　　　　　　　양보의 접속사(~하지만)

[that are as passionate about their products / as sport fans], / the emotion [triggered by sport] / can also have

customers를 수식하는 주격 관계대명사절　　　　　　　　　　　　　　　└ the emotion을 수식하는 과거분사구

a negative impact. **❻** Sport's emotional intensity can mean / [that organisations have strong attachments

　　　　　　　　　　　　　　　　　　　　　　　　mean의 목적어인 명사절을 이끄는 접속사

to the past / through nostalgia and club tradition]. **❼** As a result, / they may ④increase(→ ignore) efficiency,

전치사 to(~에)

productivity and the need [to respond quickly to changing market conditions]. **❽** For example, / a proposal to

　　　　　　　　　　└ 형용사적 용법

change club colours / in order to project a more attractive image / may be ⑤defeated / because it breaks a link

with tradition.

<table>
<tr><td>

해석 **❶** 스포츠는 그것의 소비자에게 다른 제품이 좀처럼 일으키지 못하는 종류의 정서적 반응을 촉발시킬 수 있다. **❷** 은행 고객이 그들 은행에 대한 충성심을 보여 주기 위해 기념품을 구입하거나, 고객이 그들 자동차 보험 회사에 대해 매우 강한 동질감을 가져서 회사 로고로 문신을 한다고 상상해 보라. **❸** 우리는 일부 스포츠 추종자들이 선수, 팀, 그리고 그 스포츠 자체에 매우 열정적이어서 그들의 관심이 거의 집착에 가까울 정도라는 것을 알고 있다. **❹** 이런 중독은 팬을 팀과 묶어주는 정서적 접착제를 제공하고, 구장에서 일어나는 실패에 직면해도 충성심을 유지하게 한다. **❺** 대부분의 관

</td><td>

리자는 스포츠팬만큼 그들 제품에 열정적인 고객을 가지기만을 꿈꾸지만, 스포츠로 인해 촉발되는 감정은 또한 부정적인 영향을 미칠 수 있다. **❻** 스포츠의 정서적 격렬함은 조직이 향수와 클럽 전통을 통해 과거에 대한 강한 애착을 가지고 있다는 것을 의미할 수 있다. **❼** 그 결과, 그들은 효율성, 생산성 및 변화하는 시장 상황에 신속하게 대응해야 할 필요성을 늘릴(→ 무시할) 수도 있다. **❽** 예를 들어, 더 매력적인 이미지를 투영하기 위해 클럽 색깔을 바꾸자는 제안은 그것이 전통과의 관계를 끊기 때문에 무산될 수도 있다.

정답 전략 ④ 스포츠는 팬에게 강렬한 정서적 반응을 촉발시켜 강한

</td></tr>
</table>

충성심을 가지게 하는 반면에, 그로 인해 조직이 과거에 대한 애착을 가지게 되어 변화에 신속하게 대응하지 못할 수도 있다는 내용의 글이다. 조직이 향수와 클럽 전통을 통해 과거에 대한 강한 애착을 가지고 있으면 효율성, 생산성 및 변화하는 시장 상황에 신속하게 대응할 필요성을 늘리는 것이 아니라 무시할 수 있다고 하는 것이 자연스러우므로, ④의 increase를 ignore와 같은 단어로 고쳐야 알맞다.

창의·융합·코딩 전략

30~33쪽

1 submit, scribble, review, addicted
2 Down 1 describe **2** succeed **6** survey　**Across 3** gradual **4** emit **5** revise **7** verdict **8** prospect
3 (1) advent 도래, 출현　prevent 막다, 예방하다　adventure 모험　intervene 개입하다, 간섭하다
　(2) precede ~에 앞서다　succeed 성공하다, 계승하다　excessive 과도한, 지나친　cease 멈추다
4 (1) You need to have respect for yourself.　　(2) The farmer ascribes everything to the weather.
5 (1) ❶　(2) ❷　(3) ❶

1 해석

영어 과제 제출했니?

영어 과제? 아니. 제출 기한이 언제인데?

오늘까지야! 그냥 빨리 휘갈겨 쓰고 제출해. 우리 오늘 퀴즈 있는 거 기억하지, 그렇지?

진짜야? 난 우리 배웠던 거 복습도 안 했어.

무슨 일이 있니?

최근에 게임을 많이 하고 있거든. 아마 중독됐나 봐.

원하면 도움을 요청할 수 있어.

2 해석

Down

1 무언가가 어떤지 말하다
2 누구 다음에 와서 그 자리를 차지하다
6 이 그래프는 2021년에 실시된 조사의 결과를 보여 준다.

Across

3 연속적인 단계로 진행되는
4 태양 에너지는 온실가스를 배출하지 않는다고 알려져 있다.
5 무언가의 수정본을 만들다
7 판사들은 배심원들이 평결을 내리도록 강요할 수 없다.
8 어떤 일이 일어날 가능성

3 정답 전략 approve의 어근은 prov이며, 이것은 '시험하다(test)'라는 의미이다. perceive의 어근은 ceive이며, 이것은 '잡다(grasp, take)'라는 의미이다.

5 해석

(1) 그들은 ①불편한 조건에도 불구하고 공연을 계속했다. (② 불편한 상황 때문에)
(2) 그녀는 ②다른 직원들을 향한 그녀의 공격적인 행동 때문에 해고되었다. (① 여러 가지 프로젝트의 성공적인 관리 때문에)
(3) 그는 예상치 못한 회의를 소집해서 ①직원들을 짜증나게 했다. (② 직원들이 집중하는 것에 도움이 되었다)

DAY 1 개념 돌파 전략 ① CHECK | 36~39쪽

| **1** ceive | **2** ③ | **3** maxim | **4** infinite | **5** serv | **6** vert | **7** ② | **8** sert | **9** clud | **10** ② | **11** abstract | **12** impress |

DAY 1 개념 돌파 전략 ② | 40~41쪽

| **A** receive | **B** abstract | **C** (A) recover (B) factor | **D** ② |

A 해석 Grace 씨에게,

당신의 편지를 받고 안타까웠습니다. 저는 당신의 관리자로서, 당신이 회사에 있는 동안 잘 해왔다고 생각합니다. 당신이 떠나는 것은 우리에게 큰 손실이 될 것입니다. 저는 당신이 사직을 재고하기를 바라고 있습니다. 우리가 귀중한 직원을 지키게 해 주십시오.

영업 및 마케팅 매니저 Maria Rodriguez 드림

끊어 읽기로 보는 구문

당신의 관리자로서,　　　저는 당신이 잘 해왔다고 생각합니다　　　당신이 회사에 있는 동안
As your supervisor, / I feel that you have performed well / in your time with the company;
　　　　　　　　feel의 목적어 역할을 하는 that절

당신이 떠나는 것은 우리에게 큰 손실이 될 것입니다
/ your departure would be a big loss to us.
　　　　말하는 사람의 추측을 나타냄

B 해석 사진은 회화에 대한 도전이었고 회화가 직접적인 표현과 복제로부터 멀어져 20세기 추상 회화로 이동해 가는 한 가지 원인이었다. 사진은 사물을 세상에 존재하는 대로 아주 잘 표현했기 때문에, 화가들은 내면을 보고 자신들의 상상 속에서 존재하는 대로 사물을 표현할 수 있게 되었다.

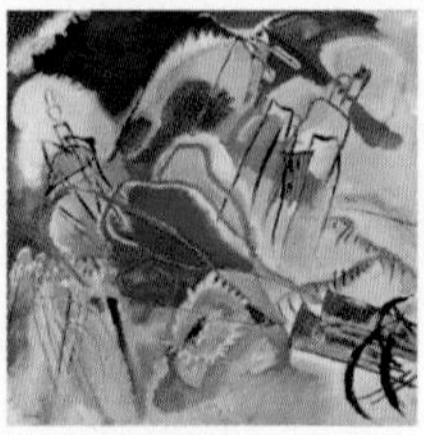

끊어 읽기로 보는 구문

사진은 회화에 대한 도전이었다　　　　　그리고 회화가 멀어져 이동해 가는 한 가지 원인이었다
A photograph was a challenge to painting / and was one cause of painting's moving away
　　　　　　동사1　　　　　　　　　　　　　동사2　　　　동명사의 의미상의 주어를 소유격으로 씀

직접적인 표현과 복제로부터　　　　　　20세기 추상 회화로
/ from direct representation and reproduction / to the abstract painting of the twentieth century.
from A to B: A로부터 B로

C 해석 승자와 패자 사이의 한 가지 차이는 그들이 패배를 어떻게 다루느냐이다. 신속히 회복하는 능력이 아주 중요하다. 걱정거리는 어디에나 있다. 놀라운 일이 화산재처럼 하늘에서 떨어져, 모든 것을 바꾸는 것처럼 보일 수도 있다. 그래서 한 저명한 학자가 다음과 같이 말했다. "진행되는 도중에는 무엇이든 실패작처럼 보일 수 있다." 따라서 대성공의 핵심 요인은 최악의 상태에서 회복하는 것이다.

끊어 읽기로 보는 구문

한 가지 차이는　　　승자와 패자 사이의　　　이다　그들이 패배를 어떻게 다루느냐
One difference / between winners and losers / is / how they handle losing.
　　　　　　　　　　　　　　　　　　　　보어 역할을 하는 간접의문문 어순: 의문사+주어+동사

D 해설 '기념비적'이라는 말은 이집트 예술의 기본적인 특징을 표현하는 데 매우 근접하는 단어이다. 그전에도 그 이후에도, 기념비성이라는 특성이 이집트에서처럼 완전히 달성된 적은 한 번도 없었다. 이에 대한 이유는 그들 작품의 내적(→ 외적) 크기와 거대함이 아니다 — 비록 이집트인들이 이 점에 있어서 몇 가지 대단한 업적을 달성했다는 것이 인정되지만 말이다. 많은 현대 구조물은 순전히 물리적인 크기의 면에서는 이집트의 구조물들을 능가한다. 그러나 거대함은 기념비성과는 아무 관련이 없다.

해설 ② 뒤에서 많은 현대의 구조물들이 물리적인 크기 면에서 이집트의 구조물을 능가하지만 거대함과 기념비성은 아무 관련이 없다고 했으므로, 이집트의 구조물이 기념비적인 특성을 지니는 것은 '외적인(external)' 크기의 거대함 때문이 아니라고 해야 자연스럽다.

> **끊어 읽기로 보는 구문**
>
> 그전에도 그 이후에도 한 번도 없었다　　　기념비성이라는 특성이 달성된 적은
> Never before and never since / has the quality of monumentality been achieved
> 부정어가 앞에 오면서 주어와 동사가 도치됨
>
> 이집트에서처럼 완전히
> / as fully as it was in Egypt.
> as ~ as ...: …만큼 ~한(~하게)

[대표 어휘 포함 지문]　**1** ③　　**1-1** ②　　**2** ①
　　　　　　　　　　　　1 ④　　**2** ①　　**3** ③　　**4** ①

[대표 어휘 포함 지문 **1**]　　　　　　　　　　　　　　　　　　　지 문 한 눈 에 보 기

❶ Exactly <u>how</u> cicadas keep track of time / has always intrigued researchers, / and <u>it</u> has always been assumed /
　　　주어 역할을 하는 간접의문문 어순: 의문사+주어+동사　　　　　　　　　　　　　　　　　　　　　　가주어

<u>that</u> the insects must rely on an internal clock. ❷ Recently, / however, / one group of scientists [<u>working</u> with the
진주어　　　　　　　　　　　　　　　　　　　　　　　　　　　　　　　　　　　one ~ scientists를 수식하는 현재분사구

17-year cicada in California] / have suggested / <u>that</u> the nymphs use an external cue / and <u>that</u> they can count. (①)
　　　　　　　　　　　　　　　　　　　　　　목적절 1　　　　　　　　　　　　　　　목적절 2

❸ For their experiments / they <u>took</u> 15-year-old nymphs / and <u>moved</u> them to an experimental enclosure. (②)
　　　　　　　　　　　　　동사 1　　　　　　　　　　　동사 2

❹ These nymphs should have <u>taken</u> a further two years <u>to</u> emerge as adults, / but in fact they took just one year.
　　　　　　　　　　　　　　　　　　　　　　　　　　주어+take+시간+to부정사: ~가 …하는 데 (시간이) 걸리다

(③) ❺ **The researchers had made <u>this</u> happen / by lengthening the period of daylight [<u>to which</u> the peach**
　　　　　　　　　　　　　　　　앞 문장의 내용　　　　　　　　　　　　daylight이 which의 선행사

trees [on <u>whose</u> roots the insects fed] were exposed]. ❻ By doing this, / the trees were "tricked" into flowering
　　　the peach trees가 선행사인 소유격 관계대명사

/ twice during the year / <u>rather than</u> the usual once. (④) ❼ Flowering in trees / coincides with a peak in amino
　　　　　　　　　　…보다는[대신에]

acid concentrations in the sap [<u>that</u> the insects feed on]. (⑤) ❽ So / it seems / that the cicadas keep track of
　　　　　　　　　　　　　the sap을 수식하는 목적격 관계대명사절

time / by counting the peaks.

해설 ❶ 정확히 어떻게 매미가 시간을 추적하는지는 항상 연구자들의 호기심을 자아내었으며 그 곤충은 체내 시계에 의존하는 것이 틀림없다고 항상 여겨져 왔다. ❷ 하지만 최근에 California에서 17년 된 매미를 연구하는 한 과학자 집단은 애벌레들이 외부의 신호를 사용하며 그것들이 수를 셀 수 있음을 시사했다. ❸ 실험을 위해 그들은 15년 된 애벌레를 잡아서 실험용 구역으로 옮겼다. ❹ 이 애벌레들은 성체로 나타나려면 2년이 더 필요했어야 했지만, 사실

은 불과 1년만 걸렸다. ❺ 연구자들은 그 뿌리를 곤충(매미의 애벌레)들이 먹는 복숭아나무가 햇빛에 노출되는 기간을 늘려서 이 일이 발생하게 했다. ❻ 이렇게 하자 나무들은 '속아서' 그해에 평소의 한 번이 아닌 두 번 꽃을 피웠다. ❼ 나무에 꽃이 피는 것은 그 곤충들이 먹는 수액의 아미노산 농도가 최고점에 이르는 것과 동시에 일어난다. ❽ 따라서 매미는 그 최고점의 수를 세어 시간을 추적하는 것으로 보인다.

③ 주어진 문장에서의 this는 실험 결과(애벌레가 매미 성체로 나타나는 데 추가로 2년이 아니라 1년만 걸렸다는 것)에 해당한다. 주어진 문장은 실험 결과의 직접적인 원인으로서 실험 결과의 바로 뒤에 위치하는 것이 타당하고, 그 뒤에는 주어진 문장에 대한 구체적인 설명(By doing this 이하의 내용)이 이어져야 한다.

---

❶ The future of our high-tech goods / may lie **not** in the limitations of our minds, **but** in **our ability** [**to secure**
_{not A but B: A가 아니라 B}　　　　　　　　　　　　　　　　　　　　　_{ability를 꾸미는 형용사적 용법}
the ingredients to produce them]. ❷ In previous eras, / **such as** the Iron Age and the Bronze Age, / the discovery
_{예시를 나타내는 such as}
of new elements / brought forth seemingly unending numbers of new inventions. ❸ Now / the combinations
may truly be / unending. ❹ We are now witnessing a fundamental shift / in our resource demands. ❺ At **no** point
in human history / **have we** used *more* elements, / in *more* combinations, and in increasingly refined amounts.
_{부정어가 앞에 오면서 주어와 동사가 도치됨}
❻ Our ingenuity / will soon outpace our material supplies. ❼ This situation comes at a defining moment / **when**
_{선행사는 a defining moment}
the world is struggling / to reduce its reliance on fossil fuels. ❽ Fortunately, / rare metals are key ingredients / in
green technologies / **such as** electric cars, wind turbines, and solar panels. ❾ They help to **convert** free natural
_{예시를 나타내는 such as}　　　　　　　　　　　　　　　　　　　　　_{convert A into B: A를 B로 전환하다}
resources like the sun and wind / **into** the power [that fuels our lives]. ❿ But without increasing today's limited
_{선행사가 the power인 주격 관계대명사}
supplies, / we have no chance of developing the alternative green technologies [we need / **to slow** climate
_{목적격 관계대명사 생략됨 부사적 용법(목적)}
change].

❶ 첨단 기술 제품의 미래는 우리 생각의 한계에 있는 것이 아니라, 그것을 생산하기 위한 재료를 확보할 수 있는 우리의 능력에 있을지도 모른다. ❷ 철기와 청동기와 같은 이전 시대에, 새로운 원소의 발견은 끝이 없을 것 같은 무수한 새로운 발명품을 낳았다. ❸ 이제 그 조합은 진정 끝이 없을 수도 있다. ❹ 우리는 이제 자원 수요에서의 근본적인 변화를 목격하고 있다. ❺ 인류 역사의 어느 지점에서도, 우리는 '더 많은' 조합으로, 그리고 점차 정밀한 양으로, '더 많은' 원소를 사용한 적은 없었다. ❻ 우리의 창의력은 우리의 물질 공급을 곧 앞지를 것이다. ❼ 이 상황은 세계가 화석연료에 대한 의존을 줄이고자 분투하고 있는 결정적인 순간에 온다. ❽ 다행히, 희귀한 금속들이 전기 자동차, 풍력 발전용 터빈, 태양 전지판과 같은 친환경 기술의 핵심 재료이다. ❾ 그것들은 태양과 바람과 같은 천연 자원을 우리의 생활에 연료를 공급하는 동력으로 전환하는 데 도움을 준다. ❿ 하지만 오늘날의 제한된 공급을 늘리지 않고는, 우리는 기후 변화를 늦추기 위해 우리가 필요로 하는 친환경 대체 기술을 개발할 가망이 없다.

① 화석연료에 의존하지 않는 친환경 대체 기술을 지속적으로 개발하려면 그 기술의 핵심 재료에 대한 공급을 늘려야 한다는 것이 이 글의 중심 내용이다. 빈칸에 들어갈 말은 '그것들을 생산하기 위한 재료를 확보할 수 있는 우리의 능력'이 알맞다. ② 가능한 한 그것들을 환경친화적으로 만들려는 우리의 노력 ③ 혁신 기술의 더 광범위한 보급 ④ 자원 공급을 제한하지 않는 정부 정책 ⑤ 그것들의 기능에 대한 끊임없는 갱신과 개선

---

❶ The impact of color / **has been studied** for decades. ❷ For example, / in a factory, / the temperature was
_{수십 년 동안 지속되어 온 일을 현재완료로 나타냄}
maintained at 72℉ / and the walls were painted a cool blue-green. ❸ The employees / complained of the cold.
(C) ❹ The temperature was maintained at the same level, / but the walls were painted a warm coral. ❺ The
employees **stopped complaining** about the temperature / and reported they were quite comfortable. (A) ❻ The
_{stop -ing: ~하던 걸 그만두다}　　　　　　　　　　　　　　　　　　　_{접속사 that이 생략됨}

psychological effects of warm and cool hues / seem to be used effectively / by the coaches of the Notre Dame football team. ❼ The locker rooms [used for half-time breaks] / were reportedly painted / to take advantage of
과거분사구가 뒤에서 수식   부사적 용법(목적)
the emotional impact of certain hues. (B) ❽ The home-team room / was painted a bright red, / which kept team
앞 절의 내용을 보충 설명하는 계속적 용법의 관계대명사
members excited or even angered. ❾ The visiting-team room / was painted a blue-green, / which had a calming
effect on the team members. ❿ The success of this application of color / can be noted in the records [set by Notre
the records를 수식하는
과거분사구
Dame football teams].

[해석] ❶ 색깔의 영향은 수십 년 동안 연구되어 왔다. ❷ 예를 들어, 어떤 공장에서 온도가 72°F(약 22℃) 로 유지되었으며 벽은 시원한 청록색으로 칠해졌다. ❸ 직원들은 춥다고 불평했다. ❹ (C) 온도는 동일한 수준으로 유지되었지만, 벽이 따뜻한 산호색으로 칠해졌다. ❺ 직원들은 온도에 관한 불평을 멈추었고 그들은 아주 편안하다고 보고했다. ❻ (A) 따뜻하고 시원한 색조의 심리적 효과는 Notre Dame 미식축구팀 코치들에 의해서 효율적으로 사용되는 것 같다. ❼ 하프타임 휴식 시간에 사용되는 라커룸들이 특정한 색조의 감정적 영향을 이용하기 위해서 칠해졌다고 한다. ❽ (B) 홈 팀의 라커룸은 밝은 빨간색으로 칠해졌는데, 이것이 팀원들을 흥분하거나 심지

어 분노에 찬 상태로 있게 했다. ❾ 방문 팀의 라커룸은 청록색으로 칠해졌는데, 이것이 팀원들을 차분하게 하는 효과를 나타냈다. ❿ 이런 색깔 적용의 성공은 Notre Dame 미식축구팀의 전적에서 찾아볼 수 있다.

[정답 전략] ④ 벽의 시원한 색깔 때문에 춥다고 불평한 공장 직원들에 대해 이야기하는 주어진 글 다음에, 벽의 색깔을 따뜻한 색으로 바꾸자 불평을 멈추었다는 내용의 (C)가 오고, 색의 심리적 영향을 라커룸의 색깔에 이용한 Notre Dame 미식축구팀 코치들을 소개한 (A)와 그들이 홈 팀과 방문 팀의 라커룸 색깔을 어떻게 달리했는지 구체적으로 설명하는 (B)가 뒤따라 오는 것이 적절하다.

❶ People typically consider / the virtual, or imaginative, nature of cyberspace / to be its unique characteristic. ❷
consider A to be ~: A를 ~하다고 여기다
Although cyberspace involves / imaginary characters and events / of a kind and magnitude [not seen before],
events ~ magnitude를 꾸미는 과거분사구
/ less developed virtual realities / have always been integral parts / of human life. ❸ All forms of art, / including
cave drawings [made by our Stone Age ancestors], / involve some kind of virtual reality. ❹ In this sense, /
cave drawings를 꾸미는 과거분사구
cyberspace does not offer / a totally new dimension / to human life. ❺ [What is new about cyberspace] / is / its
선행사를 포함하는 관계대명사
interactive nature / and this interactivity has made / it / a psychological reality / as well as a social reality. ❻ It is
make A B: A를 B로 만들다
a space / [where real people have actual interactions / with other real people, / while being able to shape, / or
a space를 수식하는 관계부사절   접속사+분사구문
even create, / their own and other people's personalities]. ❼ The move / from passive imaginary reality to the
뒤의 the move가 비교 대상
interactive virtual reality of cyberspace / is much more radical / than the move / from photographs to movies. →

❽ [What makes cyberspace unique] / is not the novelty of its virtual reality / but the interaction among people /
선행사를 포함하는 관계대명사   not A but B: A가 아니라 B
[that gives cyberspace the feeling of authenticity].
선행사는 the interaction

[해석] ❶ 사람들은 보통 사이버스페이스의 가상적인, 또는 창의적인 성질을 그것만의 고유한 특징으로 여긴다. ❷ 사이버스페이스는 상상의 캐릭터들과 이전에 볼 수 없었던 종류와 규모의 일들을 포함하지만, 덜 발달된 가상현실은 인류의 삶에서 언제나 필수불가결한 부분이었다. ❸ 석기 시대의 선조들이 그린 동굴 벽화를 포함하여, 모든 형태의 예술은 일종의 가상현실을 포함한다. ❹ 이런 의미에

서, 사이버스페이스는 인간의 삶에 완전히 새로운 차원을 제공하는 않는다. ❺ 사이버스페이스의 새로운 점은 그것의 상호 작용적인 성격이며 이러한 상호 작용성은 그것을 사회적 현실뿐만 아니라 심리적인 현실로 만들었다. ❻ 그곳은 진짜 사람들이 다른 진짜 사람들과 실제로 상호 작용하면서, 한편으로 그들 자신과 다른 사람들의 성격을 형성하거나 심지어 창조할 수 있는 공간이다. ❼ 수동적

인 가공의 현실에서 상호 작용적인 사이버스페이스의 가상현실로의 이동은 사진에서 영화로의 이동보다 훨씬 더 급진적이다. → ❽ 사이버스페이스를 독특하게 만드는 것은 그것의 가상현실의 참신함이 아니라 사이버스페이스에 진짜라는 느낌을 부여하는 사람들 간의 상호 작용이다.

정답 전략 ① 가상현실은 아주 오래전부터 인류의 삶의 일부분으로 존재했으므로, 사이버스페이스를 독특하게 만드는 것은 가상현실이

라는 것의 참신함이 아니라고 했다. 사이버스페이스를 독특하게 하는 것은 그 안에서 이루어지는 상호 작용을 통해 심리적, 사회적 현실이 만들어진다는 점이다. 따라서 빈칸에 적절한 낱말은 ① '참신함 – 진짜임'이다. ② 참신함 – 안전 ③ 다양함 – 완전함 ④ 접근성 – 권한 ⑤ 접근성 – 환대

---

❶ Most consumer magazines / depend on subscriptions and advertising. ❷ Subscriptions / account for almost
<small>account for: 차지하다</small>
90 percent of total magazine circulation. ❸ Single-copy, or newsstand, sales / account for the rest. (B) ❹ However,
<small>동격의 or</small>
/ single-copy sales are important: / they bring in more revenue per magazine, / because subscription prices are

typically at least 50 percent less / than the price of buying single issues. (C) ❺ Further, / potential readers / explore
<small>비교 대상이 percent가 아니라 subscription prices인 것을 주의해야 함</small>
a new magazine / by buying a single issue; / ❻ all those insert cards with subscription offers / are included
<small>접속사의 기능을 하는 세미콜론(여기에서는 so의 의미)</small>
in magazines / to encourage you to subscribe. ❼ Some magazines / are distributed only by subscription.
<small>부사적 용법(목적)</small>
❽ Professional or trade magazines are specialized magazines / and are often published by professional
<small>즉(동격)   동사 1   동사 2</small>
associations. ❾ They usually feature / highly targeted advertising. (A) ❿ For example, / the *Columbia Journalism Review* / is marketed toward professional journalists / and its few advertisements are news organizations, book publishers, and others. ⓫ A few magazines, / like *Consumer Reports*, / work toward objectivity / and therefore
<small>동사 1</small>
contain no advertising.
<small>동사 2</small>

해석 ❶ 대부분의 소비자 잡지는 구독과 광고에 의존한다. ❷ 구독은 전체 잡지 판매 부수의 거의 90퍼센트를 차지한다. ❸ 낱권, 다시 말해 가판대 판매가 나머지를 차지한다. (B) ❹ 하지만, 낱권 판매가 중요한데, 왜냐하면 구독 가격이 보통 낱권을 살 때의 가격보다 최소 50퍼센트는 더 싸서, 낱권 판매가 잡지 한 권당 더 많은 수익을 가져오기 때문이다. (C) ❺ 게다가, 잠재적 독자들은 낱권의 잡지를 구매함으로써 새로운 잡지를 탐색한다. ❻ 그래서 구독 안내가 있는 그 모든 삽입 카드는 여러분의 구독을 독려하기 위해 잡지에 들어가 있다. ❼ 어떤 잡지는 오로지 구독에 의해서만 유통된다. ❽ 전문가용 잡지, 다시 말해 업계지(業界紙)는 특성화된 잡지이며 흔히 전문가 협회에 의해 출판된다. ❾ 그것들은 보통 매우 표적화된 광고를

특징으로 한다. (A) ❿ 예를 들어, Columbia Journalism Review는 전문 언론인들을 대상으로 마케팅을 하며 그 잡지의 몇 안 되는 광고는 뉴스 기관, 출판사 등이다. ⓫ Consumer Reports와 같은 몇몇 잡지는 객관성을 지향하고, 따라서 광고를 싣지 않는다.

정답 전략 ③ 소비자 잡지의 판매 부수에서 구독이 주된 비율을 차지한다는 내용의 주어진 글 다음으로 더 적은 비율임에도 낱권 판매가 더 많은 수익을 가져오기 때문에 중요하다는 내용의 (B)가 와야 한다. 낱권 판매의 중요성을 추가로 설명하면서 구독에 의해서만 유통되는 전문가용 잡지에 대한 설명을 도입하는 내용인 (C)가 온 후, 전문가용 잡지의 예를 제시하는 내용인 (A)가 이어지는 것이 알맞다.

---

❶ In the less developed world, / the percentage of the population [involved in agriculture] / is declining, / but at
<small>과거분사구가 뒤에서 수식</small>
the same time, / those [remaining in agriculture] / are not benefiting from technological advances. ❷ The typical
<small>현재분사구가 뒤에서 수식   → a scenario</small>
scenario in the less developed world / is one [in which a very few commercial agriculturalists are technologically
<small>= where</small>

advanced / while the vast majority are incapable of competing]. ❸ Indeed, / this vast majority **have lost control**
대조의 접속사(반면)   control over: ~에 대한 통제력

over their own production / because of larger global causes. ❹ As an example, / in Kenya, / farmers are actively

encouraged / to grow export crops such as tea and coffee / at the expense of basic food production. ❺ The result

/ is [that a staple crop, such as maize, is not being produced / in a sufficient amount]. ❻ The essential argument
보어 역할을 하는 that절

here / is [that the capitalist mode of production is affecting peasant production in the less developed world / in
보어 역할을 하는 that절

such a way as to limit the production of staple foods, / **thus causing** a food problem].
~하는 방식으로   부사 thus + 분사구문

해석 ❶ 저개발 세계에서, 농업에 종사하는 인구 비율은 감소하고 있지만, 동시에 계속 농업에 종사하는 사람들은 기술 발전의 혜택을 받지 못하고 있다. ❷ 저개발 세계의 전형적인 시나리오는 극소수의 상업적 농업 경영인들이 기술적으로 발전해 있는 반면에 대다수는 경쟁할 수 없다는 것이다. ❸ 실제로, 이 대다수는 더 큰 세계적인 원인으로 인해 자신들의 생산에 대한 통제력을 잃게 되었다. ❹ 한 예로서, Kenya에서, 농부들은 기초 식량 생산을 희생해 가면서 차와 커피와 같은 수출 작물을 재배하도록 적극적으로 독려된다. ❺ 결과적으로 옥수수와 같은 주요 작물은 충분한 양으로 생산되지 못하고 있다. ❻ 여기에서 본질적인 논점은 자본주의적 생산 방식이 주요 식품의 생산을 제한하는 방식으로 저개발 세계 소작농의 생산에 영향을 끼쳐 식량 문제를 일으키고 있다는 것이다.

정답 전략 ① 경쟁력이 없는 소작농들은 자신들에게 필요한 주요 식량을 생산하는 것이 아니라 자본의 요구에 맞는 생산을 할 수 밖에 없게 된다. 즉, 저개발 세계에서 자본주의적 생산 방식이 소작농들의 생산에 영향을 끼쳐 궁극적으로 식량 문제를 일으키게 된다. 따라서 빈칸에는 '자신들의 생산에 대한 통제력을 잃어 왔다'라는 내용이 들어가야 한다. ② 식량 생산을 위한 기술로 선회해 왔다 ③ 자본주의적 생산 방식에 도전해 왔다 ④ 환금작물 재배에 있어 그들의 개입을 줄여 왔다 ⑤ 세계 시장에서 그들의 경쟁력을 되찾아 왔다

[대표 어휘 포함 지문] **1**　　　　　　　　　　　　　　　　　　　　　　지 문　한 눈 에　보 기

❶ Some prominent journalists / say [that archaeologists should work with treasure hunters / because treasure
      say의 목적어 역할을 하는 that절

hunters have accumulated valuable historical artifacts / [that can reveal much about the past]]. ❷ But
       valuable historical artifacts를 수식하는 주격 관계대명사절

archaeologists are not asked to cooperate with tomb robbers, / who also have valuable historical artifacts. ❸ The
      tomb robbers를 보충 설명하는 계속적 용법의 관계대명사

quest for profit and the search for knowledge / cannot coexist in archaeology / because of the ①time factor. ❹

Rather incredibly, / one archaeologist employed by a treasure hunting firm / said that **as long as** archaeologists
      「주격 관계대명사+be동사」가 생략됨   조건의 부사절을 이끄는 접속사(~하기만 하면)

are given six months **to study** shipwrecked artifacts / before they are sold, / no historical knowledge is
      부사적 용법(목적)

②found(→lost)! ❺ On the contrary, / archaeologists and assistants from the INA (Institute of Nautical

Archaeology) / needed more than a decade of year-round conservation / before they could even ③catalog all

the finds / from an eleventh-century AD wreck they had excavated. ❻ Then, / **to interpret** those finds, / they had
      목적격 관계대명사가 생략됨   부사적 용법(목적)

to ④learn Russian, Bulgarian, and Romanian, / **without** which they **would** never **have learned** the true nature of
      without: ~ 없이   가정법 과거완료
      (가정의 의미)

the site. ❼ <u>Could</u> a "commercial archaeologist" <u>have ⑤waited</u> more than a decade or so / before selling the

could have+과거분사.(~할 수 있었다. 다만 실제로는 ~하지 않았다)

finds?

해석 ❶ 일부 저명한 언론인은 보물 사냥꾼이 과거에 대해 많은 것을 드러낼 수 있는 가치 있는 역사적 유물을 축적해 왔기 때문에 고고학자는 보물 사냥꾼과 협업해야 한다고 말한다. ❷ 그러나 고고학자는 도굴꾼 또한 가치 있는 역사적 유물을 갖고 있긴 하지만, 도굴꾼과 협력하도록 요구받지 않는다. ❸ 이윤 추구와 지식 탐구는 시간이라는 요인 때문에 고고학에서 공존할 수 없다. ❹ 상당히 믿기 어렵지만, 보물 탐사 기업에 의해 고용된 한 고고학자는 난파선의 유물이 판매되기 전에 그것들을 연구할 수 있도록 고고학자들에게 6개월이 주어지기만 하면, 어떠한 역사적 지식도 발견되지 (→사라지지) 않는다고 말했! ❺ 그와는 반대로, 해양고고학 연구소(INA)의 고고학자들과 보조원들은 그들이 발굴한 서기 11세기 난파선의 모든 발견물의 목록을 만들 수 있기까지 10여 년의 기간 내내 보존이 필요했다. ❻ 그리고 나서, 그러한 발견물을 해석하기 위

해서 그들은 러시아어, 불가리아어, 그리고 루마니아어를 배워야만 했는데, 그렇게 하지 않았다면 그들은 유적지의 실체를 결코 알지 못했을 것이다. ❼ '상업적인 고고학자'가 발견물을 팔기 전에 10여 년 정도의 기간을 기다릴 수 있었겠는가?

정답 전략 ② 난파선의 유물이 판매되기 전에 그것들을 연구할 수 있도록 고고학자들에게 6개월이 주어지기만 하면, 어떠한 역사적 지식도 '사라지지' 않는다고 말했다는 의미가 되어야 하므로 ② found를 lost 같은 단어로 고쳐야 한다. 이 문장은 On the contrary로 시작되는 뒷 문장을 통해 반박된다.

❶ Temporal resolution is particularly interesting / in the context of satellite remote sensing. ❷ The temporal density of remotely <u>sensed</u> imagery / is large, impressive, and growing. ❸ Satellites <u>are collecting</u> a great deal of

수동 의미의 과거분사   현재진행형

imagery / <u>as</u> you read this sentence. ❹ However, / most applications in geography and environmental studies /

= when

do not require extremely fine-grained temporal resolution. ❺ Meteorologists may require <u>visible</u>, <u>infrared</u>, and

형용사 1   형용사 2

<u>radar</u> information / at sub-hourly temporal resolution; / ❻ urban planners might require imagery / at monthly or

형용사 3(「명사+명사」에서 앞의 명사는 뒤에 오는 명사를 수식하는 역할)

annual resolution; / ❼ and transportation planners may not need any time series information / at all / for some

applications. ❽ Again, / the temporal resolution of imagery <u>used</u> / should **meet the requirements of your**

inquiry. ❾ Sometimes / researchers have to search archives of aerial photographs / <u>to get</u> information / from

부사적 용법(목적)

that past [<u>that</u> pre-date the collection of satellite imagery].

aerial photographs를 수식하는 주격 관계대명사절

해석 ❶ 시간적 해상도는 위성의 원격 감지의 맥락에서 특히 흥미롭다. ❷ 원격으로 감지된 사진의 시간적인 밀도는 크고, 인상적이고, 성장하고 있다. ❸ 여러분이 이 문장을 읽을 때에도 위성들은 많은 양의 사진을 모으고 있다. ❹ 그렇지만, 지리학과 환경 연구에서의 대부분의 응용 프로그램들은 극단적으로 결이 고운 시간적 해상도를 필요로 하지 않는다. ❺ 기상학자들은 눈에 보이는, 적외선의, 레이더 정보를 한 시간 이내의 주기로 찍은 시간적 해상도로 필요로 할 것이다. ❻ 그리고 도시 계획자들은 한 달에 한 번 혹은 일 년에 한 번씩 찍는 해상도의 사진을 필요로 할 것이다. ❼ 그리고 교통 계획자들은 어떤 응용 프로그램을 위해서는 어떤 시간적 시차를 두는 일련의 정보도 전혀 필요로 하지 않을 수도 있다. ❽ 또한, 사

용되는 사진의 시간적 해상도는 여러분이 탐구하는 것의 필요를 충족시켜야 한다. ❾ 이따금 연구자들은 수집된 위성사진들보다 앞서는 항공 사진의 기록 보관소를 뒤져 그 과거의 정보를 얻어야만 한다.

정답 전략 ② 연구나 작업의 성격에 따라서 필요한 시간적 주기의 위성사진 자료가 다르며 연구 목적에 따라 과거에 찍은 항공사진이 필요한 경우도 있다는 내용이므로 ② '여러분이 탐구하는 것의 필요를 충족하다'가 알맞다. ① 일반적인 목적을 위해 선별되다 ③ 어떤 상황을 위해서든 가능한 한 높다 ④ 전문가들에 의해 신기술에 적용되다 ⑤ 위성 정보에만 배타적으로 의존하다

❶ The designer in the Age of Algorithms / poses a threat to American jurisprudence / because the algorithm is

only as good / as **the designer's understanding of the intended use of the algorithm**. ❷ The person [designing

the algorithm] / may be an excellent software engineer, / but without the knowledge of all the factors / [that need

to go into an algorithmic process] , / the engineer could unknowingly produce an algorithm / [whose decisions

are at best incomplete / and at worst discriminatory and unfair]. ❸ Compounding the problem, / an algorithm

design firm might be under contract / to design algorithms for a wide range of uses, / from determining which

patients [awaiting transplants] are chosen to receive organs, / to which criminals [facing sentencing] should be

given probation or the maximum sentence. ❹ That firm is not going to be staffed with subject matter experts

/ [who know what questions each algorithm needs to address, / what databases the algorithm should use to

collect its data, / and what pitfalls the algorithm needs to avoid / in churning out decisions].

해석　❶ 알고리즘 시대의 설계자는 알고리즘이 그 알고리즘의 의도된 용도에 대한 설계자의 이해와 다름없기 때문에 미국 법체계에 위협을 가한다. ❷ 알고리즘을 설계하는 사람은 훌륭한 소프트웨어 기술자일 수 있지만, 알고리즘의 과정에 들어가야 할 모든 요소에 대한 지식이 없으면, 그 기술자는 기껏해야 불완전하고 최악의 경우 차별적이고 불공정한 결정을 내리는 알고리즘을 자신도 모르게 만들어 낼 수 있다. ❸ 문제를 더 심각하게 만드는 것은, 한 알고리즘 설계 회사가, 이식을 기다리는 환자 중에 누가 장기를 받도록 선택될지 결정하는 것부터, 선고에 직면한 범죄자 중에 누가 집행 유예 또는 최고형을 받아야 하는지 결정하는 것까지의, 광범위한 용도를 위해 알고리즘을 설계하도록 계약을 체결할지도 모른다는 것이다. ❹ 그 회사는 각 알고리즘이 어떤 질문을 던질 필요가 있는지, 알고리즘이 그것의 데이터를 수집하기 위해 어떤 데이터베이스를 사용해야 하는지, 그리고 알고리즘이 잇달아 결정을 낼 때 어떤 위험을 피해야 하는지 알고 있는 주제별 전문가들을 직원으로 두지는 않을 것이다.

정답 전략　⑤ 해당 문장의 내용으로 보아, 알고리즘이 미국 법체계에 위협을 가하게 되는 이유를 파악해야 한다. 글 전체에서 알고리즘 설계자가 알고리즘의 과정에 들어가는 모든 요소에 대한 지식을 갖추지 못한 채 단순히 소프트웨어로서만 설계하는 것의 단점과 위험성을 설명하고 있으므로, ⑤ '그 알고리즘의 의도된 용도에 대한 설계자의 이해'가 곧 알고리즘과 같다고 하는 것이 적절하다. ① 대중이 접근할 수 있는 데이터의 양 ② 최선의 결정에 도달하기 위해 그것(알고리즘)이 스스로를 가르치는 능력 ③ 알고리즘 사용자를 위해 지속적인 이윤을 창출하는 그것(알고리즘)의 잠재력 ④ 설계 회사가 가동하는 하드웨어의 기능성

© Getty Images Bank

❶ Plato and Tolstoy both assume / that it can be firmly established / that certain works have certain effects. ❷

Plato is sure / that the representation of cowardly people / makes us cowardly; / the only way to prevent this

effect / is to suppress such representations. ❸ Tolstoy is confident / that the artist [who sincerely expresses

feelings of pride] / will pass those feelings on to us; / we can no more escape / than we could escape an

infectious disease. ❹ In fact, / however, / the effects of art / are neither so certain nor so direct. ❺ People vary a

great deal / both in the intensity / of their response to art / and in the form / which that response takes. ❻ Some

people may indulge fantasies of violence / by watching a film / instead of working out those fantasies in real

life. ❼ Others may be disgusted / by even glamorous representations of violence. ❽ Still / others / may be left

unmoved, neither attracted nor disgusted. → ❾ **Although** Plato and Tolstoy claim / **that** works of art / have an
양보의 부사절을 이끄는 접속사   claim의 목적어 역할을 하는 that절

(A) **unavoidable** impact on people's feelings, / the degrees and forms of people's actual responses / (B) **differ**

greatly.

[해석] ❶ 플라톤과 톨스토이 둘 다 특정 작품이 특정한 영향을 끼치는 것이 확실히 밝혀질 수 있다고 생각한다. ❷ 플라톤은 비겁한 사람들의 표현은 우리를 비겁하게 만들기 때문에, 이러한 영향을 막는 유일한 방법은 그러한 표현들을 억누르는 것이라고 확신한다. ❸ 톨스토이는 진정으로 자부심의 감정을 표현하는 예술가가 우리에게 그 감정을 전달하기 때문에, 우리가 전염병을 피할 수 없는 것처럼 (그러한 감정을 받아들이는 것을) 피할 수가 없다고 확신한다. ❹ 하지만 사실, 예술의 영향은 그렇게 확실하지도 않고 그렇게 직접적이지도 않다. ❺ 사람들의 예술에 대한 반응의 세기와 그 반응이 취하는 형식은 둘 다 매우 다양하다. ❻ 실제 삶에서 폭력에 대한 공상을 실행에 옮기는 대신 영화를 보면서 그러한 공상을 충족시키는 사람이 있을 수 있다. ❼ 심지어 폭력이 매력적으로 표현되어 있더라도 혐오감을 느끼는 사람도 있을 수 있다. ❽ 하지만 매력을 느끼지도 않고 혐오감을 느끼지도 않으면서, 무덤덤한 채인 사람들도 있을 수 있다. → ❾ 플라톤과 톨스토이가 예술 작품이 사람들의 감정에 피하기 어려운 영향을 끼친다고 주장하지만, 사람들의 (예술 작품에 대한) 실제 반응의 정도와 형식은 크게 다르다.

[정답 전략] ① 플라톤과 톨스토이가 특정 예술 작품이 특정한 영향을 끼치므로 우리가 그러한 예술 작품의 영향을 '피할 수 없다'고 주장하지만, 사람들의 예술에 대한 반응의 세기와 그 반응이 취하는 형식은 매우 '다르다'고 글에서 언급하고 있다. 따라서 (A)에는 unavoidable이, (B)에는 differ가 알맞다. ② 직접적인 - 집중하다 ③ 일시의 - 동요하다 ④ 예기치 않은 - 집중하다 ⑤ 유리한 - 다르다

---

❶ More often than not, / modern parents are paralyzed / by the fear / **that** they will no longer be liked or even
the fear = that절

loved / by their children / if they scold them / for any reason. ❷ They want their children's friendship / above all,
동사 1

/ and are willing to sacrifice respect / **to get** it. ❸ This is not good. ❹ A child will have many friends, / but only
동사 2   부사적 용법(목적)

two parents — if that — / and parents are more, not less, than friends. ❺ Friends / have very limited authority

to correct. ❻ Every parent therefore needs to learn / to tolerate the momentary anger or even hatred / directed
authority를 꾸미는 형용사적 용법   「주격 관계대명사+be동사」가 생략됨

toward them by their children, / after necessary corrective action has been taken, / **as** the capacity of children
= because

[**to perceive** or **care about** long-term consequences] / is very limited. ❼ Parents / are the judges of society.
the capacity를 꾸미는 형용사적 용법

❽ They teach children **how to behave** / **so that** other people will be able / to interact meaningfully and
간접목적어 children / how to behave가 직접목적어   목적의 부사절을 이끄는 접속사

productively with them.

[해석] ❶ 종종 현대의 부모들은 만약 그들이 자신의 자녀를 어떤 이유로든 꾸짖는다면 더는 자녀의 마음에 들지 않는다거나 심지어 사랑받지 못할 것이라는 두려움으로 마비된다. ❷ 그들은 무엇보다도 자녀의 우정을 원하고 그것을 얻기 위해 존경을 기꺼이 희생한다. ❸ 이것은 좋지 않다. ❹ 아이는 많은 친구를 갖겠지만, 부모는 둘 뿐인데 그렇다면 부모는 친구 이하가 아니라 이상이다. ❺ 친구들은 (잘못된 것을) 바로잡아 줄 수 있는 권한이 매우 제한적이다. ❻ 따라서 모든 부모는 필요한 교정 행동이 취해진 후에 자신을 향하는 자녀의 순간적인 분노나 또는 증오까지도 견뎌내는 것을 배울 필요가 있는데, 이는 장기적인 결과를 인지하거나 그것에 관심을 두는 아이의 능력은 매우 제한적이기 때문이다. ❼ 부모는 사회의 심판관이다. ❽ 그들은 다른 사람들이 의미 있게 그리고 생산적으로 자녀와 상호 작용할 수 있도록 하기 위해 어떻게 행동해야 하는지를 자녀에게 가르친다.

[정답 전략] ① 부모가 아이에게서 미움받을 것을 두려워하지 말고 잘못된 행동을 바로잡아 줄 수 있는 사회의 심판관 역할을 해야 한다는 것이 이 글의 중심 내용이다.

❶ What lies behind the claim / [that so many people will take off to virtual worlds]? ❷ Statistics show / that the
the claim과 동격의 명사절을 이끄는 접속사

global market / for video and computer game hardware and software today / stands at about ten billion dollars
stands와 has risen의 주어는 the global market

annually / and has risen continuously / for the past several years. ❸ Digital games / — the term that covers

both video games and computer games — / have long been the preserve of the young, / but that distinction is

fading. ❹ This is apparently not the sort of thing / one gives up as one grows up; / people born after 1980 / seem
목적격 관계대명사가 생략됨

to continue their gaming / with more sophisticated and emotionally involved products. ❺ Consistent with this,
being이 생략된 분사구문

/ industry statistics indicate / that the average age of video gamers is rising / by about one year / each year. ❻ It
It = the average age of video gamers

is already in the thirties right now. ❼ People may change the kinds of games / they are playing, / but an interest
목적격 관계대명사가 생략됨

/ in interactive entertainment media, / once acquired, / seems never to fade. → ❽ According to statistics, / there
it is가 생략됨

have been (A) **boosts** in the market demand for digital games, / with gamers remaining in the market / as they
with+독립분사구문(부대상황)   ~하면서

become (B) **mature**.

해석 ❶ 매우 많은 사람이 가상 세계로 떠날 것이라는 주장 뒤에 무엇이 있을까? ❷ 비디오와 컴퓨터 게임 하드웨어와 소프트웨어의 세계 시장이 오늘날 연간 약 100억 달러의 규모이며 지난 몇 년 동안 계속 증가해 왔다는 것을 통계는 보여준다. ❸ 비디오 게임과 컴퓨터 게임을 둘 다 포괄하는 용어인 디지털 게임은 오랫동안 젊은 이들의 전유물이었지만 그러한 구분은 희미해지고 있다. ❹ 이것은 아무래도 사람이 성인이 되면서 그만두게 되는 그런 종류의 것이 아닌 듯한데, 1980년 이후에 태어난 사람들은 더 정교하고 정서적으로 연관된 제품으로 계속 게임을 하는 것처럼 보인다. ❺ 이와 일치하여, 비디오 게임을 하는 사람들의 평균 연령이 매년 약 한 살씩 증가하고 있다는 것을 업계 통계는 보여준다. ❻ 그것은 이제 벌써 30대에 진입했다. ❼ 사람들이 자신이 즐기는 게임의 종류를 바꿀

수는 있지만, 쌍방향 오락 매체에 대한 흥미는 한번 갖게 되면 절대 시들해지지 않는 것처럼 보인다. → ❽ 통계에 따르면, 게임을 하는 사람들이 성인이 되면서 시장에 남아있게 되어, 디지털 게임에 대한 시장의 수요에서 증가가 있어 왔다.

정답 전략 ① 성인이 되어서(become mature) 비디오 게임을 그만두는 것이 아니라 더 정교하고 정서적으로 연관된 제품을 이용하기 때문에 게임 시장의 수요가 증가해(boosts) 왔다는 내용의 글이다. ② 증가 – 고립된 ③ 불황 – 교육을 받은 ④ 변동 – 연결된 ⑤ 변동 – 경쟁적인

1 ⑤   2 ①   3 ⑤   4 ⑤

❶ The body tends / to accumulate problems, / [often beginning with one small, seemingly minor imbalance].
분사구문

❷ This problem / causes another subtle imbalance, / [which triggers another, then several more]. ❸ In the end,
imbalance를 보충 설명하는 주격 관계대명사절

/ you get a symptom. ❹ It's / like lining up a series of dominoes. ❺ All you need to do / is [knock down the first
보어로 쓰인 원형부정사

one] / and many others will fall too. ❻ What caused the last one / to fall? ❼ Obviously / it wasn't the one before
not A but B: A가 아니라 B

it, / or the one before that, / but the first one. ❽ The body works / the same way. ❾ The initial problem / is often
= the last one   = the one before it

unnoticed. ❿ It's not until some of the later "dominoes" fall / that more obvious clues and symptoms appear. ⓫ In
the end, / you get a headache, fatigue or depression — or even disease. ⓬ When you try to treat the last domino
— / treat just the end-result symptom — / the cause of the problem isn't addressed. ⓭ The first domino is / the

cause, or primary problem.

It ~ that 강조구문(부사구 강조)

즉 (동격을 나타냄)

해석 ❶ 신체는 문제를 축적하는 경향이 있으며, 그것은 흔히 하나
의 작고 사소해 보이는 불균형에서 시작한다. ❷ 이 문제는 또 다른
미묘한 불균형을 유발하고, 그것이 또 다른 불균형을, 그리고 그다음
에 몇 개의 더 많은 불균형을 유발한다. ❸ 결국 당신은 어떤 증상을
갖게 된다. ❹ 그것은 마치 일련의 도미노를 한 줄로 세워 놓은 것과
같다. ❺ 여러분은 첫 번째 도미노를 쓰러뜨리기만 하면 되는데, 그
러면 많은 다른 것들 또한 쓰러질 것이다. ❻ 마지막 도미노를 쓰러
뜨린 것은 무엇인가? ❼ 분명히 그것은 그것의 바로 앞에 있던 것이
나, 앞의 앞에 있던 것이 아니라, 첫 번째 도미노다. ❽ 신체도 같은
방식으로 작동한다. ❾ 최초의 문제는 흔히 눈에 띄지 않는다. ❿ 뒤
쪽의 '도미노' 중 몇 개가 쓰러지고 나서야 비로소 좀 더 분명한 단서
와 증상이 나타난다. ⓫ 결국 여러분은 두통, 피로, 또는 우울증, 심
지어 질병까지도 얻게 된다. ⓬ 여러분이 마지막 도미노, 즉 최종 결

과인 증상만을 치료하려 한다면, 그 문제의 원인은 다루어지지 않는
다. ⓭ 최초의 도미노가 원인, 즉 가장 중요한 문제이기 때문이다.

정답 전략 ⑤ 신체에 증상이 나타나는 것을 도미노 게임에 비유하고
있다. 첫 번째 도미노가 쓰러지면서 그 뒤의 도미노들이 계속 쓰러
지다가 결국 마지막 도미노가 쓰러뜨리듯이 신체의 병도 작고 사소
해 보이는 최초의 문제에서 시작된다는 내용의 글이므로 밑줄 친
문장은 ⑤ '최종 증상은 맨 처음의 사소한 문제에서 비롯된다'의 의
미이다. ① 병을 치료하는 데 명확
한 순서는 없다. ② 사소한 건강 문
제는 저절로 해결된다. ③ 나이가
들수록 점점 더 무기력해진다. ④
최종 결과인 증상을 치료하는 데
있어 결코 늦은 시기란 없다.

---

❶ Vegetarian eating / is moving into the mainstream / as more and more young adults say no / to meat, poultry,
and fish. ❷ According to the American Dietetic Association, / "approximately planned vegetarian diets / are
healthful, / are nutritionally adequate, / and provide health benefits / in the prevention and treatment of certain
diseases." ❸ But health concerns are not the only reason / [that young adults give for changing their diets]. ❹
Some make the choice / out of concern for animal rights. ❺ When faced with the statistics / [that show / the
majority of animals raised as food / live in confinement], / many teens give up meat / to protest those conditions.
❻ Others turn to vegetarianism / to support the environment. ❼ Meat production / uses vast amounts of water,
land, grain, and energy / and creates problems with animal waste and resulting pollution.

동사 1

동사 2

동사 3

reason을 수식하는 목적격 관계대명사절

어떤 사람은(예시)

접속사+ 분사구문

the statistics를 수식하는

주격 관계대명사절

「주격 관계대명사+be동사」가 생략됨

부사적 용법(목적)

다른 사람들은(예시)

동사 1

동사 2

결과로서 생기는

해석 ❶ 채식은 점점 더 많은 젊은이들이 고기, 가금류, 생선을 거
절함에 따라 주류가 되어가고 있다. ❷ American Dietetic
Association(미국 영양학 협회)에 따르면, "대략적으로 계획된 채
식 식단이 건강에 좋고, 영양학적으로도 적당하고, 특정 질병을 예
방하고 치료하는 데 건강상의 이점을 제공한다." ❸ 그러나 건강에
대한 관심이 젊은이들이 그들의 식단을 바꾸려고 하는 유일한 이유
는 아니다. ❹ 몇몇은 동물의 권리에 대한 관심 때문에 선택한다. ❺
식용으로 길러지는 대다수의 동물들이 갇혀서 산다는 것을 보여주
는 통계자료를 볼 때, 많은 십 대들은 그러한 상황에 저항하기 위해
고기를 포기한다. ❻ 다른 사람들은 환경을 지지하기 위해 채식주

의자가 된다. ❼ 고기를 생산하는 것은 엄청난 양의 물, 땅, 곡식과
에너지를 사용하고 가축 배설물과 그에 따른 오염과 같은 문제들을
만들어낸다.

정답 전략 ① 많은 젊은 사람들이 자신의 건강에 대한 관심, 동물의
권리에 대한 관심, 환경에 대한 지지 등을 이유로 채식을 선택한다
는 내용으로, 주제는 '젊은 사람들이 채식을 선택하는 이유'가 알맞
다. ② 십 대를 위한 건강한 식습관을 형성
하는 방법 ③ 암 위험성을 낮춰 주는 채소
④ 균형 잡힌 식단을 유지하는 것의 중요성
⑤ 채식 기반 식단의 단점

❶ There is good evidence / **that** in organic development, / perception starts / with **recognizing outstanding**
<small>evidence = that절</small> <small>learn의 목적어 역할을 하는 that절</small>
structural features. ❷ For example, / when two-year-old children and chimpanzees / **had learned** that, / of two
<small>적용한 것보다 배운 것이 먼저이므로 「had + 과거분사」를 씀</small>
boxes presented to them, / the one with a triangle of a particular size and shape / always contained attractive
food, / they had no difficulty / **applying** their training **to** triangles of very different appearance. ❸ The triangles
<small>apply A to B: A를 B에 적용하다</small>
/ were made smaller or larger or turned upside down. ❹ A black triangle on a white background / was replaced
/ by a white triangle on a black background, / or an outlined triangle by a solid one. ❺ **These changes** / seemed
<small>반복되는 was replaced가 생략됨</small> <small>앞 두 문장의 내용</small>
not to interfere with recognition. ❻ Similar results / were obtained / with rats. ❼ Karl Lashley, / a psychologist, /
has asserted / [**that** simple transpositions of this type / are universal / in all animals / including humans].
<small>has asserted의 목적어인 명사절을 이끄는 접속사</small>

해석 ❶ 유기적 발달에서, 인식 능력은 두드러진 구조적 특징의 파악에서 시작된다는 충분한 증거가 있다. ❷ 예를 들어, 2살 어린이와 침팬지가 그들에게 주어지는 2개의 상자 중 특정 크기와 모양의 삼각형이 있는 상자에 항상 맛있어 보이는 음식이 있다는 것을 알았을 때, 매우 다른 모양의 삼각형에도 그들의 훈련을 적용하는 것에 어려움이 없었다. ❸ 삼각형은 더 작아지거나 커지거나 뒤집혔다. ❹ 흰색 바탕 위 검은색 삼각형은 검은 바탕 위 흰색 삼각형으로, 또는 외곽선이 있는 삼각형은 단색의 것으로 대체되었다. ❺ 이런

변화는 인식을 저해하지 않는 것으로 보였다. ❻ 유사한 결과가 쥐에서도 얻어졌다. ❼ 심리학자인 Karl Lashley는 이런 유형의 단순한 치환이 인간을 포함하여 모든 동물에게 보편적이라고 주장했다.

정답 전략 ⑤ 한번 삼각형의 형태를 인식하면 크기와 색깔, 배치 등이 바뀌어도 쉽게 파악할 수 있었다는 실험 결과를 통해 인식 능력은 '두드러진 구조적 특징의 파악'에서 시작된다고 할 수 있다.
① 다른 몸짓의 해석 ② 사회적 체계의 확립 ③ 색상 정보의 확인
④ 환경과 자신의 분리

---

❶ Money / — beyond the bare minimum / **necessary** for food and shelter — / is **nothing more than** a means /
<small>형용사구가 뒤에서 수식</small> <small>nothing more than: ~에 불과한</small>
to an end. ❷ Yet so often we confuse means with ends, / and sacrifice happiness(end) for money(means). ❸ **It** is
<small>가주어</small>
easy **to do** this / when material wealth is elevated / to the position of the ultimate end, / as it so often is in our
<small>진주어</small>
society. (①) ❹ This is not to say / that the accumulation and production of material wealth / is **in itself** wrong.
<small>그 자체가</small>
(②) ❺ Material prosperity can **help** individuals, / as well as society, / **attain** higher levels of happiness. (③) ❻
<small>목적격 관계대명사가 생략됨</small> <small>help + 목적어 + 원형부정사: ~가 …하는 것을 돕다</small>
Financial security can **liberate** us / **from** work / we do not find meaningful / and **from** having to worry about
<small>liberate ~ from: ~을 …로부터 해방시키다</small> <small>(liberate us)</small>
the next paycheck. (④) ❼ Moreover, / the desire [**to make** money] / can challenge and inspire us. (⑤) ❽ **Even**
<small>the desire를 꾸미는 형용사적 용법</small>
so, / it is not the money *per se* / **that** is valuable, / **but the fact that it can potentially yield more positive**
<small>It ~ that 강조구문</small> <small>not A but B: A가 아니라 B</small>
experiences. ❾ Material wealth in and of itself / does **not necessarily** generate meaning / or lead to emotional
<small>not necessarily: 반드시 ~는 아닌(부분부정)</small>
wealth.

해석 ❶ 음식과 주거에 필요한 기본적인 최소한의 범위를 벗어나는 돈은 목적에 대한 수단에 불과하다. ❷ 하지만 아주 흔히 우리는 수단을 목적과 혼동하여 돈(수단)을 위해서 행복(목적)을 희생한다. ❸ 우리 사회에서 아주 흔히 그러하듯이, 물질적 부유함이 궁극적인 목적의 위치로 높여질 때 이렇게 하기 쉽다. ❹ 이것은 물질적 부의 축적과 생산이 그것 자체로서 잘못된 것이라고 말하는 것이 아니다.

❺ 물질적 풍요는 사회뿐만 아니라 개인이 더 높은 수준의 행복을 얻도록 도와줄 수 있다. ❻ 재정적 안정은 우리가 의미 있다고 생각하지 않는 일로부터 그리고 다음번 급료에 대해서 걱정해야 하는 것으로부터 우리를 해방시켜 줄 수 있다. ❼ 더욱이, 돈을 벌고자 하는 욕구는 우리에게 도전 정신을 심어 주고 우리를 고무할 수도 있다. ❽ 그렇다고 하더라도, 가치가 있는 것은 돈 '그 자체로서'가 아

니라 그것이 잠재적으로 더 긍정적인 경험을 만들어 낼 수 있다는 사실이다. ❾ 물질적 부유함이 그 자체로서 반드시 의미를 만들어 내거나 감정적인 풍요로움을 가져오는 것은 아니다.

정답 전략 ⑤ '그렇다고 하더라도(양보의 의미), 가치가 있는 것은 돈 '그 자체로서'가 아니라 그것이 잠재적으로 더 긍정적인 경험을 만들

어 낼 수 있다는 사실이다.'라는 주어진 문장은 부를 축적하고 생산하는 것이 그 자체로서 나쁜 것이 아니라는 객관적인 사실을 나타내는 예시들 뒤에 들어가는 것이 가장 적절하다.

창의·융합·코딩 전략

| 58~61쪽

1 entertains, express, introvert, attracts
2 Down 1 expend 2 magnitude 3 proficient 6 deceive
　Across 4 conclude 5 definition 7 reverse 8 conserve 9 insert
3 (1) cept (2) maxim (3) vers (4) pond (5) fec (6) cip
4 entertainment, abstract, confinement, suspend

---

1 해석

너 뭘 보고 있니?

내가 정말 좋아하는 토크쇼야. 그건 항상 나를 즐겁게 해 줘.

난 그런 쇼는 본 적이 없어. 너는 그것의 어떤 점을 좋아해?

쇼에 나오는 사람들이 스스로를 아주 열정적으로 표현해. 이야기하고, 웃고, 심지어 울기도 해.

그러면 너는 그 사람들 때문에 그 쇼를 보는 거야?

맞아! 정말 재미있어. 아마 내가 내향적인 사람이라 그런가 봐.

알겠다. 외향적인 성격은 수줍어 하는 사람들을 끌어들여.

너도 이 쇼를 꼭 봐야 해.

---

2 해석

Down

1 유의어: (에너지 또는 돈을) 사용하다, 쓰다
2 지진의 진도는 리히터 규모 4.5로 기록되었다.
3 반의어: 미숙한, 서투른
6 유의어: 속임수를 쓰다, 속이다

Across

4 끝나다
5 사전에서 이 단어의 정의를 찾아줄래?
7 반대의 것의 위치를 그것의 반대와 바꾸다
8 유지하거나 주의깊게 보호하다
9 메모리 카드를 전화기에 삽입해라.

---

3 해석

(1) 당신의 고객의 필요를 예측할 필요가 있다. → 너의 사과는 받아들여졌다. (너의 사과를 받아들일게.)
(2) Dan은 언제나 작은 문제를 거대한 재앙으로 과장한다. → 그들은 자신들의 사무실 공간을 최대한 활용하려고 애썼다.
(3) 그것은 이것을 광고하는 가장 좋은 방법이다. → 나는 그와 대화하고 싶지 않다.
(4) Sophie는 더 이상 그녀의 부모님께 의존하지 않는다. → 우리는 우리가 승리할 가능성에 대해 숙고해야 한다.
(5) 그것은 실험을 망치게 만든 가장 큰 요인이다. → 당신이 어떤 결함이든 발견한다면, 우리에게 연락해 주세요.
(6) 그 영화는 영화제에서 상을 세 개 받았다. → 몇몇 학생들이 우리 프로젝트에 참여하라고 초청되었다.

4 해석

방문객 의견 / 여러분의 박물관 경험에 관한 의견을 남겨 주세요. / 저는 마침내 제가 가장 좋아하는 그림이 전시된 미술관에 방문할 수 있었어요. 미술관에 가는 것은 저에게 가장 큰 즐거움입니다. 제가 가장 좋아하는 그림은 "바닷가의 꽃"이라고 불립니다. 이것을 그린 화가는 추상적인 작품과 강렬한 붓 터치로 아주 유명해요. 그녀의 그림은 작년에는 보관되어 있었고 시는 전시를 미루기로 결정해서, 저는 몹시 좌절했어요. 저는 올해 그 그림들을 보러 갈 수 있어서 기뻤습니다. 미술에 관심이 있는 분들께 이 전시를 정말 추천해요.

신유형·신경향 전략

64~67쪽

1 ③	2 ②	3 ④	4 ⑤

1 지 문 한 눈 에 보 기

❶ Technology / is the basis of many of our metaphors / and is important / in terms of [how we think] / and [how our ideas progress]. ❷ The use of metaphor / and the process of design / and the evolution of science and technology / are (A) **cyclic** / in the sense [that metaphors help to shape technology, / and new technology leads to new metaphors]. ❸ Major changes arise periodically, / such as moving from horse-drawn carriages to motor-driven vehicles. ❹ The initial description of the latter / is naturally metaphorical, / as in the term "horseless carriage." ❺ The association with the previous technology / is both verbal and visual. ❻ The early designs of such vehicles / show visual evidence of the metaphor, / as they (B) **retained** much of the appearance of horse-drawn carriages. ❼ The horse-drawn carriage / was itself a technological innovation, / as were the horseless carriage and later automobiles. ❽ We tend to not only base new inventions on old, / but also explain and try to understand new inventions / in terms of what we already know.

해석 ❶ 기술은 우리가 쓰는 은유의 상당 부분의 기초이며 우리가 생각하는 방식과 우리의 생각이 발전하는 방식의 측면에서 중요하다. ❷ 은유의 사용과 디자인의 과정과 과학과 기술의 진화는 은유가 기술을 형성하는 데 도움을 주고, 새로운 기술이 새로운 은유로 이어진다는 점에서 순환적이다. ❸ 주요한 변화는 말이 끄는 마차에서 모터로 움직이는 차량으로 이동하는 것처럼 주기적으로 발생한다. ❹ '말이 없는 마차'라는 말에서와 같이, 후자(모터로 움직이는 차량)의 초기 묘사는 본질적으로 은유적이다. ❺ 이전 기술과의 연관성은 언어적이면서 또한 시각적이다. ❻ 그러한 차량의 초기 디자인들은 은유의 시각적인 증거를 보여 주는데, 그것들이 말이 끄는 마차 외양의 많은 부분을 유지하고 있었기 때문이다. ❼ 말이 없는

마차와 이후의 자동차와 마찬가지로, 말이 끄는 마차도 그 자체가 기술적인 혁신이었다. ❽ 우리는 새로운 발명품을 이전의 발명품에 근거를 둘 뿐만 아니라, 우리가 이미 알고 있는 것의 관점에서 새로운 발명품을 설명하고 이해하려고 하는 경향이 있다.

정답 전략 ③ (A) 은유가 기술을 형성하고, 이렇게 형성된 새로운 기술이 다시 새로운 은유로 이어진다고 했으므로 '순환적'인 과정이라고 하는 것이 적절하다. (B) 바로 앞에서 이전 기술과의 연관성에는 시각적인 면이 있다고 했으므로, 새로운 기술의 산물인 차량의 초기 디자인이 이전 기술의 산물인 '말이 끄는 마차'의 시각적인 부분, 즉 외양의 많은 부분을 '유지하고' 있었다고 하는 것이 자연스럽다.

2 지 문 한 눈 에 보 기

❶ Those / who limit themselves to Western scientific research / have virtually ignored anything / [that cannot be perceived by the five senses / and repeatedly measured or quantified]. ❷ Research is ① dismissed as superstitious and invalid / if it cannot be scientifically explained by cause and effect. ❸ Many ② continue to object(→ cling) with an almost religious passion / to this cultural paradigm about the power of science / — more specifically,

the power that science gives them. ❹ By dismissing non-Western scientific paradigms / as inferior at best
<u>the power of science의 실체</u>   at best: 기껏해야

and inaccurate at worst, / the most rigid members of the conventional medical research community / try to
          at worst: 최악의 경우

③counter the threat / [that alternative therapies and research pose / to their work, their well-being, and their
                the threat을 수식하는 목적격 관계대명사절   pose A to B: A를 B에 가하다 (A에 해당하는 것이 선행사 the threat)

worldviews]. ❺ And yet, / biomedical research / cannot explain many of the phenomena / that ④concern

alternative practitioners / regarding caring-healing processes. ❻ When therapies [such as acupuncture or
                                                                therapies의 예시

homeopathy] are observed / to result in a physiological or clinical response / [that cannot be explained by the
                                                 a physiological or clinical response를 수식하는 주격 관계대명사절

biomedical model], / many have tried to ⑤deny the results / rather than modify the scientific model.
                                                  ~하느니 차라리

해석 ❶ 스스로를 서양의 과학 연구에만 한정시킨 사람들은 오감으로 감지될 수 없고 반복적으로 측정하거나 정량화할 수 없는 것은 무엇이든 사실상 무시해 왔다. ❷ 연구는 원인과 결과에 의해 과학적으로 설명될 수 없으면 미신적이고 무효한 것으로 일축된다. ❸ 많은 사람이 과학의 힘, 더 구체적으로는 과학이 그들에게 주는 힘에 대한 이 문화적 패러다임에 거의 종교적 열정을 가지고 계속해서 반대한다(→ 계속해서 집착한다). ❹ 비서양의 과학적 패러다임을 기껏해야 열등하고, 최악의 경우 부정확하다고 일축함으로써, 전통적인 (서양) 의학 연구 단체의 가장 완고한 구성원들은 대체 요법과 연구가 자신들의 업무, 자신들의 행복, 그리고 자신들의 세계관에 가하는 위협에 반격하려 한다. ❺ 그러나, 생물 의학 연구는 돌봄–치료 과정과 관련하여 대체 의학 시술자들과 관련된 현상 중 많

은 것에 대해 설명할 수 없다. ❻ 침술이나 동종 요법 같은 치료법이 생물 의학적 모델로는 설명될 수 없는 생리적 또는 임상적 반응으로 이어지는 것이 관찰될 때, 많은 사람이 과학적인 모델을 수정하기보다는 그 결과를 부정하려 애써 왔다.

정답 전략 ② 문장의 주어인 Many는 이 글의 첫 문장에 나온 'Those who limit themselves to Western scientific research'로, 과학의 힘을 신봉하는 사람들이므로 과학이 자신들에게 주는 힘에 대한 문화적 패러다임에 '반박하는(object)' 것이 아니라 그것을 '고수하거나 집착할(cling)' 것이다.

---

❶ The objective of battle, / to "throw" the enemy and to make him defenseless, / may temporarily blind
                 동격을 타나내는 콤마   blind A to B: A가 B를 못 보게 하다

commanders and even strategists / to the larger purpose of war. ❷ War is never an (A) **isolated** act, / nor is it
                                                                         부정어가 앞에 나와 주어와 동사가 도치됨

ever only one decision. ❸ In the real world, / war's larger purpose / is always a political purpose. ❹ It transcends

/ the use of force. ❺ This insight / was famously captured / by Clausewitz's most famous phrase, / "War is a

mere continuation of politics / by other means." ❻ To be political, / a political entity or a representative of a
                                                  부사적 용법(목적)

political entity, / whatever its constitutional form, / has to have an intention, a will. ❼ That intention / has to be

clearly expressed. ❽ And one side's will / has to be (B) **transmitted** to the enemy / at some point during the

confrontation / (it does not have to be publicly communicated). ❾ A violent act and its larger political intention /
          = one side's will

must also be attributed to one side / at some point during the confrontation. ❿ History does not know of acts of
                attribute A to B: A를 B 탓으로 돌리다

war / [without eventual attribution].
       acts of war를 수식하는 전치사구

해석 ❶ 전투의 목표, 즉 적군을 '격퇴하고' 무방비 상태로 만드는 것은 일시적으로 지휘관과 심지어 전략가까지도 전쟁의 더 큰 목적을 보지 못하게 할 수도 있다. ❷ 전쟁은 결코 고립된 행위가 아니

며, 또한 결코 단 하나의 결정도 아니다. ❸ 현실 세계에서 전쟁의 더 큰 목적은 항상 정치적 목적이다. ❹ 그것은 무력의 사용을 초월한다. ❺ 이 통찰은 "전쟁은 단지 다른 수단으로 정치를 계속하는

것에 불과하다."라고 한 Clausewitz의 가장 유명한 구절에 의해 멋지게 포착되었다. ❻ 정치적으로 되려면, 헌법상의 형태가 무엇이든 정치적 실체나 정치적 실체의 대표자가 의도, 즉 의지를 가져야 한다. ❼ 그 의도는 분명히 표현되어야 한다. ❽ 그리고 (전쟁 당사자) 한쪽의 의지는 대치하는 동안 어느 시점에 적에게 전달되어야 한다 (그것이 공개적으로 전달될 필요는 없다). ❾ 폭력 행위와 그것의 더 큰 정치적 의도 또한 대치하는 동안 어느 시점에 한쪽의 탓으로 돌려져야 한다. ❿ 역사는 궁극적으로 그 원인을 남의 탓으로 돌리지 않는 전쟁 행위에 대해 알지 못한다.

정답 전략 ④ (A) 앞에 부정어가 있으므로, 전쟁의 특징이 아닌 것을 나타내는 낱말이어야 한다. 바로 뒤에서 전쟁은 결코 단 하나의 결

정이 아니라고 했고, 전쟁은 어떤 의도를 표현하기 위한 정치적 행위라는 것이 글 전반에서 나타나고 있다. 따라서 전쟁은 '고립된' 행위가 아님을 알 수 있다. linked: 연결된, expressed: 표현된
(B) 바로 앞에서 정치적 의도가 분명히 표현되어야 한다고 했고, 바로 뒤의 괄호 안에서 그것이 공개적으로 소통될 필요는 없다고 했으므로, 한쪽의 의지가 그 적에게 전해져야 한다고 하는 것이 자연스럽다. 따라서 세 낱말 중 '전달되다'라는 의미의 transmitted가 적절하다. dismissed: 거절당한 addicted: ~에 중독된

❶ If I say to you, / 'Don't think of a white bear', / you will find it difficult / not to think of a white bear.
가목적어   진목적어
❷ In this way, / 'thought suppression / can actually increase / the thoughts one wishes to suppress / instead of calming
목적격 관계대명사가 생략됨
them'. ❸ One common example of this is / that people on a diet [who try not to think about food] often begin / to
the thoughts ~ suppress   보어절을 이끄는 접속사   people을 수식하는 주격 관계대명사절
think much more about food. ❹ This process / is therefore also known as the *rebound effect*. ❺ The ironic effect /
seems to be caused / by the interplay / of two related cognitive processes. ❻ This dual-process system / involves,
first, an intentional operating process, / which consciously attempts to locate thoughts / [unrelated to the
process를 보충 설명하는 주격 관계대명사   과거분사구가 뒤에서 수식
encouraged (→ suppressed) ones]. ❼ Second, and simultaneously, / an unconscious monitoring process / tests
/ [whether the operating system is functioning effectively]. ❽ If the monitoring system encounters thoughts /
tests의 목적어 역할을 하는 명사절
inconsistent with the intended ones, / it prompts the intentional operating process to ensure / that these are
「주격 관계대명사+be동사」가 생략됨   = the monitoring process
replaced by appropriate thoughts. ❾ However, / it is argued, / the intentional operating system / can fail / [due
삽입절
to increased cognitive load / caused by fatigue, stress and emotional factors], / and so the monitoring process
due to: ~ 때문에(이유의 부사구)   그래서(앞 절의 결과에 해당하는 절을 이끎)
filters the inappropriate thoughts / into consciousness, / making them highly accessible.
분사구문

해석 ❶ 내가 여러분에게 '백곰을 생각하지 말라.'라고 말하면, 여러분은 백곰을 생각하지 않는 것이 어렵다는 것을 알게 될 것이다. ❷ 이런 식으로, '사고의 억제는 억누르고 싶은 생각을 가라앉히는 대신, 그것을 실제로 증가시킬 수 있다'. ❸ 이것의 한 가지 흔한 예는 다이어트를 하고 있어서 음식에 대해 생각하지 않으려고 노력하는 사람들이 흔히 음식에 대해 훨씬 더 많이 생각하기 시작한다는 것이다. ❹ 그래서 이 과정은 '반동 효과'라고도 알려져 있다. ❺ 그 아이러니한 결과는 관련된 두 가지 인지 과정의 상호작용에 의해 야기되는 것 같다. ❻ 우선, 이 이중 처리 체계는 의도적인 운영 과정을 수반하는데, 그것은 촉진된(→ 억제된) 생각과 무관한 생각을 의식적으로 찾아내려고 한다. ❼ 다음으로, 그리고 동시에, 무의식적인 감시 과정은 운영 체계가 효과적으로 작동하고 있는지 검사한다. ❽ 감시 체계가 의도된 생각과 일치하지 않는 생각과 마주치는 경

우, 그것은 의도적인 운영 과정을 자극하여 반드시 이러한 생각이 적절한 생각에 의해 대체되도록 한다. ❾ 그러나 주장되는 바로는, 의도적인 운영 체계는 피로, 스트레스, 정서적 요인에 의해 생긴 인지 부하의 증가로 인해 작동을 멈출 수 있고, 그래서 감시 과정이 부적절한 생각을 의식으로 스며들게 해, 그것의 접근성을 높아지게 만든다는 것이다.

정답 전략 ⑤ 글의 흐름상, 밑줄이 있는 문장은 사고를 억제할 때 일어나는 두 가지 인지 과정의 상호작용을 설명하는 부분에 해당한다. '의도적인 운영 과정'은 사고를 억제하려는 의도와 관련이 있으므로, suppressed('억제된') 생각과 무관한 생각을 의식적으로 발견하려고 시도한다고 하는 것이 자연스럽다. ① 성공한 ② 예비의 ③ 바로 앞의 ④ 인정된

1 ⑤   **2** ②   **3** ⑤   **4** ①

---

1   지문 한눈에 보기

❶ Many companies / confuse activities and results. ❷ As a consequence, / they make the mistake **of** designing a
the mistake = designing ~
process / [**that** sets out milestones / in the form of activities / [**that** must be carried out / during the sales cycle]].
    a process를 수식하는 주격 관계대명사절   activities를 수식하는 주격 관계대명사절
❸ Salespeople have a genius / for doing what's compensated / rather than what's effective. ❹ If your process has

an activity / such as "submit proposal" or "make cold call," / then that's just [**what** your people will do]. ❺ No matter
                                                    보어 역할을 하는 관계대명사절
/ that the calls were to the wrong customer / or went nowhere. ❻ No matter / that the proposal wasn't submitted

/ at the right point / in the buying decision / **or contained inappropriate information.** ❼ The process asked for
               ↳ = the process   the proposal이 생략됨
activity, / and activity was [**what** it got]. ❽ Salespeople have done / [**what** was asked for]. ❾ "Garbage in, garbage
         선행사를 포함한 관계대명사   선행사를 포함한 관계대명사
out" / they will delight in telling you. "It's not our problem, / it's this dumb process."

해석 ❶ 많은 회사가 활동과 성과를 혼동한다. ❷ 그 결과, 그들은 판매 주기 동안 수행해야 하는 활동의 형태로 획기적인 일에 착수하는 과정을 기획하는 실수를 범한다. ❸ 판매원들은 효과적인 일보다는 보상받는 일을 하는 데 천부적인 재능이 있다. ❹ 만약 당신의 과정에 '제안 제출하기'나 '임의의 권유 전화 걸기'와 같은 활동이 있다면, 그것이 그저 당신의 직원들이 할 일이다. ❺ 전화가 잘못된 고객에게 갔거나 아무 성과를 보지 못했어도 문제가 되지 않는다. ❻ 제안이 구매 결정의 적절한 시점에 제출되지 않았거나 부적절한 정보를 포함했더라도 문제없다. ❼ 과정은 활동을 요구했고, 활동은 과정이 얻은 것이었다. ❽ 판매원들은 요구받은 일을 한 것이다. ❾ 그들은 "쓸모없는 것을 넣었으니 쓸모없는 것이 나오는 거죠. 그것은 우리의 문제가 아닙니다. 이 바보 같은 과정이죠."라고 당신에게

말하기를 즐길 것이다.

정답 전략 ⑤ 많은 회사에서 활동과 성과를 혼동하여 성과가 아닌, 활동의 형태로 획기적인 것을 제시하기 때문에, 효과적인 일보다는 보상받는 일을 하는 데 재능이 있는 판매원들이 과정이 요구한 비효과적인 활동을 하는 것에 그친다는 내용의 글이다. 따라서 밑줄 친 부분이 의미하는 바는 ⑤ '활동에 초점을 맞춘 과정은 결국 효과적이지 않다'이다. ① 성과를 추구하는 데 있어서 보상이 우수함의 핵심이다. ② 판매원들이 의사 결정 과정에 참여해야 한다. ③ 공유된 이해가 항상 성공으로 이어지는 것은 아니다. ④ 잘못된 정보에서 도출된 활동은 실패를 낳는다.

---

2   지문 한눈에 보기

❶ Concepts of nature / are always cultural statements. ❷ This may not strike Europeans / as much of an insight,

/ **for** Europe's landscape is so much of a blend. ❸ But in the new worlds / — 'new' at least to Europeans — / the
= because, since
distinction appeared much clearer / **not only** to European settlers and visitors **but also** to their descendants. ❹
                      not only A but also B: A뿐만 아니라 B도
For that reason, / they had the fond conceit of primeval nature / [**uncontrolled** by human associations] / [**which**
                      ↳ 과거분사구가 뒤에서 수식   primeval nature를
could later find expression / in an admiration for wilderness]. ❺ Ecological relationships / certainly have their
수식하는 주격 관계대명사절
own logic / and in this sense / 'nature' / can be seen to have / a self-regulating but **not necessarily** stable dynamic
                                     not necessarily: 꼭 ~하지는 않은
/ [**independent** of human intervention]. ❻ But the context for ecological interactions / **has increasingly been**
   형용사구가 뒤에서 수식
set / by humanity. ❼ We may not determine / [how or what a lion eats] / but we certainly can regulate / [where the

lion feeds].

❶ 자연에 대한 개념은 항상 문화적 진술이다. ❷ 이것은 유럽인들에게 대단한 통찰이라는 인상을 주지 않을 수도 있는데, 왜냐하면 유럽의 풍경은 너무나 많이 혼합되어 있기 때문이다. ❸ 그러나 새로운 — 적어도 유럽인들에게는 '새로운' — 세계에서, 그 차이는 유럽 정착민과 방문객뿐만 아니라 그들의 후손에게도 훨씬 더 분명해 보였다. ❹ 그런 이유 때문에, 그들은 후에 황야에 대한 감탄의 형태로 나타난, 인간과의 연관에 의해 통제되지 않는 원시 자연이라는 허황된 생각을 가졌다. ❺ 생태학적 관계는 확실히 그것의 논리를 가지고 있었고, 이런 의미에서 '자연'은 인간의 개입과 무관하게, 자율적이지만 꼭 안정적이지는 않은 역동성을 가지고 있다고 보일 수 있다. ❻ 그러나 생태학적 상호작용의 맥락은 점점 더 인류에 의해 설정되어 왔다. ❼ 우리는 사자가 어떻게 또는 무엇을 먹을지는 정하지 못할 수도 있지만, 사자가 어디에서 먹이를 먹을지는 확실히 규제할 수 있다.

정답 전략 ② 빈칸이 있는 문장은 But(그러나)으로 시작하고 있으므로, 바로 앞의 내용과 대조를 이루거나 맥락이 달라질 것이다. 또한 빈칸이 있는 문장 뒤에서도 단서를 찾을 수 있다. 바로 앞 문장은 자연이 인간의 개입과 무관한 역동성을 가지고 있다고 했으며, 바로 뒤의 문장은 우리가 어떤 점에서는 자연을 통제할 수도 있음을 나타내고 있으므로, '생태학적 상호작용의 맥락은 ② 점점 더 인류에 의해 설정되어 왔다'고 하는

것이 가장 자연스럽다. ① 새로운 친환경적인 정책을 지지해 왔다 ③ 창의적인 문화적 관행을 고취한다 ④ 너무 자주 바뀌어 규제할 수 없다 ⑤ 다양한 자연조건의 영향을 받아 왔다

---

❶ Since the 1970s, / more and more Maasai / have given up the traditional life of mobile herding / and now
동사 1
dwell in permanent huts. (①) ❷ This trend / was started / by government policies / [that encouraged subdivision
동사 2   government policies를 수식하는 주격 관계대명사절
of commonly held lands]. (②) ❸ In the 1960s, / conventional conservation wisdom held / [that the Maasai's
                                                                                        held의 목적어인 명사절
roaming herds were overstocked, / degrading the range and Amboseli's fever-tree woodlands]. (③) ❹ Settled,
                              분사구문
commercial ranching, / it was thought, / would be far more efficient. (④) ❺ The Maasai / rejected the idea / at
                      삽입절
first / — they knew / [they could not survive dry seasons / without moving their herds / to follow the availability
              접속사 that이 생략됨   부사적 용법(목적)
of water and fresh grass]. (⑤) ❻ **The Maasai, / however, / are a small minority, / and their communally held**

lands / have often been taken by outsiders. ❼ As East Africa's human population grows, / Maasai people are
                                                    ~함에 따라
subdividing their lands and settling down, / for fear of otherwise losing everything.
                                          for fear of: ~라는 두려움에

---

❶ 1970년대 이래로 점점 더 많은 마사이족이 유목이라는 전통적인 생활을 포기해 왔고 이제는 영구적인 오두막에서 거주한다. ❷ 이러한 경향은 공동으로 소유하는 토지의 분할을 장려하는 정부 정책에 의해 시작되었다. ❸ 1960년대에 종래의 환경 보존 지식은 마사이족의 유목 가축이 너무 많아서 방목 구역과 Amboseli의 fever-tree 산림 지대를 황폐화한다고 보았다. ❹ 정착된 상업적인 목축이 훨씬 더 효율적이라고 생각되었다. ❺ 마사이족은 처음에는 그 생각을 거부했는데, 즉 이용 가능한 물과 신선한 풀을 따라 자신들의 가축을 이동시키지 않으면 그들이 건기에 생존할 수 없다는 것을 알았던 것이다. ❻ 그러나 마사이족은 작은 소수 집단이고, 그들이 공동으로 소유한 토지는 종종 외부인들에 의해 점유되었다. ❼ 동아프리카의 인구가 증가함에 따라 마사이족 사람들은 그렇지 않으면 모든 것을 잃어버린다는 두려움에 자신들의 토지를 분할하

고 정착하고 있다.

정답 전략 ⑤ 주어진 문장에 however가 있는 것으로 보아 바로 앞에는 주어진 문장과 대조되거나 맥락이 다른 내용이 나올 것이다. ⑤ 앞의 문장은 마사이족이 정착에 대한 아이디어를 거부했다는 내용이고, 뒤의 문장은 마사이족이 동아프리카의 인구가 증가함에 따라 토지를 분할하고 정착한다는 내용이다. 주어진 문장이 마사이족이 처음에 느낀 거부감에도 불구하고 결국 정착을 선택한 이유를 나타내고 있으므로, ⑤에 들어가는 것이 적절하다.

❶ A phenomenon in social psychology, the Pratfall Effect / states / [that an individual's perceived

<u>states의 목적어 역할을 하는 that절</u>

attractiveness increases or decreases / after he or she makes a mistake — / depending on the individual's

~에 따라

(A) **perceived** competence]. ❷ As celebrities are generally considered to be competent individuals, / and often

= Because　　　　　　　　　　　　　　　　　　　　　　　　　　　　　celebrities are가 생략됨

even presented as flawless or perfect in certain aspects, / committing blunders / will make one's humanness

주어로 쓰인 동명사구

endearing / to others. ❸ Basically, / those who never make mistakes / are perceived as being less attractive

~한 사람들

and "likable" / than those who make occasional mistakes. ❹ Perfection, / or the attribution of that quality to

individuals, / (B) **creates** a perceived distance / [that the general public cannot relate to] — / making those who

a perceived distance를 수식하는 목적격 관계대명사절　　　　분사구문

never make mistakes / perceived as being less attractive or likable. ❺ However, / this can also have the opposite

make + 목적어 + 목적격 보어(과거분사): ~를 …되도록 만들다

effect — ❻ if a perceived average or less than average competent person makes a mistake, / he or she will be

(C) **less** attractive and likable / to others.

해석　❶ 사회 심리학의 한 현상인 Pratfall Effect(실수 효과)는 한 개인의 인지된 매력도가 그 또는 그녀가 실수를 한 후에 그 사람의 인지된 능력에 따라 증가 또는 감소한다고 말한다. ❷ 유명 인사들은 일반적으로 능력 있는 사람들로 여겨지고 특정한 측면에서 종종 흠이 없고 완벽하다고도 보이기 때문에, 실수를 저지르는 것은 그 사람의 인간미를 다른 사람들에게 사랑받도록 만들 것이다. ❸ 기본적으로 실수를 전혀 저지르지 않는 사람들은 이따금 실수를 저지르는 사람들에 비해 덜 매력적이거나 덜 호감을 주는 것으로 인지된다. ❹ 완벽성, 혹은 그 자질을 개인들에게 귀속하는 것은 일반 대중들이 (자신과) 관련지을 수 없는 인지된 거리감을 만들며 실수를 전혀 저지르지 않는 사람들을 덜 매력적이고 덜 호감이 가도록 만든다. ❺ 하지만 이것은 또한 정반대의 효과도 가진다. ❻ 평균 혹은

그 이하의 인지된 능력을 가진 사람이 실수를 저지른다면, 그 또는 그녀는 다른 사람들에게 덜 매력적이고 호감을 덜 주게 될 것이다.

정답 전략　① (A) 유명 인사들은 능력 있는 사람으로 여겨지며 완벽하게 보이기 때문에 실수를 저질렀을 때 인간적인 매력을 준다고 했다. 따라서 개인의 매력도는 그 사람의 '인지된(perceived)' 능력에 따라 다르다고 하는 것이 적절하다. (B) 실수를 전혀 하지 않는, 즉 완벽한 사람은 덜 매력적으로 인지되기 때문에, 완벽성을 개인에게 귀속시키면 대중들과의 사이에 거리감이 생겨나는 (creates) 것이 자연스럽다. (C) 앞의 내용과 반대되는 효과라고 했으므로, 완벽해 보이는 사람이 실수를 했을 때에는 매력도가 올라가지만, 평균이나 그 이하의 사람이 실수할 때에는 '덜' 매력적이고 호감을 '덜' 주게 된다고 해야 자연스럽다.

1·2등급 확보 전략 2회

| 72~75쪽

1 ④　　　2 ⑤　　　3 ①　　　4 ③

❶ Can we sustain / our standard of living / in the same ecological space / while consuming / the resources of

that space? ❷ This question is particularly relevant / since we are living in an era / of skyrocketing fuel costs and

= because, for　　　　　　　　　　　　　of의 목적어 1

humans' ever-growing carbon footprints. (①) ❸ Some argue / that we are already at a breaking point / because

of의 목적어 2

we have nearly exhausted the Earth's finite carrying capacity. (②) ❹ However, / it's possible / that innovations

가주어　　　　　진주어(that절)

and cultural changes can expand / Earth's capacity. (③) ❺ We are already seeing this / as the world economies

앞 문장의 내용　~하므로

are increasingly looking at / "green," renewable industries / like solar and hydrogen energy. (④) ❻ **Still, / many**

believe / we will eventually reach a point / [at which / conflict with the finite nature of resources is

접속사 that이 생략됨　　　　　a point를 선행사로 하는 관계대명사

inevitable]. ❼ That means / survival could ultimately depend / on getting the human population below its

접속사 that이 생략됨

means의 목적어 역할을 하는 명사절

carrying capacity. (⑤) ❽ Otherwise, / [without population control], / the demand for resources / will eventually

조건의 의미를 가진 부사구

exceed / an ecosystem's ability [to provide it].

ability를 수식하는 형용사적 용법

[해석] ❶ 우리는 똑같은 생태 공간 속에서 그 공간의 자원을 소비하며 우리의 생활 수준을 유지할 수 있을까? ❷ 이 질문은 우리가 연료비는 치솟고 인간의 탄소 발자국은 끊임없이 커지는 시대에 살고 있기 때문에 특히 적절하다. ❸ 어떤 사람들은 우리가 지구의 유한한 수용력을 거의 다 고갈시켰기 때문에 우리가 이미 한계점에 와 있다고 주장한다. ❹ 그러나 혁신과 문화적인 변화가 지구의 수용력을 확장할 수 있는 가능성도 있다. ❺ 세계 경제가 점점 더 태양 에너지와 수소 에너지 같은 '녹색'의 재생 가능한 산업을 바라보고 있으므로 우리는 이미 이것을 목격하고 있다. ❻ 하지만 많은 이들이 우리가 결국 자원의 유한한 특성과의 갈등이 불가피한 지점에 도달할 것이라 믿는다. ❼ 그것은 생존이 궁극적으로 인구를 그것

의(지구의) 수용력 아래로 낮추는 것에 달려 있을 수도 있음을 의미한다. ❽ 그렇지 않고, 인구 통제가 없다면, 자원에 대한 수요가 결국 그것을 제공할 생태계의 능력을 초과할 것이다.

[정답 전략] ④ 주어진 문장은 우리가 결국 자원의 고갈로 인한 문제를 겪게 될 것이라고 많은 사람들이 믿는다는 내용이며, '하지만'이라는 의미의 부사 Still로 보아 앞에는 반대되는 내용이 나와야 한다. ④ 앞에 재생 가능한 에너지 산업을 통한 긍정적인 미래에의 예상이 나오고 있다.

❶ If one looks at the Oxford definition, / one gets the sense / that post-truth is not so much / a claim that truth

(a claim)

the sense = that절

not so much A as B: A가 아니라 B

does not exist / as that *facts are subordinate to* our political point of view. ❷ The Oxford definition focuses on / "*what*"

subordinate to: ~에 종속된

as "what" post-truth is가 생략됨

post-truth is: / the idea / that feelings sometimes matter more than facts. ❸ But just as important is the next

동격의 절을 이끄는 접속사 (= the idea)

just as ~ as: 꼭 …만큼 ~한

question, / which is *why* this ever occurs. ❹ Someone does not argue / against an obvious or easily confirmable

보어 역할을 하는 간접의문문

fact / for no reason; / he or she does so / when it is to his or her advantage. ❺ When a person's beliefs are

= argues against ~ fact

threatened / by an "inconvenient fact," / sometimes it is preferable / to challenge the fact. ❻ This can happen / at

가주어   진주어

either a conscious or unconscious level / (since sometimes the person [we are seeking to convince] / is ourselves),

목적격 관계대명사가 생략됨

/ but the point is / that this sort of post-truth relationship to facts occurs / only when we are seeking to assert

보어절을 이끄는 접속사

something / [that is more important to us / than the truth itself].

something을 수식하는 주격 관계대명사절

[해석] ❶ Oxford 사전의 정의를 보면, 탈진실이란 진실이 '존재하지 않는다'는 주장이 아니라, '사실이 우리의 정치적 관점에 종속되어 있다'는 주장이라는 것을 알게 된다. ❷ Oxford 사전의 정의는 탈진실이 '무엇인가'에 초점을 두는데, 즉 때로는 감정이 사실보다 더 중요하다는 생각이다. ❸ 하지만 그다음 질문도 그것만큼 중요한데, 그것은 '왜' 이런 일이 일어나는가이다. ❹ 어떤 사람이 아무런 이유 없이 분명하거나 쉽게 확인할 수 있는 사실에 반대하는 것이 아니라, 그것이 자신의 이익에 부합할 때 그 사람은 그렇게 한다. ❺ 어떤 사람의 믿음이 '불편한 사실'에 의해 위협받을 때, 때로는 그 사실에 이의를 제기하는 것이 선호된다. ❻ 이것은 의식적인 수준에서든 무의식적인 수준에서든 일어날 수 있지만 (왜냐하면 때로는 우리가 납득시키려고 애쓰는 사람이 우리 자신이기 때문에), 핵심은

사실에 대한 이러한 종류의 탈진실적 관계가 우리가 진실 그 자체보다 우리에게 더 중요한 어떤 것을 주장하려고 애쓸 때만 일어난다는 것이다.

[정답 전략] ⑤ Oxford 사전의 정의에 따르면 탈진실이란 '사실이 우리의 정치적 관점에 종속되어 있다'는 것이고, 그것은 무언가가 자신의 이익에 부합하도록, 그리고 자신의 믿음이 위협받지 않도록 하기 위해 분명한 사실에마저 이의를 제기하고 반대함으로써 일어난다. 즉, 탈진실적 관계는 우리가 ⑤ '진실 그 자체보다 우리에게 더 중요한' 것을 주장하려 할 때만 일어난다고 하는 것이 가장 적절하다. ① 우리의 혼재된 감정들을 억제하는 ② 정치에 관한 우리의 견해들의 균형을 잡는 ③ 어려운 처지에 있는 다른 사람에게 우리가 양보하게 하는 ④ 절대적 진리의 변치 않는 가치를 지닌

❶ Perceptions / [of forest use and the value of forests as standing timber] / vary considerably / from indigenous
└─ 주어 Perceptions을 수식하는 전치사구   from ~ to: ~에서 …까지

peoples to national governments and Western scientists. ❷ These differences / in attitudes and values / lie at the
동사 1

root of conflicting management strategies / and stimulate protest groups / such as the Chipko movement. ❸ For
동사 2

example, / the cultivators of the Himalayas and Karakoram / view forests as essentially a convertible resource.
view A as B: A를 B로 생각하다

❹ That is, / [under increasing population pressure and growing demands for cultivable land], / the conversion
조건의 부사구를 이끄는 전치사(~의 상황 하에)

of forest into cultivated terraces / means / [a much higher productivity can be extracted / from the same area].
means의 목적어 역할을 하는 명사절에서 접속사 that이 생략됨

❺ Compensation / [in the form of planting on terrace edges] / occurs / to make up for the clearance. ❻ This /
└─ Compensation을 수식하는 전치사구   부사적 용법(목적)   앞 세 문장의 내용

contrasts with the national view of the value of forests as a renewable resource, / with the need or desire / [to
대조되는 측면 1

keep a forest cover over the land / for soil conservation], / and with a global view of protection / for biodiversity
형용사적 용법   대조되는 측면 2

/ and climate change purposes, / irrespective of the local people's needs. → ❼ For indigenous peoples / forests
~와 관계없이(문장 전체 수식)

serve as a source of (A) **transformable** resources, / while national and global perspectives / prioritize the
대조의 접속사

(B) **preservation** of forests, / despite the local needs.

해석 ❶ 서 있는 수목으로서 숲의 사용과 숲의 가치에 대한 인식은 토착민에서 중앙정부와 서구의 과학자에 이르기까지 상당히 다르다. ❷ 태도와 가치에서의 이러한 차이는 상충하는 관리 전략의 뿌리에 놓여 있고 Chipko 운동과 같은 항의 집단들을 자극한다. ❸ 예를 들어, 히말라야와 카라코람 지역의 경작자들은 숲을 근본적으로 전환 가능한 자원으로 생각한다. ❹ 즉, 증가하는 인구의 압박과 경작 가능한 토지에 대한 커지는 수요 하에, 숲을 경작된 계단식 농경지로 전환하는 것은 같은 지역에서 훨씬 더 높은 생산성을 끌어낼 수 있다는 것을 의미한다. ❺ 수목 벌채를 벌충하기 위해 계단식 농경지의 가장자리에 심는 형태의 보상이 일어나고 있다. ❻ 이것은 지역민의 필요와 관계없이, 토양 보존을 위해 땅 위를 덮은 숲을 유지하려는 필요나 욕구와 함께 숲의 가치를 재생 가능한 자원으로 보는 국가적 관점, 그리고 생물 다양성 보호와 기후 변화(와 관련된)

목적의 세계적 관점과 뚜렷이 대조된다. → ❼ 토착민에게 숲은 변형할 수 있는 자원의 역할을 하지만, 지역적인 필요에도 불구하고, 국가적이고 세계적인 관점은 숲의 보존을 우선시한다.

정답 전략 ① 숲에 대한 해당 지역의 토착민들과 국가, 서구 과학자들의 관점이 다른데, 토착민들은 숲을 농경지로 '전환 가능한' 자원으로 보고, 국가와 세계는 숲을 '보존'해야 할 대상으로 간주한다는 것이 이 글의 내용이다. 따라서 요약문의 빈칸에 들어갈 말로 가장 적절한 것은 ① '변형할 수 있는 – 보존'이다.

② 변형할 수 있는 – 실용성
③ 소비할 수 있는 – 조작
④ 복구할 수 있는 – 잠재력
⑤ 복구할 수 있는 – 회복

❶ [Classifying things together into groups] / is something / [we do all the time], / and it isn't hard / to see why.
주어로 쓰인 동명사구   목적격 관계대명사가 생략됨   가주어   진주어

❷ Imagine / [trying to shop / in a supermarket / where the food was arranged in random order / on the shelves]:
Imagine의 목적어 역할을 하는 동명사구

❸ tomato soup next to the white bread in one aisle, / chicken soup in the back next to the 60-watt light bulbs,
~ 옆에   뒤쪽에 있는

/ one brand of cream cheese in front / and another in aisle 8 near the cookies. ❹ The task of finding what you
앞쪽에 있는   ~ 근처에   The task = finding ~ want

want / would be ①time-consuming and extremely difficult, / if not impossible. ❺ In the case of a supermarket, /

someone had to ②design / the system of classification. ❻ But there is / also a ready-made system of classification

/ embodied in our language. ❼ The word "dog," / for example, / groups together a certain class of animals / and
「주격 관계대명사+be동사」가 생략됨   동사 1

distinguishes them from other animals. ❽ Such a grouping / may seem too ③abstract(→ obvious) / to be called
a classification, / but this is only because you have already mastered the word. ❾ As a child [learning to speak],
/ you had to work hard / to ④learn the system of classification /your parents were trying to teach you. ❿ Before
you got the hang of it, / you probably made mistakes, / like calling the cat a dog. ⓫ If you hadn't learned to
speak, / the whole world would seem like the ⑤unorganized supermarket; / ⓬ you would be in the position of
an infant, / for whom every object is new and unfamiliar. ⓭ In learning the principles of classification, / therefore,
/ we'll be learning about the structure / [that lies at the core of our language].

해석 ❶ 사물을 묶어서 그룹으로 분류하는 것은 우리가 항상 하는 일이며, 그 이유를 이해하는 것은 어렵지 않다. ❷ 음식이 진열대에 무작위로 배열된 슈퍼마켓에서 쇼핑하려 한다고 상상해 보라. ❸ 한 통로에는 흰 빵 옆에 토마토 수프가 있고, 뒤쪽에는 치킨 수프가 60와트 백열전구 옆에 있고, 한 크림치즈 브랜드는 앞쪽에, 또 다른 하나는 8번 통로의 쿠키 근처에 있다. ❹ 여러분이 원하는 것을 찾는 일은 불가능하지는 않더라도 시간이 많이 걸리고 매우 어려울 것이다. ❺ 슈퍼마켓의 경우, 누군가는 분류 체계를 설계해야 했다. ❻ 하지만 우리의 언어에 포함된 이미 만들어진 분류 체계도 있다. ❼ 예를 들어, '개'라는 단어는 특정 부류의 동물들을 함께 분류하여 다른 동물들과 구별한다. ❽ 분류라고 하기에는 그러한 분류가 너무 추상적으로(→ 분명해) 보일 수 있지만, 이것은 단지 여러분이 이미 그 단어에 숙달했기 때문이다. ❾ 말하기를 배우는 아이로서, 여러분은 부모님이 가르쳐 주려 하는 분류 체계를 익히기 위해 열심히 노력해야 했다. ❿ 그것을 이해하기 전에는, 여러분은 아마 고양이를 개라고 부르는 것과 같은 실수를 했을 것이다. ⓫ 만약 여러분이 말하기를 배우지 않았다면, 온 세상은 정돈되지 않은 슈퍼마켓처럼 보일 것이고, ⓬ 여러분은 유아의 처지가 되어 모든 물건이 새롭고 낯설 것이다. ⓭ 그러므로 분류의 원리를 배울 때, 우리는 언어의 핵심에 놓인 구조에 대해 배우고 있는 것이다.

정답 전략 ③ but this is ~ mastered the word로 보아 '개(dog)'와 같은 단어는 이미 그 단어에 숙달했기 때문에 분류에 쓰이기에는 너무 분명해(obvious) 보일 수 있다고 하는 것이 자연스럽다. 즉, 그 단어에 대해 매우 잘 알고 있기 때문에 단어의 개념이 '추상적'이 아니라 '분명하게' 보인다는 것이다.

memo